La educación superior norteamericana

Cátedra UNESCO-UNU
"Historia y Futuro de la Universidad"
de la Universidad de Palermo

LA EDUCACIÓN SUPERIOR NORTEAMERICANA

Una historia

Christopher J. Lucas
Profesor de Educación Superior
Universidad de Arkansas

Tomo 2
—

Desarrollo y maduración

UP
**Universidad
de Palermo**

Colección de Educación Superior

Lucas, Christopher J.
  La educación superior norteamericana, una historia: desarrollo y maduración. - 1a ed.
- Buenos Aires: Universidad de Palermo - UP, 2010.
  v. 2, 224 p. ; 24x16 cm. - (Educación Superior / Ricardo H. Popovsky)

  Traducido por: Teresita Marcela Cachero
  ISBN 978-987-1716-04-3

  1. Educación Superior. I. Cachero, Teresita Marcela, trad. II. Título
  CDD 378.097 3

Diseño general y maqueta:
DG. Pablo De Ferrari

Diseño original de tapa:
Patricia Fiuza

Editor a cargo:
ED. Rosanna Cabrera

Traducción:
Teresita Marcela Cachero

Corrección:
Martha Ardila Higuera

Título original:
American higher education

© 2006 Christopher J. Lucas

© 2010 Fundación Universidad
de Palermo

ISBN: 978-987-1716-04-3

Mayo de 2010

Hecho el depósito que marca la
ley 11.723

Impreso en China / Printed in
China

Universidad de Palermo
Rector y Director de la Colección
Ing. Ricardo H. Popovsky

Facultad de Ciencias Sociales
Decana
Elsa Zingman, MBA, M.Ed.S

Secretario académico
Lic. Luis Brajterman

Cátedra UNESCO-UNU "Historia y Futuro de la
Universidad" de la Univesidad de Palermo

Director de la Cátedra
Dr. Miguel Ángel Escotet

Tomo 2

Desarrollo y maduración

contenido

contenido

contenido

la educación superior norteamericana: desarrollo y maduración

CAPÍTULO SEIS

El ámbito universitario norteamericano a principios del siglo XX

Antiguos y nuevos paradigmas

Al reflexionar sobre el pasado de la educación superior norteamericana, tal como la había experimentado en los primeros años de 1900, Henry Seidel Canby (*Alma Mater*, 1936), la recordaba como un período de relativa tranquilidad y calma sustentada por una cierta ambigüedad de propósitos. "En la primera década del nuevo siglo en particular [afirmaba], trataban de combinar en nuestro *college* diferentes tareas incompatibles [...] un joven instructor del profesorado en, digamos 1905, podía contemplar esta insólita combinación de deportes, bares al aire libre, convenciones políticas, laboratorios y fábricas de investigación, con una mente tan confundida como una tortilla española".[1] Pero, el sentido de incompatibilidad de Canby al parecer no era ampliamente compartido, a juzgar por el tono de muchos artículos sobre educación superior que aparecieron en publicaciones académicas y populares

---

1. Henry Seidel Canby, *Alma Mater: The Gothic Age of the American College* (Nueva York: Farrar, Straus & Giroux, 1936), pp. 81-82.

de la época. En comparación con las profundas divisiones de opinión y puntos de vista ásperamente discrepantes revelados en libros y publicaciones entre los años 1860 y 1880, el clima general era más bien de adecuación y consenso.[2]

Las discusiones sobre las metas y los ideales académicos al final del siglo, parecían ser notablemente menos polémicas, más moderadas, más inclinadas a señalar zonas de acuerdo que en épocas pasadas. Las formulaciones de los objetivos académicos se hicieron más borrosas, menos distintivas y más moderadas en su expresión. Ahora el talante parecía ser la incorporación de todas las metas deseables dentro de un marco institucional común. De esta manera, los comentaristas tenían la tendencia a generalizar sobre el valor de la educación en el *college*: sobre cómo logró el contacto con el legado cultural, fomentó hábitos ejemplares de autodisciplina y moderación y promocionó la competencia y la habilidad profesionales.[3] El prestigio social y el valor financiero unido a la posesión de un título de *college*, gozaban ahora de mayor atención que el contenido de la enseñanza asociado con el mismo.

No resulta difícil detectar en la literatura de comienzos del siglo XX sobre educación superior un deseo por parte de las grandes universidades de ser todas las cosas para todas las personas, de ofrecer a todos algo que fuera ventajoso. El presidente Harry Pratt de la Universidad de Chicago, en 1907, declaraba: "no creo que el *college* deba tener por objetivo un tipo de producto. Debería existir una diversidad de resultados como existe una diversidad de rasgos naturales. Ningún *college* debe aspirar a colocar su sello en todos los hombres en un sentido tal que se espere que todos sean sustancialmente parecidos".[4] Un profesor de griego en Columbia, en 1907, consideraba que los objetivos básicos de una universidad eran múltiples: preservar y transmitir la cultura liberal; compartir con el público el conocimiento útil en toda su extensión; servir como agente de cambio social benéfico en un orden floreciente

---

2. Hablar de un "clima general" es una especie de una ficción historiográfica, pero el tema general se amplía muy bien en Laurence R. Veysey, *The Emergence of the American University* (Chicago: University of Chicago Press, 1965), p. 342 y ss.

3. Para un punto de vista retrospectivo ilustrativo de un observador-participante importante, consúltese a Daniel Coit Gilman, "The Launching of a University", en *Scribner's Magazine*, 31 (marzo de 1902), pp. 327-331, más tarde se amplió a un libro con el mismo título. Aparecen fragmentos del texto revisado en 1906 como "Daniel Coit Gilman Reviews the Accomplishments of the University Era, 1869-1902", en Richard Hofstadter y Wilson Smith, eds., *American Higher Education, A Documentary History* (Chicago: University of Chicago Press, 1961, II, 2 vol.), pp. 595-601.

4. Citado en Veysey, *Op. cit.*, p. 344.

comercial e industrial y servir como un centro de investigación y de producción de nuevos conocimientos desinteresados mediante la investigación y la producción académica escrita. "Por momentos podemos buscar [...] separar estas nociones [observaba], pero se encuentran tan entrelazadas en la idea completa de una universidad que no se puede dibujar una línea divisoria clara entre ellas. Mucho menos, puede aparecer en nuestras mentes el pensamiento de la oposición entre ellas".[5]

La manifiesta falta de tensión entre las diversas metas académicas, se puede afirmar, reflejaba la paulatina hegemonía de la universidad de investigación como tipo de institución ideal para la educación superior norteamericana. Lo que parecía muy evidente era que el modelo o paradigma que prevalecía a comienzos del siglo XX difería en gran medida del antiguo ideal que había dominado casi medio siglo antes. Si el antiguo *college* se definía en forma típica por la enseñanza y un plan de estudios fijo todavía dominado por la literatura y las lenguas clásicas, la nueva universidad se definía a sí misma desde el punto de vista de investigación y un desconcertante conjunto de programas de estudio utilitarios y modernos. Si el *college* antiguo tendía a ser paternalista e involucrado de manera íntima con la vida de los estudiantes, la nueva universidad se inclinaba a ser más impersonal, más permisiva, menos comprometida en forma directa con la supervisión de los estudiantes. Por sobre todo, mientras que el antiguo *college* era pequeño, la universidad era grande. Tan predominante se había vuelto el modelo de la universidad moderna, sancionando una serie de prioridades y normas institucionales inflexibles, que parecía dejar poco lugar para las alternativas. La primacía de la universidad era tal, que otro tipo de instituciones solo podía buscar imitar las características esenciales o arriesgarse a quedarse atrás sin esperanzas.[6] En efecto, la educación superior en Norteamérica formaba una pirámide, con los valores de las universidades de investigación en la cima dominando toda la estructura.

287

La mayoría de los *colleges* privados de humanidades carecían de los recursos necesarios para transformarse en instituciones dedicadas a la generación de conocimientos y no simplemente a su trasmisión. Con la incapacidad,

5. J.R. Wheeler, "The Idea of a College and of a University", en *Columbia University Quarterly,* 10 (diciembre de 1907), p. 12. Este argumento de alguna manera falso, ahora santificado por las reiteraciones, con frecuencia se ofrece casi sin cambios en afirmaciones similares contemporáneos.

6. Sobre el contraste entre el "*college* antiguo" y la universidad moderna, veáse Walter P. Metzger, *Academic Freedom in the Age of the University* (Nueva York: Columbia University Press, 1955), pp. 4-5.

o sin la ambición, de competir en forma directa con las universidades ofreciendo capacitación profesional especializada, muchos *colleges* se entregaron a la tarea de redefinirse como instituciones exclusivamente de enseñanza. Su función básica sería servir como proveedores de la cultura liberal.[7] Frente a la elección de imitar a las universidades o permanecer como algo diferente, incluso si significaba una cierta pérdida de apoyo popular, los *colleges* optaron, en última instancia, por la segunda opción. Las instituciones regionales o con fines especiales, al contrario, sucumbieron con cierta rapidez al modelo dominado por la investigación y buscaron adquirir los atavíos de una universidad desarrollada lo más pronto posible.[8]

El desarrollo de la escuela normal como institución dedicada a la preparación de maestros representa un excelente ejemplo.[9] Los seminarios para maestros y las escuelas normales hacía bastante tiempo que concentraban sus esfuerzos en la capacitación de maestros para las aulas de las escuelas primarias. Con el tiempo, los cambios sucesivos de nombre señalaron la evolución en una dirección completamente nueva.[10] De esta forma, la "escuela normal" de 1890, que hasta ese entonces había sido algo más que una escuela

7. Los comentarios pertinentes incluyen a Frank Thilly, "What is a University?", en *Educational Review*, 22 (diciembre 1901), p. 500; R.M. Wenley, "The Classics and the Elective System", en *School Review*, 18 (octubre de 1910), p. 518; Webster Cook, "Evolution and Education", en *Education*, 9 (febrero de 1889), p. 372; Robert MacDougall, "University Training and the Doctoral Degree", en *Education*, 24 (enero de 1904), p. 261-276; A. Laurence Lowell, *At War with Academic Traditions in America* (Cambridge: Mass.: Harvard University Press, 1934), pp. 5-7, 40-41, 108-109, 116, 239-240. También refiérase a Thomas Russell, *The Search for a Common Learning: General Education, 1800-1960* (Nueva York: McGraw Hilt, 1962), pp. 24-25, 62 y ss.

8. La afirmación de que las instituciones regionales abrazaban un modelo dominado por la investigación puede resultar muy fuerte. No obstante, parece defendible declarar que, en contraste con la mayoría de los *colleges* privados, en las recientes décadas numerosas instituciones regionales públicas buscaron redefinirse como universidades multipropósito. Consúltese George P. Schmidt, "A Century of the Liberal Arts College", en William W. Brickman y Stanley Lehrer, eds., *A Century of Higher Education: Classical Citadel to Collegiate Colossus* (Nueva York: Society for the Advancement of Education, 1962), pp. 50-66. Véanse también Archie M. Palmer, ed., *The Liberal Arts College Movement* (Nueva York: Little and Ives, 1930); y Schmidt, *The Liberal Arts College: A Chapter in American Cultural History* (New Brunswick, N.J.: Rutgers University Press, 1957). Adviértase asimismo el análisis mordaz en James Axtell, "The Death of the Liberal Arts College", en *History of Education Quarterly*, II (invierno de 1971), pp. 339-352.

9. J.P. Gordy, *The Rise of the Normal-School Idea in the United States* (Washington, D.C.: United States Bureau of Education, 1891); Wesley E. Armstrong, "Teacher Education, 1839-1953", en *Higher Education*, 10 (abril de 1954), pp. 123-131; William F. Russell, "A Century of Teacher Education", en *Teachers College Record*, 4 (marzo de 1940), pp. 481-492; y Paul Woodring, "A Century of Teacher Education", en Brickman y Lehrer, pp. 154-165.

10. Se ofrecen dos perspectivas diferentes respectivamente en Charles A. Harper, *A Century of Public Teacher Education: State Teachers Colleges as They Evolved from Normal Schools* (Washington, D.C.: American Association of Teachers Colleges, 1939); y Paul Mattingley, *The Classless Profession: American Schoolmen in the 19th Century* (Nueva York: New York University Press, 1975).

secundaria gloriosa, se convirtió en el "*college* estatal de maestros" desde 1913 hasta los años 20 de principios de siglo. Algunas décadas más tarde, se convirtió en el "*college* estatal". A la larga, mucho más expandida, tuvo el orgullo de llamarse "universidad estatal".[11] Las instituciones de maestros, imitando de manera directa el lugar privilegiado de "hacer investigaciones" asociado con las grandes universidades, cambiaron sus valores y prioridades; por lo general, minimizando o restándole importancia a su papel de educadores de maestros. Parecía que la meta era convertirse en una universidad completa orientada a la investigación.[12]

La riqueza y los monolitos

La transformación de los *colleges* relativamente simples en organizaciones universitarias de gran alcance y complejidad estructural no se logró sin estrés ni fatiga. La función ampliada del presidente de la universidad ilustró el proceso.[13] Rutherford B. Hayes, un miembro del consejo estatal de Ohio, describió una vez que los cuerpos de gobierno académico buscaban en un presidente, a principios de 1890: "buscamos a un hombre de buen aspecto, de imponente presencia capaz de impresionar al público; debe ser un buen orador en las reuniones públicas; debe ser un gran académico y un gran profesor; también debe ser, como piensan algunos, un predicador; debe ser un hombre con actitudes ganadoras; debe poseer tacto, de manera que pueda llevarse bien con el profesorado y saber dirigirlo; debe ser popular con los estudiantes; también debe ser un hombre entrenado en los negocios, un hombre de mundo; debe ser un gran administrador". Sin duda alguna, Hayes tenía

289

11. Karl W. Bigelow, "The Passing of the Teachers College, 1938-1956", en *Teachers College Record*, 58 (mayo de 1957), pp. 409-417; y veáse Merle L. Borrowman, *The Liberal and Technical in Teacher Education* (Nueva York: Teachers College, Columbia University, 1956).

12. Consúltense Lawrence A. Cremin, "The Education of the Educating Profession", en *Research Bulletin: Horace Mann Institute*, 18 (marzo de 1978), pp. 1-8; y John S. Brubacher, y Willis Rudy, *Higher Education in Transition: A History of American Colleges and Universities*, 3ª ed. rev. (Nueva York: Harper and Row, 1976), pp. 198-210.

13. Se ofrece un resumen aislado en Frederick Rudolph, *The American College and University: A History* (Athens, Ga.: University of Georgia Press, 1990, Capítulo 20), pp. 417-439. Además de la excelente discusión de Rudolph, veánse Herman Donovan, "Changing Conceptions of the College Presidency, 1795-1957", en *Association of American Colleges Bulletin*, 43 (marzo de 1957), pp. 40-52; Walter C. Eells y Earnest V. Hollis, *The College Presidency, 1900-1960* (Washington, D.C.: United States Office of Education, 1961; y George Schmidt, *The Old Time College President* (Nueva York: Columbia University Press, 1930).

razón cuando señaló: "caballeros, no existe tal hombre".[14]

La necesidad, como la describió Thorstein Veblen en *La enseñanza superior en Norteamérica* (1918), era de "capitanes de la erudición"; es decir, hombres que de alguna manera combinaran de forma milagrosa la astucia de un Mark Hopkins con la agudeza comercial de un Rockefeller o un Carnegie.[15] Los que se deseaba eran personas que pudieran desempeñar en el ámbito universitario funciones que en otras partes de la sociedad norteamericana llevaban a cabo los capitanes de las industrias y los negocios corporativos. Ya no existían los amables presidentes de antaño que conocían a todos los estudiantes por su nombre de pila, recibían a los nuevos en persona y tenían un interés personal en el progreso académico de cada estudiante confiado a su cuidado.[16] Se les suplantaría por una nueva raza de oficiales ejecutivos académicos, bien versados en los intrincados detalles de la administración y el financiamiento, gerentes ejecutivos cuyas obligaciones los apartarían de forma inevitable, no solo del cuerpo de profesores y de los alumnos sino también, cada vez más, del ámbito académico.[17]

290

Uno de los cambios más evidentes en cuanto a la selección del líder administrativo de una universidad fue la inclinación a preferir los laicos por sobre los clérigos.[18] Mientras que el 90% de todos los presidentes de *colleges* en ejercicio, en 1860, se habían capacitado para el clero, en 1933, no más del 12% tenía una preparación teológica. Se consideraba que el estereotipo de ministro religioso carecía de maneras y habilidades terrenales. Se lo asociaba en la mente de muchos con un plan de estudios clásico en vez de una educación más práctica o utilitaria respaldada por los fideicomisarios.[19] Y debido a que las instituciones mismas se estaban convirtiendo más en civiles y menos sujetas a las influencias religiosas, uno a uno los *colleges* públicos y privados se apartaron de todo lo anterior y escogieron laicos para las presidencias: Denison

---

14. Citado en James E. Pollard, *History of the Ohio State University: The Story of Its First Seventy-Five Years, 1873-1948* (Columbus, Ohio: Ohio State University Press, 1952), p. 136.

15. Thorstein Veblen, *The Higher Learning in America* (Nueva York: B.W. Huebsch), 1918, citado por Rudolph, pp. 418-419.

16. Adviértanse las caracterizaciones realizadas por Schimdt en *The Old-Time College President, pássim.*

17. Veysey, pp. 305-312 y ss. Véase también Frank P. Graves, "The Need of Training for the College Presidency", en *Forum*, 32 (febrero de 1902), pp. 680-685.

18. Schimdt, *Op. cit.*, pp. 184-187.

19. Rudolph, *Op. cit.*, p. 419.

en 1889, Illinois College en 1892, Yale en 1899, Princeton en 1902, Marietta en 1913, Bowdoin en 1918, Wabash en 1926. Para reemplazar a los clérigos de ayer se encontraban los abogados, ex líderes militares, políticos y hombres de negocios con experiencia o dinero.[20]

A pesar de los lamentos por la desaparición del antiguo presidente de *college*, el aumento de los inscritos y el aumento de las donaciones, en gran medida parecían personificar al antiguo presidente como una especie de anacronismo. El imperativo moderno, según el punto de vista de los fideicomisarios, era asegurarse a alguien capaz de suministrar un liderazgo fuerte para todos los vastos proyectos de la universidad. El desafío era mantener a la institución unida, reconciliando lo más posible cada uno de los elementos e intereses dispares: los estudiantes, el profesorado, los egresados, los componentes externos; mientras impartía a todos en forma simultánea el sentido de una misión y un objetivo compartidos. El éxito con el que la universidad trascendía las diferencias internas y avanzaba en consecuencia dependía del presidente. Por lo tanto, mientras en un momento fue costumbre considerar al presidente del *college* como *primus inter pares* (el primero entre iguales), a comienzos del 1900, la clara tendencia distintiva fue hacia la concepción del presidente simplemente como *primus*. Mientras que en un momento el presidente sirvió non *dominus sed dux* (como "un líder, no un maestro"), ahora resultaba aún más difícil separar los dos roles.[21]

Debido a que la institución de educación superior necesitaba un flujo continuo de fondos para mantenerse, la recaudación de dinero se convirtió en la tarea más urgente del presidente. Hallar posibles donantes y ganárselos, ocupaba la mayoría de sus energías. Era una tarea que iba a alejar aún más de los asuntos del *campus*.[22] Dando una respuesta a las quejas de que los presidentes se estaban convirtiendo en agentes financieros para las instituciones hasta la exclusión virtual de todo lo demás, Langdom Stewardson del Hobart College decía: "Desagradable como es en realidad el trabajo de recaudar dinero, el presidente reconoce con claridad que resulta ser una obligación imperativa para

291

---

20. Ibídem, p. 420. Se da testimonio del mismo modelo en Ross, *Democracy's College* (Ames, Iowa: Iowa State College Press, 1942), pp. 104 y ss.; Homer P. Rainey, "Some Facts About College Presidents", en *School and Society*, 30 (octubre de 1929), pp. 581-582; John A. Perkins y Margaret H. Perkins, "From These Leadership Must Come", en *School and Society*, 70 (septiembre de 1949), pp. 162-164; y Brubacher y Rudy, pp. 365-376.

21. Brubacher y Rudy, *Op. cit.*, p. 366.

22. G.M. Stratton, "Externalism in American Universities", en *Atlantic Monthly*, 100 (octubre de 1907), p. 518.

él".[23] En el presidente recaía el trabajo de persuadir a los donantes corporativos ricos (los McCormick, los Havemeyer, los Gould, los Rockefeller, los Vanderbilt) para que ofrecieran su generosidad. Si tenía éxito, llegaban millones para nuevos edificios, nuevos departamentos, nuevas facultades profesionales.[24]

Por otro lado, la filantropía corporativa podía ser una bendición a medias, en particular, cuando las donaciones venían con condiciones adjuntas. Era frecuente el caso, por ejemplo, de que un destinatario estaba obligado a igualar o incluso duplicar la cantidad de una futura contribución como una precondición para su otorgamiento. En segundo lugar, muchos benefactores buscaban influir sobre la política institucional o consignar los fondos para algún propósito especializado. Luego, el presidente debía negociar los términos de la donación, protegiendo la independencia académica de la universidad de la mejor manera posible. En tercer lugar, los benefactores comenzaron a buscar lugares en las Juntas de Gobierno de los *colleges*. El resultado fue: consejos de fideicomisarios dominados, no por los académicos, sino por los hombres de negocios cuyas prioridades y lealtades no siempre se encontraban alineadas con consideraciones académicas o respondían a éstas.[25]

292

Las organizaciones filantrópicas como la Fundación Carnegie, establecida en 1906 y la Fundación Rockefeller, creada en 1913, comenzaron a cobrar vida propia en el ámbito universitario, con la promesa de donaciones solo si las universidades cumplían con ciertas condiciones. Los líderes universitarios hallaron difícil resistirse a las demandas de eliminación de la duplicación y el despilfarro, de consolidación, de la eliminación de la intransigencia religiosa, o cualquier otra cosa que se solicitaba. Más de una institución —Drake, Coe, Hanover, Rochester y, tal vez unas cuantas más— en seguida perdieron su afiliación de origen a cambio del apoyo de una fundación. Los líderes académicos se sentían cada vez más perturbados por el poder en expansión de las organizaciones externas. El presidente Jacob Gould Schurman de Cornell

---

23. Citado en Rudolph, *Op. cit.*, p. 421.

24. Las implicaciones potenciales se discuten en Richard Hofstadter y Walter P. Metzger, *The Development of Academic Freedom in the United States* (Nueva York: Columbia University Press, 1955), pp. 453-454.

25. El tema se desarrolla en extensión en Merle Curti, *Philanthropy in the Shaping of American Higher Education* (New Brunswick, N.J.: Rutgers University Press, 1965). Adviértanse también los tratamientos en William T. Laprade, "Funds and Foundations: A Neglected Phase of Higher Education, 1867-1952", en *American Association of University Professors Bulletin*, 38 (invierno de 1952), pp. 559-576; Jesse B. Sears, *Philanthropy in the History of American Higher Education* (Washington D.C.: United States Bureau of Education N° 26); y Warren Weaver, *United States Philanthropic Foundations: Their History, Structure, Management, and Record* (Nueva York: Harper and Row, 1967).

expresaba sus dudas, en 1909, cuando declaró que "la gran ambición de ese tipo de corporaciones por reformar los abusos en las instituciones educativas es, en sí misma, una fuente de peligro. Los hombres no se constituyen en reformadores educativos por poseer un millón de dólares para gastar".[26] Los donantes de las corporaciones creían lo contrario. El Consejo General de Educación de Rockefeller en el informe de 1914, por ejemplo, defendía sus esfuerzos por llevar a la reforma de la educación un mayor grado de racionalidad y estandarización. "Los estados no se han demostrado, por lo general, competentes para tratar con la educación superior sobre bases extensas, impersonales e independientes [sostenía el informe]. Las organizaciones religiosas rivales han invadido los *campus* ya de por sí totalmente —o más que totalmente— ocupados; individuos desacertados han fundado un nuevo tipo de *college* en vez de fortalecer el antiguo".[27] Las fundaciones estaban resueltas a poner fin a todo ese tipo de abusos y llevar las prácticas administrativas empresariales y eficientes al ámbito universitario. Las corporaciones filantrópicas se estaban convirtiendo con rapidez en un poder con el que tenían que enfrentarse los líderes académicos.

Otros elementos externos además de las fundaciones comenzaban a ejercer una influencia formativa propia. En 1892, el famoso Committee of Ten [Comité de los Diez] de la National Education Association [Asociación Nacional de Educación] llevó a cabo la tarea de tratar de estandarizar los requisitos curriculares secundarios para la admisión en el *college*. Un Committee of Tewlve [Comité de los Doce], más tarde, delineó un conjunto de estándares comunes para la admisión en el *college*.[28] Para finalizar, frente a la exhortación de Nicholas Murray Butler de Columbia, quienes asistieron al encuentro de 1899 de la Association of Colleges and Secondary Schools of the Middle Atlantic States and Maryland [Asociación de *Colleges* y Escuelas Secundarias de los Estados del Atlántico Medio y Maryland] tomaron en consideración

293

26. Citado en Rudolph, *Op. cit.*, p. 433.

27. *Ibídem*, p. 433.

28. National Education Association, National Council of Education, *Report of the Committee of Ten on Secondary School Studies* (1893); National Education Association, *Report of the Committee on College Education Requirements* (1899); y National Education Association, *Report of the Committee of Nine on the Articulation of High School and College* (1911). Para una discusión en particular sobre el esfuerzo por estandarizar los prerrequisitos de admisión al college, véase Lawrence A. Cretin, "The Revolution in American Secondary Education, 1893-1918", en *Teachers College Record*, 56 (marzo de 1955), p. 296 y ss. Véase también Charles W. Eliot, "The Fundamental Assumptions in the Report of the Committee of Ten", en *Educational Review*, 30 (noviembre de 1905), pp. 333-335.

la propuesta de crear un panel independiente de examinadores, que sería responsable de la administración de los exámenes de ingreso para los aspirantes a los *colleges*.[29]

El presidente Ethelbert D. Warfield del Lafayette College lideró la oposición. "El Lafayette College no tiene la intención de que un consejo le diga a quién admitir y a quién no [informó a los delegados reunidos]. Si deseamos admitir al hijo de un benefactor, o de un fideicomisario, o de un miembro del profesorado y dicha acción beneficiará a la institución no nos van a impedir hacerlo". Charles Eliot de Harvard ofreció una réplica, declarando: "el presidente del Lafayette College no comprendió bien. Será perfectamente practicable bajo este plan para digamos el Lafayette College, si lo escoge, que admitirá solo a los estudiantes que no puedan pasar estos exámenes". En medio de la risa de la audiencia, Eliot agregó: "nadie propone privar al Lafayette College de ese privilegio".[30] Con la oposición ahora silenciada de manera efectiva, los primeros exámenes del College Board [Consejo de *Colleges*] se llevaron a cabo en junio de 1901. Diez años más tarde, por lo menos dos docenas de universidades y *colleges* del Este hacían uso de los resultados de los exámenes para decidir a quién admitir.

Otro factor en la ecuación del cambio de poder fue la influencia cada vez mayor de los egresados de las universidades. La educación superior norteamericana, a principios del siglo XX, había alcanzado un punto en su desarrollo donde grandes cantidades de graduados de *colleges* habían llegado a posiciones de riqueza. Calificaban como potenciales donantes para las universidades y los *colleges* del mismo modo que las fundaciones corporativas. Por consiguiente, los líderes académicos comenzaron a acudir a los egresados para la asistencia financiera. Pero, al igual que los donantes corporativos, los ex alumnos tenían la tendencia a asumir una cierta actitud de propietarios. Organizados en asociaciones cada vez más poderosas, en gran medida, fuera o más allá del control directo de las mismas instituciones a las que prestaban lealtad, los grupos de egresados comenzaron a ejercer cada vez más y más influencia. A cambio de su generosidad, también esperaban que les garantizaran una posición en las Juntas de Gobierno a sus representantes elegidos. Rara era la administración de *college* capaz de ignorar los deseos

---

29. Claude M. Fuess, *The College Board: Its First Fifty Years* (Nueva York: College Entrance Examination Board, 1950), pp. 9-25.

30. *Ibídem*, pp. 23-25; y refiérase al relato en Rudolph, *Op. cit.*, pp. 437-438.

de los egresados en cuanto a las políticas que afectaban los aspectos de la vida universitaria que más les interesaban.[31] Como era de esperar, su apoyo era para los estadios, no la *studia*, para el atletismo, no los laboratorios o las bibliotecas, para las cuestiones extracurriculares en vez de las actividades que se hallan en el verdadero centro de la empresa académica.[32] Por consiguiente, se introdujo una cierta distorsión del objetivo institucional a expensas del ejercicio académico y la instrucción. No obstante, se trataba de una tendencia que la mayoría de los abrumados presidentes de los *colleges* no podían —o, es posible que no desearan— resistir.

La burocratización y la escala de valores mercantil

El desarrollo de las universidades como organizaciones burocráticas fue el resultado del aumento del tamaño, el mayor número de inscripciones y las demandas por nuevos servicios. La burocratización también representaba una respuesta lógica, aunque no planificada, a la necesidad de mantener a los educadores e investigadores libres de las obligaciones detalladas pero esenciales, indispensables para administrar una organización compleja.[33] Con anterioridad, un pequeño *college* podía arreglárselas con un presidente, un tesorero y, tal vez, un bibliotecario a medio tiempo. Ahora, frente a las funciones y el alcance más amplio de las universidades, las organizaciones administrativas crecieron de una forma más especializada y dividida. El resultado fue una organización jerárquica ya conocida en los negocios, pero, nueva para el ámbito universitario. En la cima se encontraban el consejo de fideicomisarios y el presidente. A la oficina del presidente se anexaba un secretario de registros o *registrar* (encargado de los expedientes de los estudiantes), después los vicepresidentes y los vicepresidentes adjuntos, un administrador económico-financiero, después en orden de jerarquía, los decanos, un director de admisiones y un conjunto de secretarias y asistentes administrativos. Los administradores

295

---

31. Brubacher y Rudy, pp. 364-365. Para mayor información, consúltense Webster S. Stover, *Alumni Stimulation* (Nueva York: Teachers College, Columbia University, 1930); y Percy Marks, "The Pestiferous Alumni", en *Harper's Magazine*, 153 (julio de 1926), pp. 144-149; y Henry S. Pritchett, "The Influence of Alumni on Their Colleges", en *Annual Report* (Carnegie Foundation for the Advancement of Teaching, 1923), p. 38 y ss.

32. Brubacher y Rudy, *Op. cit.*, pp. 363.

33. *Ibídem*, pp. 367-371; y Veysey, *Op. cit.*, pp. 387-388.

con dedicación exclusiva tenían a su cargo las cuestiones estudiantiles, las relaciones con el profesorado, el desarrollo institucional, el atletismo, la administración de las instalaciones, las funciones de custodia y otras tareas. El ejercicio concreto del poder en orden descendente a través de las categorías graduales de la jerarquía administrativa podían variar, pero, dentro de cada categoría se empezaron a desarrollar roles específicos. Haciendo una especie de paralelo a la estructura administrativa, por supuesto, se encontraba el sistema de categorías de los profesores: jefes de departamentos, profesores titulares, adjuntos y asistentes, instructores y varias clases de estudiantes graduados.

Es probable que la nueva generación de profesores que comenzaban su carrera a comienzos del siglo XX aceptara la estructura administrativa de la universidad con un cierto grado de ecuanimidad. Pero, para algunos profesores, formados en las tradiciones académicas de una comunidad hasta cierto punto enclaustrada y estrechamente unida de intelectuales, la "administración" parecía un virus extraterrestre introducido en el cuerpo corporativo. La administración en el sentido verdadero denotaba no solo un estilo de administración sino un estado mental, una forma de conciencia; y difería en gran medida de los valores y las prioridades de la mente académica. La administración valoraba el proceder metódico, la eficiencia, la responsabilidad y la cuantificación. Más tarde llegó a simbolizar la reglamentación y la estandarización ubicua en toda la institución. Los profesores estaban dispuestos a conceder que las reglas y las regulaciones eran útiles e incluso indispensables. Si no servían para más, los procedimientos y las políticas explícitas servían para proteger a los profesores de los caprichos de los dictados de la administración. Los estudiantes, por su parte, recibieron bien la codificación de los requisitos porque les servía para aclarar qué se esperaba de ellos. La alternativa a un cierto nivel mínimo de reglamentación, se daban cuenta la mayoría de los observadores, era dejar la institución a la deriva, o la autocracia o el caos.[34]

A pesar del reconocer la necesidad de una burocracia, los críticos señalaron rápidamente su obvia afinidad con la mentalidad empresarial corporativa. John Jay Chapman, escribiendo en 1909, fue uno de los primeros en quejarse de lo profundamente que las actitudes y métodos empresariales se

34. Consúltese a Earl J. McGrath, "The Control of Higher Education, 1860-1930", en *Educational Record*, 17 (abril de 1936), pp. 259-272; Samuel K. Wilson, "The Genesis of American College Government", en *Thought*, I (diciembre de 1926), pp. 415-433; George C. Bogart, "Faculty Participation in American University Government: A History", en *American Association of University Professors Bulletin*, 31 (primavera de 1945), pp. 72-82; y James B. Conant, "Academic Patronage and Superintendence", en *Harvard Educational Review*, 8 (mayo de 1938), pp. 312-334.

habían infiltrado en la vida académica. "Los hombres representan la actividad académica y la educación tienen ideales de hombres de negocios [declaraba]. Son, en esencia, hombres de negocios. Los hombres que controlan [las universidades] en la actualidad no son más que hombres de negocios, dirigiendo una gran tienda por departamentos que brinda educación a las masas".[35] John Dewey deploraba lo que denominó "la atmósfera de obtener y gastar dinero" que prevalecía en el ámbito universitario, el cual, según afirmaba, "ocultaba los intereses por los cuales solo el dinero tenía un lugar".[36] *La educación superior en Norteamérica* de Thorstein Veblen, escrito en su mayoría antes de 1910, detectaba la mano del control empresarial dominando prácticamente todos los aspectos de la universidad moderna. La tendencia a gastar grandes sumas de dinero en edificios impactantes; el crecimiento de la burocracia; la importancia otorgada a las competencias deportivas entre los *colleges*; la preponderancia del ofrecimiento de cursos vocacionales de instrucción; la lucha poco digna por el prestigio, la ventaja competitiva y el poder entre las instituciones, todos ellos, en lo que respectaba a Veblen, eran síntomas de la influencia corruptora del carácter mercantil.[37] Upton Sinclair coincidía en su obra *El paso de ganso: estudio de la educación norteamericana* (1923). El amor por el poder y el dinero, según juzgaba Upton, había socavado de forma irremediable la integridad académica de la mayoría de las instituciones de educación superior en Norteamérica y con ellos, la conducción de las mismas. En cuanto al típico presidente universitario, Sinclair lo desechaba como "el farsante más universal y el más colorido embustero que jamás haya aparecido en el mundo civilizado".[38]

297

Un comentarista escribiendo en una edición de *Nación* de 1900 observaba que la universidad "no podía seguir los mismos métodos precisos y definidos empleados por los industriales [...] por el mismo hecho evidente de que [los estudiantes] no son precisamente todos iguales y no son, además, bloques pasivos de materia prima". Andrew S. Draper de la Universidad de Illinois coincidía, dando su opinión en un artículo en el *Atlantic Monthly* en 1906: "por supuesto que la universidad no puede convertirse en una corporación

---

35. John J. Chapman, "The Harvard Classics and Harvard", en *Science*, 30 (1 de octubre de 1909), p. 440.

36. John Dewey, "Academic Freedom", en *Educational Review*, 23 (enero de 1902), p. II.

37. El punto se discute en Veysey, pp. 346-347. Véanse Thorstein Veblen, *The Higher Learning in America* (Nueva York: B.W. Huebsch, 1918); y el pequeño fragmento en Hofstadter y Smith, pp. 818-832.

38. Citado y hecho referencia en Rudolph, *Op. cit.*, p. 423.

comercial, con las implicaciones comunes del comercio [...] Las características distintivas de una universidad norteamericana son su objetivo moral, su objetivo científico, el servicio público desinteresado, inspirar en todos los hombres todas las cosas nobles y no dejarse corromper por el comercialismo". Draper continuó añadiendo luego una restricción vital: "se deberían aplicar los métodos comerciales sanos y esenciales para la administración de sus asuntos comerciales. Estos son asuntos de negocios, así como también una mediación moral e intelectual; si no se aplican estos métodos para su administración, se quebrará".[39]

Existía una cierta lógica inexorable en el crecimiento de la administración académica y la burocracia, algo en apariencia inevitable que hizo que las críticas fueran inútiles y que la resistencia completa fuera casi imposible. Mucho del crecimiento y la complejidad llegó sin haberse planificado. El presidente Angell de Michigan, al escribir en 1904, destacaba casi con pesar: "nuestros múltiples procedimientos [...] han crecido sin un sistema y bajo necesidades peculiares".[40] Algunos críticos continuaron expresándose sobre lo que se estaba perdiendo, sobre la erosión de la comunidad académica y de la vida universitaria en una época cada vez más enamorada de la eficiencia taylorista y la racionalidad operativa. Pero, las protestas no sirvieron de nada. Oponerse al crecimiento parecía ser definitivamente quijotesco, llevando consigo (para mezclar la metáfora) el riesgo de ser tildado como el equivalente actual de un ludista o persona en contra de los cambios industriales o tecnológicos, intentando frustrar el progreso.

En cualquier caso, ni siquiera los críticos más fervientes de la influencia empresarial estaban preparados para apoyar la eliminación completa de la burocracia. Para hacerlo, los profesores deberían recolectar ellos mismos los pagos de los aranceles de las clases, pagar los gastos de los equipos y de los edificios, recaudar fondos, juntar y archivar los informes, llevar adelante la contabilidad, supervisar la admisión de los estudiantes y el registro en los cursos y atender a una miríada de tareas asumidas por los funcionarios administrativos. Coincidían con la posición de Draper de que cualquier otra alternativa era impensable, de que sin la infraestructura organizativa que se estaba convirtiendo con rapidez en la característica distintiva de la universidad moderna,

39. Veysey, p. 353, citando "Despotism in College Administration", en *The Nation*, 70 (26 de abril de 1900): 318, y Andrew S. Draper, "The University Presidency", en *Atlantic Monthly*, 47 (1906), p. 36.

40. Citado en Veysey, *Op. cit.*, p. 268.

todo el sistema, sin duda, "quebraría". No obstante, muchos se preocupaban por el carácter inflexible de la "institución, la impersonalidad cada vez mayor, la tendencia a deshumanizar la vida universitaria. Y, tal vez, mucho más que todo, los profesores se preocupaban sobre el lugar que ocuparían dentro de la estructura de poder.[41]

La participación de los profesores en el gobierno, algunos afirmaban, venía a ser un poco más que un gesto simbólico extendido por aquéllos que tenían el verdadero poder. Claro está que existían los rudimentos de consulta al profesorado. Pero, en realidad, era más una cuestión de los administradores para sondear la opinión dentro de las filas de los profesores para poder redirigirlos, para aislar el descontento y para desarmar cualquier disentimiento que amenazara con debilitar la postura oficial de la universidad de unidad y solidaridad. Un contribuyente anónimo de la *Scribner's Magazine*, en 1907, comparaba la suerte de los profesores con la de un hombre de mar: "se encuentra establecida dentro de la universidad una "administración" a la cual le debo rendir cuentas [se quejaba]. Ellos gobiernan el buque y yo soy parte de la tripulación. No se me permite estar en el puesto, salvo cuando me convocan; y los consejos en los que participo siempre comienzan en el punto en el que la política ya está determinada. No soy parte *de* la 'administración', pero, soy utilizado *por* la 'administración' [...] En cuanto a la autoridad, la dignidad, el salario, la 'administración' se encuentra por encima de mí; y yo estoy por debajo de ellos". El autor de la crítica compara luego su posición con la del "asistente más humilde en una tienda por departamentos" que se le permite permanecer por la tolerancia de "un único déspota".[42] El tema, reducido a su nivel más elemental, por consiguiente, era si los profesores ejercían algún control sustancial sobre las circunstancias de su propio trabajo. Muchos sospechaban, con John Jay Chapman, que "así como el jefe ha sido la herramienta de los hombres de negocios en la política, del mismo modo el presidente del *college* ha sido su agente en la educación".[43] Todavía no resultaba clara qué era

299

---

41. Véanse William Kent, "The Ideal University Administration", en *Science*, 28 (3 de julio de 1908), pp. 8-10; J.J. Stevenson, "The Status of American College Professor", en *Popular Science Monthly*, 66 (diciembre de 1904), pp. 122-130; y Hofstadter y Smith, "An Academic Scientist's Plea for More Efficient University Control, 1902", pp. 761-771.

42. "The Point of View", en *Scribner's Magazine*, 42 (julio de 1907), p. 123. Veáse Hofstadter y Smith, "J. McKeen Cattell on Reforming University Control, 1913", pp. 784-808.

43. John Jay Chapman, "Professorial Ethics", en *Science*, 32 (1° de julio de 1910), p. 6.

lo que los profesores podían hacer, individual o colectivamente, para evitar convertirse en víctimas del proceso.

La libertad académica

La seguridad del trabajo siempre fue un asunto poco sólido entre los profesores norteamericanos en el siglo XIX. Cualquier docente mantenía su puesto según el gusto del presidente o el del consejo. Lo podían despedir en cualquier momento si cualquiera de arriba así lo deseaba.[44] Cuando se despedía a un profesor por expresar un punto de vista que no era popular (dentro o fuera del aula), por lo general, era por haber tomado una posición contraria a la ortodoxia religiosa predominante. Hacia fines del siglo XIX, las razones por las que un profesor podía meterse en problemas se desplazaron hacia la esfera económica y política. Una y otra vez se repetía el mismo patrón: un académico propugnaba de manera pública por una reforma o criticaba el orden social existente y, después, se lo despedía en forma sumaria por ser problemático.[45] En 1892, George M. Steele, presidente del Lawrence College, fue despedido por sus inclinaciones "hacia el libre comercio y los billetes verdes"; al año siguiente, el presidente del North Dakota Agricultural College fue despedido por razones "políticas" no especificadas; en 1894, Richard T. Ely, un profesor de economía de Wisconsin, fue acusado de fomentar el desorden público por su punto de vista sobre las relaciones laborales y el abuso corporativo; I.A. Hourwich de la Universidad de Chicago fue despedido el mismo año por participar en una convención populista; en 1895, Edward W. Bemis, un economista en Chicago, fue despedido por criticar de manera imprudente los monopolios y la industria del ferrocarril; en 1896, John R. Commons, un economista de la Universidad de Indiana, perdió su empleo por promulgar puntos de vista políticos controversiales; en 1897, Allen Smith, un científico

300

---

44. Véase Leo Rockwell, "Academic Freedom: German Origin and American Development", en *Bulletin of the American Association of University Professors*, 36 (verano de 1950), pp. 225-236; y Hofstadter y Smith, "Andrew D. White on Faculty Status in the 1870's and 1880's", pp. 751-752.

45. Hofstadter y Smith, "G. Stanley Hall on Academic Unrest Before World War I", pp. 771-773; *Ibídem*, "Alexander Winchell's Encounter with Bishop McTyeire, 1878", pp. 846-848; *Ibídem*, "Andrew D. White's Comment on the Winchell Case, 1878", pp. 848-849; *Ibídem*, "Noah Porter Objects to William Graham Sumner's Use of Herbert Spencer in Undergraduate Courses, 1879", pp. 849-850; e *Ibídem*, "Sumner's Review of His Controversy with Porter, 1881", pp. 850-857.

político empleado en el Marietta College, fue separado de su puesto por la "enseñanza antimonopolios"; y en 1897, E. Benjamin Andrews de Brown fue obligado a renunciar por poseer un punto de vista avanzado y favorable para la liberación de la plata.[46] Para Thomas Elmer Will del Estado de Kansas, en 1901, la lección que se puede extraer de la larga crónica de profesores que perdieron sus posiciones presumiblemente al hablar de asuntos sociales era simple. "Con la arrogancia equivalente a la del poder sobre los esclavos [expresaba], nuestra plutocracia promulgó su edicto de que los *colleges* y las universidades deben comenzar a aceptar las reglas".[47]

De todos los casos sobre la libertad académica que atrajeron la atención del público, el despido de Edward A. Ross de la Universidad de Stanford en noviembre de 1900 generó la mayor controversia.[48] Durante el mes de mayo anterior, Ross había pronunciado un discurso en oposición a la inmigración asiática. Luego, siguió con un corto discurso en el que se abstuvo de oponerse a la propiedad municipal de los servicios públicos. Jane Lathrop Stanford, esposa de Lean Stanford, el fundador de la universidad, que funcionaba como la única fideicomisaria (y consideraba a la institución como una posesión personal con la que podía hacer lo que deseaba) ordenó al presidente David Starr Jordan que despidiera a Ross de inmediato. Jordan era una especie de autócrata que había sido contratado porque según se decía podía administrar los asuntos de la universidad "como el presidente de un ferrocarril". Según cuenta un amigo, por ejemplo, Jordan evitaba la reunión de su cuerpo docente porque "el realizar reuniones de los profesores conducía a diferencias de opinión en el profesorado de manera inevitable y [...] la mejor manera de evitar la formación de grupos en el profesorado era no reunir nunca a los profesores excepto, tal vez, para una reunión anual".[49] A pesar de la amistad personal con Ross, Jordan sentía que no estaba en posición de negarse a las demandas repetidas de la señora Stanford. En noviembre le exigió la renuncia

301

---

46. Véanse Hofstadter y Metzger, "The Development of Academic Freedom", pp. 383-497; Hofstadter y Smith, "The Wisconsin Regents Speak for Academic Freedom", pp. 859-860; Howard C. Warren, "Academic Freedom", en *Atlantic Monthly*, 114 (noviembre de 1914), pp. 693-694; Merle Curti y Vernon R. Cartensen, *The University of Wisconsin: A History* (Madison: University of Wisconsin Press, 1949, I, 2 vol.), pp. 508-527. Véase también Richard T. Ely, *The Ground Under Our Feet: An Autobiography* (Nueva York: Macmillan, 1938), p. 218 y ss.

47. Thomas Elmer Will, "A Menace to Freedom", en *Arena*, 26 (septiembre de 1901), pp. 244-257.

48. Edward A. Ross, *Seventy Years of It* (Englewood Cliffs, N.J.: Prentice-Hall, 1936), p. 94 y ss.

49. Orrin Leslie Elliott, *Stanford University: The First Twenty-five Years* (Stanford: Stanford University Press, 1937), pp. 326-378.

a Ross. Se desató una gran controversia.[50] Varios miembros del profesorado renunciaron en protesta. Al final, no obstante, Ross no logró recuperar su cargo.

El caso Ross renovó el debate sobre la libertad de enseñanza e investigación, un tema que se había desatado solo en forma intermitente durante las décadas previas y que con frecuencia abarcaba la expresión de creencias vinculadas con la controversia entre la ciencia y la religión, la evolución y el creacionismo fundamentalista. Los defensores de Ross sostenían que las denominadas declaraciones "extramurales", es decir, las opiniones expresadas por un profesor fuera del aula, merecían la protección académica tanto como lo que se enseña adentro del aula o lo que se escribe en una publicación. La respetada tradición de *Lehrfreiheit*, de libertad para enseñar e investigar sin la interferencia exterior, era un derecho absoluto y debía considerarse sacrosanto. Si los intereses corporativos o sus agentes tenían permitido dictar lo que podía expresar un profesor, se aseguraba, la integridad de toda la actividad académica dentro de un *college* o una universidad se encontraba amenazada en forma directa.

302

Por otra parte, quienes apoyaban la acción del presidente Jordan de despedir a Edward Ross, tendían a responder en una de tres maneras: negando que estuviera en peligro cualquier principio vital de la libertad académica; denunciando a la libertad académica como un concepto arcaico y fuera de moda carente de una aplicación actual; o afirmando la libertad en el sentido abstracto, mientras insistían en que las prerrogativas de los profesores siempre debían mantenerse subordinadas al legítimo interés de la institución por su propia reputación.[51]

Andrew S. Draper de Illinois resumió su pensamiento con la simple declaración de que nunca debían permitirse "la palabrería tonta" dentro de una universidad.[52] El historiador Frederick Jackson Turner, en 1902, recordaba sentimientos comparables que se habían expresado "cuando los miembros de la Junta de Gobierno de Wisconsin se sentaban con un lápiz colorado para examinar la lista de libros enviada por los profesores y tachaban aquellos que

50. Stephen B.L. Penrose, "The Organization of a Standard College", en *Educational Review*, 44 (septiembre de 1912), p. 119.

51. Véase Arthur T. Hadley, "Academic Freedom in Theory and Practice", en *Atlantic Monthly*, 9 (febrero-marzo de 1903): 152-160, 334-344; y por un autor anónimo, "The Perplexities of a College President", en *Atlantic Monthly*, 85 (abril de 1900), pp. 483-493.

52. Andrew S. Draper, "The American Type of University", en *Science*, 26 (12 de julio de 1907), p. 41.

no les resultaban de su agrado, con comentarios irreverentes sobre los 'profesores tontos'". Para el presidente W.H.P. Faunce de la Universidad Brown, en 1901, el tema era sobre el grado en el que debía protegerse el "entusiasmo incendiario" por los puntos de vista no ortodoxos y el grado en el que el discurso libre debía equilibrarse con el discurso responsable. Según sus palabras: "si a este principio de libertad de expresión le agregamos el principio, igualmente importante, de responsabilidad por lo que se expresa, responsabilidad a las instituciones que representamos y al público cuya confianza valoramos, poseemos una base firme y razonable para nuestro futuro académico". Según escribió en 1910 el presidente W.O. Thompson del Estado de Ohio, a cualquier profesor que contemplara la expresión pública de un punto de vista no popular, era necesario recordarle su responsabilidad de comportarse como un "caballero". "Si consideramos a la institución como conservadora del mejor interés de la sociedad y, al mismo tiempo, un líder en la búsqueda de la verdad (decía con seguridad), las personas razonables van a coincidir en que el progreso ordenado de la actividad académica y la investigación no necesitan ofensas innecesarias."[53]

Alton B. Parker, un ex juez de la Corte de Apelaciones de Nueva York y más tarde, candidato presidencial de los demócratas, en 1904, expresó el punto de vista típico conservador de los intereses de propiedad: "Cuando en oposición a los deseos de quienes apoyan la institución, o sin su consentimiento, [un profesor] persiste en seguir un camino que tienda a inculcar en las mentes sensibles de los jóvenes bajo su cargo, teorías consideradas falsas por una gran mayoría de las mentes más inteligentes de la época a mi parecer [el profesor] ha abusado de su privilegio de expresar su opinión hasta tal punto que se justifica que la Junta gobernante dé por terminado su contrato". Los profesores, en otras palabras, debían abstenerse de declarar posiciones opuestas por una mayoría o, como Parker y otros coincidían, cuando la expresión en cuestión era capaz de "enardecer el espíritu público".[54] Allí residía el quid de la cuestión. Para los defensores de la libertad académica del profesorado, las cuestiones relativas a los principios más importantes corrían peligro. Para sus oponentes, sin embargo, la disputa no era sobre las ideas y mucho menos

303

---

53. W.O Thompson, "In What Sense and to What Extent Is Freedom of Teaching in State Colleges and Universities Expedient and Permissible?", en *National Association of State Universities in the United States of America, Transactions and Proceedings*, 1910, pp. 65, 75, 87. También véase Veysey, pp. 408-409.

54. Alton B. Parker, "Rights of Donors", en *Educational Review*, 23 (enero de 1902), pp. 19-21.

sobre la verdad. Más bien, las cuestiones de la libertad académica eran sobre relaciones públicas, sobre las consecuencias de tener un profesor de la institución expresando sentimientos calculados para desatar la ira de las personas de cuyo apoyo dependía la universidad.

Un profesor llamado Ira W. Howerth, escribió en 1900 y resumió el tema de la libertad académica desde el lado de los profesores: "las autoridades sostienen que existe una libertad completa y la afirmación es lógica, ya que hacen una cuidadosa distinción entre libertad y licencia. El pensamiento es libre siempre y cuando sea correcto y las autoridades poseen sus propias convicciones sobre lo que constituye el pensamiento correcto. Si bien la libertad de pensamiento, sin duda, está aumentando en todas las instituciones de educación superior [...] es probable que sea verdad que en la actualidad que no existe un *college* o una universidad en el país que pueda tolerar por mucho tiempo a un activo y alarmante promotor de cambios serios en el orden social presente. Se le solicitaría que se retire y el motivo de su alejamiento no sería considerado como una oposición a la libertad intelectual, sino a su capacidad evidenciada por sus opiniones caprichosas".[55]

304

A las demandas de los profesores por la libertad académica se unía la petición de una mayor seguridad en el trabajo. Henry Seidal Canby recordaba: "nuestro deseo más fuerte era tener seguridad, permanecer donde estábamos con un sueldo que nos permitiera vivir, estar seguros mientras trabajábamos [...] Ni economizar, ni ganar dinero en otra actividad nos podía proteger. Dependíamos del *college*, que siempre estaba presionado por el dinero y no se podía confiar en que fuera ni justo ni sensato".[56] (Durante el período al que Canby se estaba refiriendo, el salario promedio de los profesores era demasiado bajo, casi el mismo que un obrero industrial calificado.) El problema residía en que en los primeros años del siglo XX, todavía no existían los recursos legales para remediar las quejas. Las cortes, reacias a interferir en los asuntos internos de las instituciones académicas, todavía no habían reconocido el principio de la libertad académica. En consecuencia, no importaba cuan razonables fueran los argumentos a favor de los profesores, las demandas por

55. Ira W. Howerth, "An Ethnic View of Higher Education", en *Educational Review*, 20 (noviembre de 1900), p. 352. Adviértase la discusión pertinente en Veysey, pp. 416-418.

56. Canby, *Alma Mater*, p. 153. Véanse también Joseph Jastrow, "The Academic Career as Affected by Administration", en *Science*, 23 (13 de abril de 1906), pp. 566-567; y Hofstadter y Smith, "Charles A. Beard Notifies Nicholas Murray Butler of His Resignation from Columbia, 1917", pp. 883-884; y refiérase a *Ibídem*, pp. 885-892.

un salario para vivir, por la seguridad del trabajo y por la libertad para enseñar y publicar sin el temor de un impedimento, eran casi imposibles de llevar a la práctica. Hasta el momento, en lo que a los fideicomisarios universitarios correspondía, un profesor de conducta errada era un empleado de la institución, ni más, ni menos. Si la conducta no era del agrado de la administración, los funcionarios tenían el derecho de entregarle los papeles del retiro con la misma facilidad con que los ejecutivos de los negocios podían despedir a un mercenario fabril. En pocas palabras, se rechazaban en forma inmediata los reclamos para un estatus especial o una autonomía de los profesores.[57]

Los comienzos de una respuesta llegaron en 1915 con la formación de la American Association of University Professors [Asociación Americana de Profesores Universitarios, AAUP], como resultado de una serie de discusiones y actividades de planificación que se llevaron a cabo junto con la American Economic Association [Asociación Económica Americana, AEA], la American Sociological Society [Sociedad de Sociología Americana, ASS] y la American Political Science Association [Asociación Americana de Ciencias Políticas, APSA]. De ninguna manera la nueva organización ganó la aceptación inmediata o tuvo un gran apoyo, incluso entre los profesores. Para algunos, la idea de una asociación académica general de docentes de *colleges* y universidades demasiado unida se asemejaba al sindicalismo.[58] El *New York Times*, informando sobre la creación del grupo, se desahogó con una andanada en contra de los "catedráticos organizados" y se burló de la libertad académica como "un derecho inalienable de todos los instructores de los *colleges* para hacer el ridículo de ellos mismos y del *college* mediante [...] una cháchara sensacionalista y desmedida sobre todos los temas del mundo, dirigida a sus clases y al público y todavía mantener la nómina o ser retirado de allí con un proceso elaborado".[59] A pesar de las críticas, la dirección de la AAUP se movió para preparar un borrador de su Declaración de Principios expresando la im-

305

57. Veblen, *The Higher Learning*, pp. 174-175; James McKeen Cattell, "Concerning the American University", en *Popular Science Monthly*, 61 (junio de 1902), pp. 180-182; Cattell, *University Control* (Nueva York: Science Press, 1913); y W.C. Lawton, "The Decay of Academic Courage", en *Educational Review*, 32 (noviembre de 1906): 400.

58. Por ejemplo, véase Arthur O. Lovejoy, "Professional Association or Trade Union", en *American Association of University Professors Bulletin*, 4 (mayo de 1938), pp. 409-417; Earl E. Cummings y Harold A. Larrabe, "Individual vs. College Bargaining for Professors", en *American Association of University Professors Bulletin*, 24 (octubre de 1938), pp. 487-496.

59. Citado de *School and Society* 3 (enero de 1916), p.175; citado en Brubacher y Rudy, p. 320.

portancia de salvaguardar la libertad académica y la inamovilidad en el cargo en las universidades y los *colleges* de la nación.[60] El documento remarcaba que se debía permitir a los profesores expresarse bajo su propia autoridad y no que se les hiciera servir como simples "ecos de las opiniones del público profano o de los individuos que administran o que dan donaciones a las universidades". En los años siguientes, incluso en momentos en que las presuntas prohibiciones y las violaciones continuaban sin disminuir, la AAUP se convirtió en el defensor más importante e influyente del cargo de profesor *tenur* y de la libertad académica .[61]

No bien, la AAUP se había establecido como la voz de los profesores y había enunciado su declaración de principios, tuvo que enfrentar una sucesión de crisis causadas por el advenimiento de la Primer Guerra Mundial. Incluso cuando las luchas en Europa continuaban rugiendo, los estadounidenses en los hogares sostenían opiniones muy divididas sobre el conflicto. En declaraciones públicas algunos profesores tomaron una postura de pacifismo militante. Advertían que Estados Unidos debía prestar ayuda a sus aliados, pero, debía evitar a cualquier precio permitir ser parte de la conflagración. En el extremo opuesto, algunos académicos adoptaron una posición en favor de los alemanes, hasta el punto de incluir exhortaciones de que Norteamérica apoyara la causa alemana en la guerra. Los puntos de vistas no populares expresados durante la guerra enardecieron las pasiones del público.[62] Lo que en épocas más calmas puede haberse pasado por alto como algo simplemente objetable, ahora se consideraba como una directa sedición o traición.[63] Muchos profesores fueron obligados a dejar sus trabajos en la Universidad de Minnesota; en Harvard un simpatizante alemán mantuvo su puesto solo cuando el presidente Lowell intervino a su favor. Hasta el momento, en lo

306

60. "General Declaration of Principles", en *American Association of University Professors Bulletin*, I (diciembre de 1915), pp. 20-29; y en Hofstadter y Smith, pp. 860-878. Véase Louis Joughin, ed., *Academic Freedom and Tenure* (Madison: University of Wisconsin Press, 1967).

61. Por ejemplo, consúltese "Report of Self-Survey Committee on the American Association of University Professors", en *American Association of University Professors Bulletin*, 51 (mayo de 1965), pp. 110, 116-117.

62. Lowell, *At War with Academic Traditions*, pp. 266-272; y véase como caso de estudio Carol S. Gruber, "Academic Freedom at Columbia University, 1917-1918: The Case of James McKeen Cattell", en *American Association of University Professors Bulletin*, 58 (septiembre de 1972), pp. 297-305. Consúltese también Metzger, *Professors on Guard: The First AAUP Investigations* (Nueva York: Arno Press, 1977); y William Summerscales, *Affirmation and Dissent: Columbia's Response to the Crisis of World War One* (Nueva York: Teachers College Press, 1970).

63. Hofstadter y Metzger, *Op. cit.*, pp. 482-500 y ss.; Burbacher y Rudy, *Op. cit.*, pp. 322-323.

que respecta a la libertad académica, la mayoría de las controversias encendieron la cuestión paradójica de si la libertad de expresión podía cercenarse o restringirse de manera legítima bajo las circunstancias extraordinarias de un período de guerra para poder proteger el mismo principio de libertad de expresión.

En los años de 1930, los casos de libertad académica dependían de la propiedad de los estatutos de juramento de los docentes. Debido a que la Nación se hundió en la mayor depresión económica que jamás haya experimentado, desapareció la tolerancia para los puntos de vista que cuestionaban si las instituciones norteamericanas existentes eran adecuadas para tratar el colapso, o si posiblemente éstas incluso habían contribuido al malestar general. Por consiguiente, el Estado sancionó una legislación que requería que todos los docentes de todos los niveles afirmaran su lealtad a la constitución federal y estatal. Un comité especial de la AAUP se reunió para considerar si la imposición de juramentos de lealtad involuntarios representaba una amenaza a la libertad académica. Llegaron a la conclusión que si el intento de dichos juramentos era evitar las críticas al orden social existente o impedir a cualquiera sugerir reformas, entonces, establecían de hecho una limitación sobre la libertad académica. En casi todos los casos importantes de la época que surgían sobre los juramentos de lealtad, la AAUP se encontraba en medio de la lucha.[64]

307

Mientras tanto, después de una sucesión de conferencias conjuntas de la AAUP y la Association of American Colleges [Asociación de Colleges Americanos, AAC], que habían comenzado a reunirse en 1934, los líderes de las dos organizaciones se reunieron en 1940 y acordaron una nueva Declaración de Principios como la establecida en la Conferencia de Declaración de la Libertad Académica y el Tenuere, en 1925. Por el tono y el estilo, el documento daba la apariencia de intentar suavizar las críticas a los presuntos abusos de los profesores. Al mismo tiempo, reafirmaba con tenacidad los derechos de los profesores a la libertad de expresión. "Las instituciones de educación superior se dirigen al bien común y no a favorecer los intereses del docente individual o la institución como un todo [proclamaba la Declaración de 1940]. El bien común dependía de la libre búsqueda de la verdad y su exposición libre". Por lo tanto, "la libertad académica es esencial para estos objetivos y se puede aplicar tanto a la enseñanza como a la investigación. La libertad en la investigación es

---

64. Véase "Statement of Committee B of the American Association of University Professors", en *American Association of University Professors Bulletin*, 23 (enero de 1937), pp. 26-32.

fundamental para el avance de la verdad. La libertad académica en el aspecto de la enseñanza es fundamental para la protección de los derechos del docente al enseñar y de los estudiantes al aprender".

La Declaración continuaba. "[La libertad académica] lleva consigo obligaciones seguidas de derechos. La libertad y la seguridad económica, por lo tanto, el tenuere, resultan indispensables para el éxito de una institución en el cumplimiento de sus obligaciones con sus estudiantes y con la sociedad". Después de afirmar el debido proceso y los derechos al tenure, el documento de la AAUP continuaba con la aprobación de la libertad del docente en el aula, aunque advertía que "debe tener cuidado de no introducir en su enseñanza algún asunto controvertido que no tenga relación con su materia". Del mismo modo, afirmaba el derecho del profesor como ciudadano a ser libre de la censura y la disciplina institucional, pero, le aconsejaba: "recuerde que el público puede juzgar su profesión y su institución por sus palabras". En consecuencia, se expresaba que "en todo momento, debe ser preciso, ejercitar la reserva adecuada, debe mostrar respeto por las opiniones de los demás y hacer todos los esfuerzos posibles para indicar que no es portavoz institucional".[65]

308

Es muy probable que ningún otro documento en la educación superior norteamericana del siglo XX haya sido tan leído, consultado, discutido o criticado como la Declaración de Principios de 1940 de la AAUP. En un esfuerzo por codificar y aclarar el significado que la libertad académica debía tener para los *colleges* y las universidades, la obligación era más moral que legal; y carecía de una resolución para su aplicación en casos particulares. No obstante, lo que ofrecía era una serie de normas generales a las que las partes agraviadas podían recurrir cuando se desataban las controversias. Con el tiempo, la mayoría de los *colleges* y las universidades aceptaron sus amplios lineamientos y se mostraban reacios a la falta de cumplimiento de sus limitaciones.

Los estudiantes del *college* y la vida en el *campus*

En las primeras décadas del siglo XX, para la cantidad cada vez mayor de estudiantes de grado en Norteamérica, asistir al *college* marcaba un agradable

---

65. El texto completo de la Declaración de principios de 1940, acompañado por una interpretación, aparece en Lester F. Goodchild y Harold S. Wechsler, eds., *ASHE Reader on The History of Higher Education* (Needham Heights, Mass.: Ginn Press, 1989), pp. 26-32.

intervalo entre el final de la adolescencia y la aceptación de las responsabilidades de edad adulta. En algunos casos los años en el *college* representaban un poco más que una infancia prolongada: una época para desarrollar amistades, para sociabilizar, para darse el gusto de divertirse.[66] Los estudiantes, en general, no esperaban trabajar duro; rara vez estudiaban más de lo mínimo necesario; y la asistencia regular a clases era la excepción en vez de la regla. Los profesores que exigían altos estándares a los estudiantes eran mal mirados a pesar de que al mismo tiempo los profesores demasiado blandos eran contemplados con un cierto grado de ridículo y desprecio. El estudio intenso era reprobado como excesivo y se pensaba que era "poco menos que vergonzoso" obtener cualquier cosa mejor que la "C de un caballero" en un curso.[67] Cuando los profesores introdujeron por primera vez los exámenes sorpresa, los estudiantes protestaron. Cuando se exigieron trabajos formales, se expandió con rapidez el mercado negro de los temas de los estudiantes. Existían numerosos relatos auténticos del período informando sobre instancias en las que los estudiantes obtenían las calificaciones de aprobación sin haber asistido a las clases; y de casos de estudiantes que contrataban a "viudas" o tutores privados para que les ayudaran a preparar un examen en una "sesión para machacarse" a último momento. No se extraían libros de la biblioteca con frecuencia. Se decía que algunos estudiantes nunca habían logrado comprar un libro de texto durante el curso de todos sus estudios de grado.[68]

309

Libres de preocupaciones pecuniarias, los estudiantes de principios del 1900, preferían dedicarse a la buena vida. La mayoría se sentía seguro sabiendo que mientras el diploma del *college* llevara consigo el sentido de privilegio y estatus social, su adquisición ya no demandaba el tipo de esfuerzo y empleo de tiempo que antes requería. En 1897, un observador comentaba que "si

66. Se ofrece un análisis interesante sobre los estudiantes de *college* de grado a principios del 1900 en Veysey, pp. 268-283.

67. Randolph S. Bourne, "The College: An Undergraduate View", en *Atlantic Monthly*, 58 (octubre de 1911), p. 668.

68. Se abordan diferentes perspectivas en R.C. Angel, *The Campus: A Study of Contemporary Undergraduate Life in the American University* (Nueva York: Appleton-Century, 1928); Richard Angelo, "Students at the University of Pennsylvania and Temple College, 1873-1906", en *History of Education Quarterly*, 19 (verano de 1979), pp. 179-206; John Bacon, "Changes in College Life", en *Atlantic Monthly*, 91 (junio de 1903), pp. 749-758; Canby, *Alma Mater*, pp. 89-90; E.M. Coulter, *College Life in the Old South* (Athens, Ga.: University of Georgia Press, 1951; Christian Gauss, *Life in College* (Nueva York: Scriber, 1930). Para un período un poco más tardío, véase Carol S. Gruber, *Mars and Minerva: World War One and the Uses of the Higher Learning in America* (Baton Rouge: Louisiana State University Press, 1975).

vale la pena mencionar que muchos de los hombres adinerados de Estados Unidos, que hicieron sus fortunas con sus propias energías y previsiones, no fueron formados en un *college*, es, sin duda alguna, muy significativo que los hijos de estos hombres estén recibiendo una educación en los *colleges*".[69] El escritor Calvin Thomas juzgó la situación en 1905, de la misma forma: "a pesar de todos los ataques que le realizan al *college*, a pesar de todos los cuestionamientos satíricos sobre su utilidad, la popularidad aumenta a paso firme. Los hombres lo desprecian, hacen bromas sobre él y [...] envían a sus hijos al *college*".[70] El principal interés era la credencial misma, no el logro académico que supuestamente representaba.

La atmósfera en los *colleges* al final del siglo y durante cerca de una década más, estaba marcada de manera distintiva —por falta de una mejor palabra para calificarla— por una especie de infantilismo estudiantil.[71] Se trataba de un mundo de juegos en el que los hombres jóvenes de clase media se ocupaban de jugar con aros y canicas, con un hablar absurdo y sin sentido y uso del *pig Latin* (hablar en códigos, parecido a la jerigonza).[72] Mucho tiempo se dedicaba a las travesuras infantiles. Algunas veces se trataba de interrumpir la clase haciendo ruido con los zapatos al unísono o haciendo gruñidos colectivos de una angustia fingida cuando se entregaba una tarea. En otras partes, como en Princeton en 1890, hubo un estallido de incidentes en los que los estudiantes llevaban relojes despertadores a la clase colocados para sonar en intervalos frecuentes durante la lección. En el ámbito psicológico, el abismo entre los estudiantes y los profesores nunca fue tan grande. Los profesores con la conducta distante, seria y la fría formalidad, eran considerados "el enemigo". Con respecto a la actitud que demostraban a los estudiantes, hay que decirlo, muchos profesores les respondían en forma recíproca con mucha frecuencia. Algunas veces se intentaba reducir el abismo entre los dos con rondas de té con los profesores, a las cuales los estudiantes asistían obedientemente como una cuestión de obligación social, o la creación de un sistema de mentores y de consejeros, los cuales con demasiada frecuencia degeneraban en algo más que

310

---

69. Véase I.G. Wyllire, "The Businessman Looks at the Higher Learning", en *Journal of Higher Education*, 23 (junio de 1952), pp. 295-300.

70. Calvin Thomas, "The New Program of Studies at Columbia College", en *Educationa Review*, 29 (abril de 1905), p. 335.

71. Veysey, pp. 277-278. Véase F.H. Giddings, "Student Life in New York", en *Columbia University Quarterly* 3 (1900), p. 3; G. Stanley Hall, "Student Customs", en *American Antiquarian Society: Proceedings* (1900-1901), pp. 85-91.

72. Eugene Babbitt, "College Words and Phrases", en *Dialect Notes*, 2 (1900), pp. 3-70.

entrevistas superficiales llevadas a cabo la menor cantidad de veces posible.[73]

No resultaba fácil distraer a los estudiantes de la preocupación por las actividades extracurriculares.[74] El presidente Woodrow Wilson de Princeton lo reconoció en 1909 cuando expresó: "la tarea del *college*, la tarea de sus aulas y laboratorios se ha convertido en la parte puramente formal y obligatoria de su vida; y [...] una cantidad de otras cosas, englobadas bajo la frase "actividades de grado" se han convertido en las realidades vitales, espontáneas y absorbentes de nueve de cada diez hombres que asisten al *college*". Le preocupaba que con su indiferencia hacia los logros académicos, los estudiantes estuvieran perdiendo beneficios importantes. Así fue como expresó: "si los jóvenes caballeros solo obtienen de los años en el *college* virilidad, *esprit de corps*, liberación de los dones sociales, una capacitación en dar y tomar, una variedad de gustos [...] y los estándares de deportistas auténticos, habrán ganado mucho, pero, no habrán ganado lo que un *college* debería ofrecerles".[75] Wilson regresó al mismo tema en un discurso de graduación en 1910, cuando comparó a los estudiantes de los *colleges* con sindicalistas. Los estudiantes, según sus declaraciones, asumían de manera típica "la actitud de los empleados [quienes] daban lo menos posible por lo que obtenían".[76] El escritor Randolph Bourne registró el mismo punto en 1911. "La mayoría de estos jóvenes muchachos [se lamentaba], proviene [...] de hogares con una religión convencional, una literatura barata y una carencia de atmósfera intelectual, llevan consigo pocas adquisiciones intelectuales [al *college*] y, debido a que la mayoría de ellos se dedicará a los negocios, [...] se las ingenian para llevarse lo mínimo con ellos".[77]

La situación cambió poco en los años 20: la época de las jovencitas descocadas y los contrabandistas de licores, abrigos de piel de mapache y ginebra casera, jazz caliente y nuevas danzas alocadas. En los *colleges* de todo el país, los académicos se mantenían al margen de la elección de reinas de belleza, de los concursos de popularidad y de la adulación a los héroes del fútbol americano. Algún tiempo antes, el psicólogo G. Stanley Hall había definido al *college* como un lugar "donde se protegen a los jóvenes y a las doncellas selectos de las necesidades del auto sustento, exentos de la competencia, los negocios y, hasta

311

---

73. Edwin E. Slosson, *Great American Universities* (Nueva York: Macmillan, 1910), pp. 75-77.

74. Ross, *Democracy's College*, p. 151.

75. Woodrow Wilson, "What Is a College For?" en *Scriber's Magazine*, 46 (octubre de 1909), p. 574.

76. Wilson, en *Harvard Annual Report* (1899-1900), p. 11.

77. Randoplh Bourne, "The College", en *Atlantic Monthly*, 58 (octubre de 1911), p. 669.

cierto punto, de las limitaciones sociales y dentro de los límites practicables más amplios, libres para seguir la propia voluntad". Su caracterización era tan apta para los años 20, como lo había sido dos décadas antes. Y si los estudiantes parecían vivir aislados en un mundo propio, bien protegidos de las realidades de la vida fuera del ámbito universitario, también podría decirse casi lo mismo de los profesores. Una crítica especialmente severa provino de Upton Sinclair en la publicación *El paso de ganso: estudio de la educación norteamericana* (1923). "Esclavos de la gran tienda por departamentos de Boston, en la que la Universidad de Harvard posee 250 acciones, reconcíliense con sus largas horas y bajos salarios y la sentencia de muerte por tuberculosis [opinaba sarcásticamente], porque por la riqueza que usted produce alguna persona culta ha preparado para la humanidad la información completa sobre 'El verbo irregular en Chaucer' [...] Hombres esclavos 12 horas al día frente a los resplandecientes hornos blancos de acero de Belén, Midvale e Illinois, alégrense y sujeten sus palas; ustedes están haciendo posible que la humanidad adquiera el conocimiento exacto sobre 'Los comienzos de la novela epistolar en las lenguas romances' [...]".[78] El ataque de Sinclair puede no haber sido representativo de la opinión pública como un todo, pero sí reflejaba de manera precisa una corriente de resentimiento popular y ambivalencia hacia la vida universitaria dentro de toda la sociedad norteamericana.

La vida en el *college* a fines de la década de los 20 y durante la década de los 30 presentaba un panorama de alguna forma más complejo que en las décadas anteriores.[79] La época de la Depresión fue una experiencia devastadora para la mayoría de los estadounidenses, una época de desbarajuste económico masivo y privaciones económicas generalizadas. Entre las secuelas de la caída de la bolsa en 1929, cuando los bancos colapsaban en forma de dominó, las personas veían que los ahorros de su vida desaparecían casi de la noche a la mañana, y el desempleo subió a las nubes. Con las épocas duras llegaron la incertidumbre y las dudas: sobre la viabilidad de la democracia y el mantenimiento del poder de las instituciones sociales en un mundo que parecía marchar hacia el totalitarismo, sobre la capacidad de *laissez-faire* del

---

78. Upton Sinclair, The Goose-step, A Study of American Education (Nueva York: Albert and Charles Boni, 1936), pp. 90-91; también citado en Rudolph, p. 402.

79. Para el período inmediato de la posguerra, consúltese Samuel P. Capon, "The Effect of The World War 1914-1918, on American Colleges and Universitites", en *Educational Review*, 21 (1939), pp. 40-48; y veáse Gruber, *Mars and Minerva*.

capitalismo para sostener la afluencia y la abundancia material, sobre el papel adecuado del gobierno en relación con el mercado cayendo en el caos. Casi nadie era inmune a los efectos de la peor debacle económica en la historia del país, mucho menos los *colleges*.

La escena en los *campus* de los *colleges* en los años 30 fue un estudio en contrastes. Entre 1935 y 1943, el gobierno aportó una cantidad superior a 93 millones de dólares para la asistencia de emergencia a los estudiantes.[80] Muchos, que carecían de futuros empleos, tendían a permanecer en las instituciones de cualquier forma. No obstante, coincidiendo con el impacto popular del automóvil, las películas y la radio, el interés popular en los deportes universitarios, por ejemplo, alcanzó nuevas alturas y la asistencia a los juegos de fútbol americano en todo el país batió todos los récords. La moda en la universidad era tan estrafalaria y variada como nunca antes. La vida en el *college* (al menos como se representaba en la prensa popular) estaba llena de bailes de fraternidades y hermandades femeninas, de fiestas y de jolgorios animados como jamás hubo.[81]

No obstante, un poco oculto detrás de la frivolidad usual yacía un aspecto más serio. Impactados, confundidos, algunas veces enfadados por los acontecimientos de la época, los estudiantes mostraban una conciencia mucho más social y un sentido de compromiso de sentido político mayor que sus antecesores alrededor de una década antes. Los estudiantes de los *colleges* ahora se unían para realizar piquetes y marchas de protesta, hacían circular peticiones y se manifestaban por una sorprendente cantidad de causas.[82] Algunos, tal vez no más que una pequeña minoría, acariciaban el comunismo deseando que la ideología marxista señalara el camino para un mejor futuro. Otros, una vez más, siempre una pequeña minoría, se cuestionaban si Norteamérica tenía algo que aprender de la Alemania de Hitler y de la Italia de

313

80. Richard G. Axt, *The Federal Government and Financing Higher Education* (Nueva York: Columbia University Press, 1952), pp. 79-81.

81. Véanse Maxine Davis, *The Lost Generation* (Nueva York: Macmillan, 19369; Howard Bell, *Youth Tell Their Story* (Washington, D.C.: American Council on Education, 1938; y "The Case Against the Younger Generation", en *Literary Digest*, 17 (junio de 1922), pp. 40-51.

82. P. Altbach y P. Peterson, "Before Berkeley: Historical Perspectives on American Student Activism", en *Annals of the American Academy of Political and Social Science* (mayo de 1971), 395, p. 6; Alexander Astin *et al.*, "Overview of the Unrest Era", en Astin *et al.*, eds., *The Power of Protest* (San Francisco: Jossey-Bass, 1975), pp. 17-18; y Ralph Brax, *The First Student Movements: Student Activism in the United States during the 1930s* (Port Washington: Kennikat, 1981).

Mussolini. A medida que las nubes de guerra comenzaron a acumularse en el horizonte político, las manifestaciones por la paz en el *campus* atrajeron a grandes cantidades de personas. Los estudiantes se formaban de a cientos para firmar promesas solemnes jurando que nunca irían a la guerra. Si existía algún común denominador, éste era la pobreza. En el Marietta College, donde las circunstancias económicas habían obligado a la institución a reducir a la mitad los salarios de los docentes, el periódico universitario observaba con aire bufonesco que el profesorado había "llegado a un terreno más cercano al sentimiento común de los estudiantes. Ahora todos en la universidad podían admitir con bastante libertad que estaban en la quiebra".[83]

Entre los cambios más importantes que ocurrieron en los *colleges* a escala nacional durante la primera mitad del siglo XX (y en especial en las décadas del 20 y 30) fue la atención cada vez mayor que se prestaba a la vida extracurricular de los estudiantes. Durante la época de la Primer Guerra Mundial, los líderes académicos se encontraban persuadidos de que los deportes, los clubes sociales, las fraternidades, los grupos de teatro, los periódicos universitarios y las revistas de los estudiantes —todas las características de la vida en el *college* que parecían ocupar una porción cada vez mayor de los intereses de los estudiantes y de su tiempo— estaban evolucionando sin el beneficio de una coordinación y supervisión adecuadas. Las actividades no académicas, se sostenía, llevaban consigo un potencial de beneficios sustanciales. Bajo la concepción de hacer a los estudiantes mejor formados, de moldear el carácter, de fomentar la socialización y demás, ese tipo de actividades podría ser algo bueno si se las guiaba y dirigía por canales constructivos. Tal vez era la hora de revivir la atención que se prestaba antiguamente a la parte no intelectual del desarrollo del estudiante. Además de la capacitación intelectual, los *colleges* y las universidades necesitaban prestar mayor atención al desarrollo social, emocional y físico de los estudiantes. Se requería una supervisión más cercana de los estudiantes fuera del ámbito del *campus*, incluyendo las residencias y las salas de reuniones de las fraternidades o las hermandades femeninas. En los *campus* las instalaciones de los estudiantes necesitaban una ampliación, mobiliario nuevo y colocarlos bajo vigilancia de cerca. Era necesario que las residencias universitarias fueran más atractivas. Parecía importante asegurar la salud física de los estudiantes y comprobar que tenían acceso a los servicios médicos esenciales. Tomando en consideración la indecisión de muchos estudiantes con respecto a sus futuras carreras, también

83. Arthur G. Beach, *A Pioneer College: The Story of Marietta* (Chicago: John F. Caneo, 1935), p. 293.

se consideraba esencial un mejor asesoramiento académico.[84]

A partir de dichas preocupaciones se originó el movimiento del personal para los estudiantes.[85] Comenzaron a aparecer los decanatos de estudiantes, seguidos de manera bastante rápida por grupos de personal de apoyo administrativo encargados del control de las residencias universitarias, los centros de asesoramiento académico y profesional, actividades extracurriculares, eventos sociales, asesoramiento para admisiones, becas, ayudas financieras y demás.[86] Los capellanes de los *campus* se convirtieron en una característica establecida de la vida en el *college*, al igual que los consejeros de fraternidades y hermandades femeninas y las chaperonas. Para las décadas del 20 y 30, los consejeros profesionales con dedicación exclusiva se hallaban en el camino de ocupar el espacio dejado por los profesores que no deseaban o no podían emplear tiempo para actuar como mentores o consejeros de estudiantes. Hacia fines del 1930 y comienzo de 1940, los consejeros académicos habían asumido una autoridad extensa para otorgar permisos y exenciones, para ayudar a los estudiantes a seleccionar cursos y especializaciones y, de otra forma, en la asistencia de las decisiones fuera del aula.[87] Dado el tamaño y la diversidad cada vez mayor de la población de grado, casi todos los observadores coincidían en que el surgimiento de una estructura elaborada de apoyo extraacadémico era necesaria y posiblemente inevitable.

315

Desde la marginalidad hacia la corriente principal: los nuevos estudiantes

Se estimaba que de las casi 500 instituciones de educación superior existentes en Estados Unidos cerca del final del siglo, tal vez no más de una quinta parte, merecían considerarse como universidades o *colleges* auténticos. La carga

---

84. Eugenie A. Leonard, *Origins of Personnel Services in American Higher Education* (Minneapolis: Universtiy of Minnesota Press, 1955); Archibald McIntosh, *Behind the Academic Curtain* (Nueva York: Harper and Row, 1948); C. Gilbert Wrenn y Reginald Bell, *Student Personnel Problems* (Nueva York: Farrar, Straus & Giroux, 1942), pp. 2-6; William H. Cowley, "Intelligence Is Not Enough", en *Journal of Higher Education*, 8 (diciembre de 1937), pp. 469-477; y Cowley, "The College Guarantees Satisfaction", *Educational Record*, 16 (enero de 1935), pp. 42-43.

85. Veáse Brubacher y Rudy, *Op. cit.*, pp. 330-344.

86. Gilman, *Launching of a University* (Nueva York: Dodd, Mead, 1916), p. 53 y ss.

87. Adviértase, por ejemplo, la predicción realizada por William Rainey Harper, *The Trend in Higher Education* (Chicago: University of Chicago Press, 1905), pp. 320-325.

docente de los profesores era pesada —en algunas instituciones podía llegar a 22 horas de clase semanales— una cifra de alguna manera más próxima a la de las escuelas secundarias, que a la que llegó a ser la norma para los *colleges*, estipulada entre 12 a 15 horas en los últimos años. Los estándares de admisión tendían a permanecer bajos; en algunos casos, la simple culminación de los estudios secundarios era suficiente para ganar el ingreso a un *college*. De manera inevitable, la presencia de grandes cantidades de estudiantes mal preparados mantenía los estándares académicos relativamente bajos, excepto en un puñado de universidades y *colleges* prestigiosos. En 1870, cerca de 52.000 estudiantes se inscribieron en la educación pos secundaria de 4 años, o menos del 2% de la población entre las edades de 18 a 21 años. En los años del 1890, la cifra alcanzó el 3%; y para el año 1900 osciló cerca del 4%, representando un total de aproximadamente 238.000 estudiantes de grado y un adicional de 5.700 estudiantes de posgrado. En 1920, el porcentaje se duplicó y llegó a alcanzar el 12% en la década siguiente. En vísperas de la Segunda Guerra Mundial, la cifra se mantuvo en el 18%.[88]

Un indicador de la creciente democratización de la educación superior norteamericana, fue que una buena parte de la afluencia de estudiantes responsable de los aumentos de inscripciones en los *colleges* a principios del siglo XX, provino de los grupos hasta ese momento excluidos de manera efectiva. Los estudiantes judíos, a modo de ejemplo, fueron los primeros admitidos en grandes cantidades en la segunda década del nuevo siglo.[89] Su llegada ocasionó controversias considerables en algunas instituciones; y con el despertar del prejuicio nacionalista que se desplegó por el país inmediatamente después de la Primer Guerra Mundial, el antisemitismo se convirtió en una característica llamativa del panorama universitario.[90] Muchas

---

88. Se ofrecen diferentes análisis para diferentes períodos en Guido H. Marx, "Some Trends in Higher Education", en *Science*, 29 (14 de mayo de 1909), pp. 764-767; William T. Harris, "The Use of Higher Education", en *Educational Review*, 16 (septiembre de 1898), p. 161; Slossen, *Great American Universities*, pp. 208, 405; Veysey, pp. 1-2, 4; Henry G. Badger, "Higher Education Statistics: 1870-1952", en *Higher Education*, 11 (septiembre de 1954), pp. 10-15; Toby Oxtoby *et al.*, "Enrollment and Graduation Trends from Grade School to Ph.D., 1899-1973", en *School and Society*, 76 (1955), pp. 225-231; y Raymond Walters, *Four Decades of U.S. Collegiate Enrollments* (Nueva York: Society for the Advancement of Education, 1960).

89. Véanse William B. Furie, "Jewish Education in the United States, 1654-1955", en Theodore Friedman, ed., *Jewish Life in America* (Nueva York: Horizon Press, 1955), pp. 227-245; y Solomon Zeitland, "Jewish Learning in America", en *Jewish Quarterly Review*, 45 (1955), pp. 582-616. Consúltese también Sherry Gorelick, *City College and the Jewish Poor, 1880-1924* (New Brunswick, N.J.: Rutgers University Press, 1981).

90. Harold S. Wechsier, "An Academic Gresham's Law: Group Repulsion as a Theme in American Higher Education", citado en Goodchild y Wechsier, p. 393.

instituciones impusieron exámenes de admisión especiales o cupos para los judíos, con el temor de que su presencia alterara el carácter de las instituciones afectadas y que esta alteración fuera para peor. Una expresión típica de la aprehensión general fue un comentario del presidente de Harvard Abbott, Lawrence Lowell, en 1922. "En donde los judíos se vuelven numerosos ahuyentan a las otras personas y luego se van ellos mismos [opinaba]." Lowell no tenía la certeza de si era el prejuicio gentil o el "sentido de clan" de los semitas el principal responsable de la tendencia de los estudiantes judíos a "formar un cuerpo distintivo y aferrarse [...] todos juntos apartándose de la gran masa de los estudiantes de grado". Vincent Sheean, un célebre periodista de la época, aportó una mejor explicación, relatado en *Personal History* (*Historia personal*, 1936), como una antigua novia en la Universidad de Chicago le había explicado el sistema de castas estudiantiles. "Los judíos [le confió], no tenían la posibilidad de ir a las 'buenas' fiestas en el *college*. No podían ser elegidos para ninguna función de la clase o para trabajar en ningún club o en ninguna fraternidad excepto por las dos que ellos mismos habían organizado; no podían bailar con quienes deseaban o salir con muchachas con las que quisieran salir; ni siquiera podían cruzar los cuadriláteros con una joven 'agradable' si ella tenía la posibilidad de escaparse."[91]

317

Las estudiantes mujeres tampoco eran siempre bien recibidas. Aunque la educación mixta se estaba adoptando en muchas instituciones a lo largo de la segunda mitad del siglo XIX, hubo varios ejemplos donde los estudiantes varones se resistieron con firmeza a la presencia cada vez mayor de las estudiantes femeninas en el *campus*. Un ex alumno de la Universidad de Wisconsin, en 1877, informó que entre los varones "el sentimiento de hostilidad era por demás encarnizado e intenso", describió: "Tal como lo recuerdo ahora, todo el cuerpo estudiantil estaba sin excepción opuesto a la admisión de las jóvenes señoritas, y los anatemas dirigidos a los miembros de la Junta de Gobierno de la universidad eran fuertes y profundos".[92] La experiencia práctica disipó los temores sobre la aparente fragilidad y la incapacidad mental para la vida académica de las mujeres. Es posible que la resistencia de los hombres procediera del temor opuesto, es decir, de que las mujeres los pudieran superar en el ámbito académico. O, una vez más, mucho de la oposición se puede remontar a las nociones prevalecientes en el siglo XIX de las virtudes

---

91. Vincent Sheean, *Personal History* (Garden City, N.Y.: Doubleday, Doran, 1936), p. 14.

92. Citado en Helen R. Olin, *The Women of a State University: An Illustration of the Working of Coeducation in the Middle West* (Nueva York: G.P. Putnam's Sons, 1909), pp. 101-102.

fundamentales femeninas: la pureza, la piedad, la sumisión y la domesticidad; y la expectativa de que la asistencia al *college* pudiera corroer o socavar los atributos femeninos de las mujeres. De cualquier modo, a pesar de la oposición ocasional, el porcentaje de las estudiantes de grado continuaba creciendo, aumentando en alrededor al 21% en 1870, al 32% en 1880, a casi el 40% en 1910 y, luego a más del 47% en 1920.[93] Los temores aumentaron frente al hecho de que las mujeres llegaban a las universidades en tal número, como para representar una verdadera amenaza a los estudiantes varones. Se predijo que un aumento tan masivo de inscripciones de estudiantes mujeres podría, en última instancia, expulsar a los hombres por completo.

A fines de 1920, varios *colleges* comenzaron a revaluar su compromiso con la educación mixta. Se aportaron sugerencias de que podrían ser necesarias ciertas medidas restrictivas. Unas cuantas instituciones para varones que antes habían contemplado admitir a mujeres, prorrogaron sus planes en forma indefinida. Solo el temor al descenso de las matrículas y a la pérdida de la ventaja competitiva con las instituciones cercanas evitó que otros *colleges* limitaran las inscripciones de estudiantes femeninas o de otra forma impusieran cupos. Numerosas universidades consideraron el registro de un género único para ciertas clases, una vez que descubrieron que cuando las mujeres constituían la mayoría de los inscritos en un curso, los hombres tenían la tendencia a rehuirlo. Del mismo modo, cuando predominaban los varones, las mujeres evitaban el curso. En la Universidad de Chicago se lanzó un breve experimento de niveles inferiores separados para hombres y mujeres, luego se abandonó.[94]

La década de los años 20 fue crítica para las mujeres con educación.[95] Durante ese lapso específico de 10 años, las mujeres alcanzaron su proporción más elevada como población de grado, de receptoras de doctorados y de miembros del profesorado. En 1930, casi un tercio de todos los presidentes y profesores de los *colleges* eran mujeres. Asimismo, en otras profesiones las mujeres salían adelante por sus medios. A mediados de los años 20, las mujeres constituían casi el 45% de la mano de obra profesional, una participación que comenzó a disminuir en 1930 y alcanzó su punto más bajo en 1960, después del cual

93. Mabel Newcomer, *A Century of Higher Education for American Women* (Nueva York: Harper & Brothers, 1959), p. 46.

94. Wechsler, *Op. cit.*, p. 392.

95. Newcomer, pp. 45-49; y Patricia A. Graham, "Expansion and Exclusion: A History of Women in American Higher Education", en *Signs*, 3 (verano de 1978), pp. 759-773.

comenzó a ascender de nuevo. Además, entre 1870 y 1930 la proporción de las mujeres en las diferentes profesiones era casi el doble que la de la mano de obra en total. A fines de los 30, la proporción de todas las mujeres de grado había tenido un leve descenso (aunque la proporción de las mujeres a las que se les otorgaba el título de *bachelor* todavía estaba aumentando) y el número de mujeres proporcionalmente a todos los títulos de doctorado concedidos, estaba disminuyendo. Al escribir en 1938, Marjorie Nicolson, que nació en 1894 y recibió el título de licenciada en humanidades de la Universidad de Michigan en 1914, describía la situación única en la que se hallaban gran cantidad mujeres profesionales de su generación: "llegamos lo suficientemente tarde [meditaba] para escapar de la timidez y la beligerancia de las pioneras, para dar por sentada la educación y la capacitación. Llegamos lo suficientemente temprano para dar por sentado del mismo modo las posiciones profesionales en las que podemos hacer uso completo de nuestra capacitación. Esta fue nuestra gloria doble. Las posiciones se encontraban abiertas para nosotras en todas partes".[96]

De ninguna manera, no obstante, las oportunidades estaban cerca de ser iguales entre los sexos. En el ámbito universitario se contrataba a las mujeres en cantidades récord en los años previos a la Depresión, pero, era inevitablemente con unos salarios inferiores a los de sus pares varones. Se les concedía el tenure con menos frecuencia; y las promociones en las posiciones eran más lentas que para los varones. Cuando aceptaron a una tal Alice Hamilton como profesora adjunta en el profesorado de la de la Escuela de Medicina de Harvard en 1919, por ejemplo, una disposición formal de su designación la excluía de marchar en el desfile de la ceremonia de la graduación. Ejemplos similares de discriminación contra las mujeres y el tratamiento desigual descarado se documentaron en *colleges* y universidades en todo el país.[97] Hacia fines de 1930, la ola de la opinión cambió y un número menor de mujeres se embarcaban en carreras profesionales. La opinión convencional reafirmaba una vez más la obligación de la mujer a tener un aspecto joven, a buscar ser atractiva físicamente y sumisa, a hallar la realización no en una carrera profesional sino en los goces de la domesticidad.

319

96. Marjorie Hope Nicholson, "The Rights and Privilegies Pertaining Thereto", en *Journal of the American Association of University Women*, 31 (abril de 1938), p. 136. Para un ejemplo, véase también Ethel P. Howe, "Accepting the Universe", en *Atlantic Monthly* 129 (abril de 1922), p. 453.

97. Véanse Jill Conway, "Perspectives on the History of Women's Education in the United States", en *History of Education Quarterly*, 14 (primavera de 1974), pp. 1-12; y Mary Roth Walsh, *Doctors Wanted: No Women Need Apply* (New Haven, Conn.: Yale University Press, 1977).

Los afroamericanos por supuesto hacía mucho tiempo que ocupaban una posición de marginalidad en lo que respecta a la educación superior, al igual que en todos los otros aspectos de la vida social. En 1899-1900, se entregaron títulos a no más de 88 personas de raza negra en *colleges* de blancos (la mayoría de ellos de Oberlin); y existía una cantidad estimada de 465 graduados de *colleges* predominantemente negros. Estos nuevos graduados, junto con un grupo de cerca de 3.000 que se habían graduado antes (casi todos de pequeños *colleges* para negros con poca acreditación) representaban una fracción muy pequeña de una población total de gente de raza negra de cerca de 10 millones. Cuando comenzó el siglo XX existían alrededor de 3.900 personas de color inscritas en cerca de cien instituciones diferentes para negros, tal vez menos de dos tercios de las cuales ofrecían cursos de instrucción con un nivel real de *colleges*.[98]

Según un estudio de 1917 sobre la educación superior para las personas de color, solo una de dieciséis instituciones con donación de tierras federales para la raza negra, en los antiguos estados de esclavos, ofrecía un nivel de *college*. De los cerca de 2.500 estudiantes de color inscritos en los *colleges* en los estados del Sur, solo 12 asistían a instituciones estatales y de tierras donadas. El resto se encontraba inscrito en instituciones privadas para personas de color. Las inscripciones en los *colleges* de raza negra en instituciones estatales del Sur alcanzaban cerca de las 12.600 en el año 1935, mientras que las inscripciones de negros en *colleges* privados para personas de color en el ámbito nacional aumentaron a casi 17.000; pero todavía representaban solo una pequeña proporción del total de la población de gente de raza negra del país. En 1917, solo 33 de casi 100 *colleges* privados para las personas de color fueron identificados como que enseñaban algo remotamente cercano al nivel de un *college* y casi todos carecían de dotaciones adecuadas. En 1930, las inscripciones previas en los *colleges* representaban el 40% de la cantidad total de estudiantes combinados inscritos en todas las instituciones de educación superior para personas de color. En una época cuando al menos el 5% de todos los blancos entre las edades de 18 a 21 asistían a un *college*, la cifra para los negros era de menos de un tercio del 1%. Un estudio, de 1928, reveló que

98. Frank Bowles y Frank A. DeCosta, *Between Two Worlds: A Profile of Negro Higher Education* (Nueva York: McGraw-Hill, 1971), p. 57; y Frank J. Kelly, *National Survey of the Higher Education of Negroes* (Washington, D.C.: United States Office of Education, 1942-1943), pp. 13-29. Véase también Ruth D. Wilson, "Negro Colleges of Liberal Arts", en *American Scholar*, 19 (otoño de 1950), pp. 462-463.

existían menos de 14.000 estudiantes de raza negra que recibían instrucción al nivel de *college*, tres cuartos de los cuales asistían a instituciones privadas para personas de color. A mediados de 1930, la cantidad de los estudiantes de raza negra que asistían a un *college* había ascendido a 19.000, la gran mayoría de los cuales ahora se encontraban inscritos en *colleges* públicos para personas de color, algunos pocos en *colleges* privados para negros y solo un muy pequeño porcentaje asistía a instituciones con predominio de blancos. Tal vez el único punto sobresaliente, en un cuadro que de otra forma sería sombrío, fue el hecho de que para 1939, *colleges* y universidades líderes para blancos otorgaron 119 títulos doctorales a personas de raza negra. La mayoría había asistido antes a instituciones de grado públicas o privadas para personas de color.[99]

La falta de progreso en la lucha por la igualdad racial, sin duda, se debía mucho a la indiferencia o antipatía demostrada por la mayoría blanca del país. Para el 1900, muchas personas de raza blanca que en décadas previas habían mostrado un liderazgo fuerte para la causa de las personas de color, ahora retiraban su apoyo. A pesar de la legislación de Jim Crow en todo el Sur y la discriminación generalizada en el Norte. la tendencia entre muchos liberales era creer que lo peor había terminado, que todo lo que podía hacerse, en realidad, ya se había logrado. De ahora en adelante, muchos creían, que las mismas personas de color debían tomar la iniciativa, que el progreso dependería casi en forma exclusiva de las ambiciones y las capacidades de los afroamericanos trabajando por su cuenta.[100] En un sentido más amplio, el consenso tácito parecía ser que la separación racial y la desigualdad social era todo lo que se podía esperar una vez que se habían eliminado los símbolos más flagrantes del pasado de esclavitud. En vano, los líderes de color como W.E.B. DuBois y otros fueron en contra de la injusticia del sistema, protestaron contra el prejuicio y la intolerancia y apelaron por ayuda.

321

En un discurso en una ceremonia de graduación en 1930, en la Universidad Howard, DuBois censuró a los estudiantes varones de color por su aislamiento

---

99. Dwight O.W. Holmes, *Evolution of the Negro College* (Nueva York: Teachers College, Columbia University, 1934); Kenneth H. Ashworth, *Scholars and Statesmen* (San Francisco: Jossey Bass, 1972), p. 80 y ss. Consúltese también James D. Anderson, "Training the Apostles of Liberal Culture: Balck Higher Education, 1900-1935", en Anderson, *The Education of Blacks in the South, 1860-1935* (Chapel Hill, N.C.: University of North Carolina Press, 1988), p. 238.

100. Jennings L. Jr. Wagoner, "The American Compromise: Charles W. Eliot, Black Education and the New South", en Ronald K. Goodenow, y Arthur D. White, eds., *Education and the Rise of the New South* (Boston: G.K. Hall, 1981), p. 26 y ss.

e indiferencia. "Nuestro hombre [de color] del *college* en la actualidad es, como promedio, un hombre que no es afectado por la cultura real [se quejaba]. Se rinde en forma deliberada a los ideales egoístas e incluso tontos, pulula en deportes semiprofesionales y en fraternidades y menosprecia la educación y el pesado trabajo del estudio y la investigación." DuBois instaba a los oyentes a despertarse de la autocomplacencia. Con disgusto admitía: "las grandes reuniones del año de *college* de negros se parecen a las reuniones del año de *college* de blancos que se han convertido en exhibiciones vulgares de alcohol, extravagancia y abrigos de pieles. Poseemos en nuestros *colleges* una masa cada vez mayor de estupidez e indiferencia".[101] El historiador y educador Carter G. Woodson afirmaba en 1933 que, la "mala educación" de los estudiantes de color había conducido al surgimiento de una burguesía muy educada, pero, reaccionaria cuyos miembros individuales habían crecido enajenados de "las personas con las que a la larga debían contar para llevar a cabo un programa de progreso".

Muchos otros se pronunciaron acerca del mismo tema. En 1934, el poeta de color Langston Hughes denunció lo que caracterizaba como los "cobardes de los *colleges*" que habían accedido a la subyugación general de su propia gente y habían fracasado en el enfrentamiento con las duras realidades de una sociedad racista. Lafayette Harris, presidente del Philander Smith College en Little Rock (Arkansas), reprochaba a los estudiantes de color su apatía e irresponsabilidad social. "Es probable que nada le preocupe a uno más que la frecuente manifiesta actitud fatalista e indiferente de muchos estudiantes de *colleges* negros y de negros educados [sostenía Harris]. Poco parece importarle excepto las comidas, dormir y las locuras. Ni siquiera reconocen que existen los problemas en la comunidad." Por su parte, la gran mayoría de los estudiantes de color que él había observado sabían poco "de sus compañeros menos afortunados".[102] Si los afroamericanos no tomaban su propio destino en sus manos, los críticos de color insistían, se verían implicados en condenar a futuras generaciones de jóvenes de color a las mismas desigualdades e injusticias sufridas por las generaciones pasadas.

Los jóvenes de color al buscar una educación en un *college* se encontraban frente a dos alternativas desagradables. Si escogían asistir a un *college* para personas de raza negra era posible que se encontraran en una pequeña institución en apuros, carente de una posición acreditada, carente de estatus, de recursos

---

101. Citado por Anderson, *Op. cit.*, p. 276.

102. *Ibídem*, p. 277.

y del apoyo con que contaban las instituciones de blancos. Si los admitían en una institución para blancos, enfrentaban barreras de temor y prejuicio racial. Eran forasteros. La proporción de estudiantes de color en las universidades del Norte rara vez, si acaso alguna, alcanzaba más del 2% y, por lo general, nunca superaba la mitad del 1% de la matrícula total del *college*. En 1914, el presidente Abbott Lawrence Lowell, de Harvard, cerró la residencia universitaria de los estudiantes de primer año a las personas de color y explicó más tarde que aunque en su origen los edificios se habían construido para reducir la segregación social de los estudiantes, él sentía que era importante no ofender a los blancos introduciendo a un negro en el medio. Se aprobó una norma que estipulaba que no se excluiría a nadie "por razón de su color", pero, en la misma se aclaraba que "los hombres de raza blanca y de color no estaban obligados a vivir y comer juntos".[103] La Universidad de Chicago enfrentó el problema al permitir que la mayoría de los estudiantes en una residencia universitaria decidiera mediante el voto formal si permitirían que se alojasen en ella personas de color. En otros lugares, a las personas de color calificadas se las admitía como estudiantes de manera libre, pero desalentaban la interacción social con sus compañeros blancos.[104] En algunas instituciones integradas, según los relatos de la época en los periódicos locales, el fantasma del mestizaje cobró gran importancia en la mente de las personas.

323

Edythe Hargrove, una estudiante de color de primer año inscrita en la Universidd de Michigan en 1942, llegó allí sabiendo que la vida social sería casi inexistente. Más tarde escribió: "en primer lugar por ser negra estaba excluida de todas las hermandades femeninas del *campus*. Sabía que nunca iba a vestirme para una fiesta de la hermandad para 'reclutar miembros' o convertirme en una promesa. También sabía que nunca iba a bailar en las casas de las fraternidades". Recordó que en una ocasión: "cuando me encontraba en un baile social entre 300 mujeres, y el instructor y otra muchacha se aventuraron a arrastrarme hasta la pista en ese momento todas las demás se agruparon en forma frenética unas con otras para bailar con todos menos conmigo, simplemente porque era una negra, una persona morena sobresaliente. En ese momento regresé a mi hogar y me recosté en la cama y lloré, lloré hasta quedar

---

103. Wechslier, *Op. cit.*, p. 396.

104. Para un ejemplo del modelo nacional perdurable más amplio en los años subsiguientes, refiérase a Donald E. Muir, "The First Years of Desegregation: Patterns of Acceptance of Black Students on a Deep South Campus", en *Social Forces*, 49 (marzo de 1971), pp. 371-378.

exhausta. Ese fue el momento en que odié el *college* de blancos".[105]

Se necesitaba una acción legal para derribar las barreras raciales. En 1934, para citar un ejemplo, Donald Gaines Murray, un graduado de color del Amherst College se presentó para la admisión en la facultad de derecho de la Universidad de Maryland. Le negaron la admisión por razones de color, apeló a la Corte y ganó el derecho a que lo admitieran. La victoria en el caso de Murray estableció un precedente vital para un caso similar que sucedió poco tiempo después. Una vez más a un estudiante de color, Lloyd Lionel Gaines, un graduado de la Universidad Lincoln en Jefferson City (Missouri), se le negó la admisión a la Facultad de Derecho de la Universidad de Missouri en Columbia. El caso, a la larga, llegó a la Corte Suprema de los Estados Unidos. En diciembre de 1938, los presidentes de la Corte Suprema sostuvieron que el Estado estaba obligado a suministrar "dentro de sus fronteras" las instalaciones para la educación legal sustancialmente iguales a las que tenían acceso las personas de la raza blanca". La decisión de Gaines no alcanzó para extender la igualdad de oportunidades genuina ya por fines prácticos, todavía se permitía la separación a expensas de la igualdad. No obstante, marcó un importante avance. Y para las personas de color a fines de 1930, incluso las pequeñas victorias simbólicas contaban para algo.[106]

324

Las innovaciones curriculares y los experimentos

Las primeras cuatro décadas del siglo XX fueron testigos de una destacada ola de reformas y experimentos curriculares en la educación superior norteamericana. La suplantación de un plan de estudios clásico uniforme más o menos fijo a mediados de 1800 por un sistema optativo y la introducción de una gran cantidad de cursos prácticos hacia fines del siglo habían marcado un importante cambio en el pensamiento académico. Los cambios que se introdujeron luego, entre 1900 y 1940, en muchos *colleges* y universidades, fueron igualmente notables. Había una cierta ironía en el hecho de que algunos fueron inspirados por la insatisfacción de los resultados de las innovaciones promulgadas

105. Edythe Hargrove, "How I Feel as a Negro at a White College", en *Journal of Negro Education*, 11 (octubre de 1942), p. 484.

106. Felix C. Robb y James W. Tyler, "The Law and Segregation in Southern Higher Education: A Chronology", en *Educational Forum*, 16 (mayo de 1952), pp. 475-480.

en el período inmediatamente anterior. En este sentido, el péndulo de la opinión académica que había oscilado en una dirección, ahora comenzaba a describir un arco que conducía precisamente a la dirección opuesta. El objetivo de muchas de las críticas, en especial fue el principio o sistema optativo del que fue pionero Harvard bajo la presidencia de Eliot.[107]

La idea original de permitir a los estudiantes de grado seleccionar los propios estudios fue impulsada por un deseo de hacer más interesantes y relevantes los estudios académicos. En vez de encontrarse forzados a adherirse a un único régimen de materias seleccionadas por su supuesto valor como disciplina, se les permitía a los estudiantes escoger según los intereses individuales las preferencias y las aspiraciones de su carrera. Pero, llevado al extremo, los beneficios que se registraron por permitir una elección personal ilimitada provocaron —o así lo consideraban muchos— una pérdida concomitante de coherencia e integración intelectual. El sistema optativo, en una palabra, dio frutos amargos. Su aplicación tuvo como resultado la fragmentación, los cursos se tomaban aislados unos de otros, todo carecía de una unidad o planificación general. La especialización del interés y el profesionalismo, muchos advirtieron, había avanzado al punto donde la educación general de carácter más liberal estaba sufriendo un abandono y podía desaparecer pronto por completo. El concepto tradicional de educación liberal había asumido significado de humanidad común, una creencia de que a pesar de las diferentes capacidades, intereses, necesidades y vocaciones, las personas debían compartir la sabiduría acumulada del pasado. Dentro de la sociedad existían ciertas responsabilidades —por ejemplo, aquellas concernientes a la ciudadanía— que podían cumplirse solo en el ejercicio de un tipo de comprensión compartida por todos. Tal vez, la idea de una "cultura" o *Paideia* compartida había sido demasiado circunscrita en la concepción clásica de la enseñanza liberal. No obstante, las necesidades personales y sociales que buscaba satisfacer eran reales. Un poco de enseñanza común, muchos opinaban, era indispensable. O bien, el problema ahora era hallar una forma de mantener junta la enseñanza moderna.[108]

325

---

107. Adviértase, por ejemplo, la reseña de Frederick P. Kappet de University Administration de Eliot en *Educational Review*, 37 (enero de 1909), p. 94.

108. Véanse Veysey, p. 255 y ss.; "Alexander Meiklejohn Defines the Liberal College, 1912", en *The Liberal College, 1920*, de Hofstadter y Smith, pp. 896-903; Russell Thomas, *The Search For A Common Learning: General Education, 1800-1960* (Nueva York: McGraw-Hill, 1962), p. 62 y ss.; Meiklejhon, "The Unity of the Curriculum", en *New Republic*, 32 (25 de octubre de 1922), pp. 2-3; Lewis B. Mayhew, ed., *General Education: An Account and Appraisal* (Nueva York: Harper and Row, 1960), pp. 11-24; Lowell, *At War With Academic Traditions*, pp. 5-7; Willis Rudy, *The Evolving Liberal* ▶

Como una reacción frente al enfoque de los planes de estudios de estilo "bufé" o "cafetería" establecidos, muchos antiguos defensores del sistema optativo dieron marcha atrás. Es hora, afirmaban ellos, de buscar un mejor equilibrio entre la anarquía optativa y la prescripción curricular rígida.[109] En 1908, escribiendo desde su retiro, Andrew D. White expresó su reconsideración del tema: "sin duda existe un temor generalizado entre muchos de los hombres pensantes, de que en nuestro afán por [...] lo nuevo hemos perdido demasiado de vista ciertas cosas antiguas valiosas, lo que en la educación universitaria que solía resumirse bajo la palabra 'cultura'". Regresando al punto de inicio, White sostenía: "creo que cualquier cosa que hagamos, debemos [no sólo] hacer a los hombres y mujeres hábiles en las diferentes profesiones y ocupaciones de la vida sino [...], [también] cultivar y hacer surgir lo mejor de ellos como hombres y como mujeres".[110]

Aunque los académicos continuaban haciendo un vago homenaje retórico a la demanda de la utilidad social, regresaban al tema de la cultura liberal como la meta apropiada de la educación superior. En una cena de ex alumnos, en 1904, Woodrow Wilson de Princeton declaró que la universidad no debería ser "un lugar de educación especial sino general, no un lugar donde un muchacho halle la profesión, sino un lugar *donde se halle a sí mismo*".[111] Wilson se oponía con firmeza al progresivo espíritu vocacional de la academia. Aconsejaba: "si el principal fin del hombre es ganarse la vida, pues bien, que se gane la vida de la forma que pueda. Pero, si alguna vez se le ha mostrado en algún lugar tranquilo donde ha sido alejado de los intereses del mundo, que el principal fin del hombre es mantener su alma intacta de las influencias corruptas y velar para que otros seres humanos escuchen la verdad de sus labios, nunca podrá sacarse eso de su conciencia jamás".[112]

Los defensores de la cultura liberal regresaban a los mismos temas en forma

▶ *Arts Curriculum: A Historical Review of Basic Themes* (Nueva York: Bureau of Publications, Teachers College, Columbia University, 1960), p. 1; Archie M. Palmer, ed., *The Liberal Arts College Movement* (Nueva York: Little and Ives, 1930).

109. Véanse Mowat G. Fraser, *The College of the Future* (Nueva York: Columbia Unversity Press, 1937, Capítulo 9); Bliss Perry, *And Gladly Teach* (Boston: Houghton Mifflin, 1935, Capítulos 3, 4, 7); y Woodrow Wilson, "The Preceptorial System at Princeton", en *Educational Review*, 39 (abril de 1910), pp. 385-390.

110. Andrew D. White, "Old and New University Problems", en *Cornell Alumni News*, 10 (1908), pp. 445-446; citado en Veysey, p. 255.

111. Citado en Veysey, *Op. cit.*, p. 242.

112. R.S. Baker y W.E. Dodd, eds., *Woodrow Wilson, College and State: Educational, Literary and Political Papers (1875-1913)*, (1925, I), p. 496, citado en Veysey, p. 216.

repetida. La cuestión de la vocación había suplantado la enseñanza liberal. El profesionalismo había proliferado. La tecnocracia y la falta de moral reinaban. Se había perdido la apreciación de aquella enseñanza amplia y generosa que "liberaba" al aprendiz de ser ignorante, del provincialismo y de ser un filisteo; tal vez casi en el sentido bíblico de "sabrás la verdad y la verdad te hará libre". Las instituciones de educación superior corrían el riesgo de perder los lazos, el sentido de identidad que los guiaba. La educación superior se rindió ante la mentalidad de escuela comercial y en el proceso sustituyó los valores elevados que una vez le habían ofrecido dignidad y un propósito intelectual, por fines que carecían de nobleza. A. Lawrence Lowell era insistente en este punto. Sostenía que no todas las materias eran igual de útiles o liberales. "Cualquier hombre que vaya a modificar el mundo en sus diferentes aspectos o que vaya a intervenir en él para dejar una huella destacada, debe estar en posesión de la mayor cantidad posible del caudal de conocimientos y experiencias del mundo; y la contabilidad no facilita esto en la misma medida que la literatura, la historia y la ciencia."[113]

La cuestión, por supuesto, era como equilibrar los objetivos profesionales y liberales. Un recurso práctico que eventualmente surgió por sí mismo fue el requisito de "concentración y distribución". Es decir, como una especie de compromiso, los estudiantes "concentrarían" los estudios en una disciplina determinada o en un conjunto de disciplinas muy relacionadas (por ejemplo, al seleccionar un *major* académico o concentración mayor). Al mismo tiempo podían "distribuir" o esparcir las otras elecciones a través de una gama de asignaturas en las ciencias, las artes y las humanidades. La especialización académica aportaría la "profundidad" de contenido; la distribución salvaguardaría el "alcance" o la amplitud de la cobertura. El primero, era un antídoto para la poca profundidad intelectual o el diletantismo. El segundo, serviría como un corrector de la sobre especialización estrecha. La principal virtud de tal acto de equilibrio, sostenían los que apoyaban esta visión, era que obligaba a una exposición valiosa de los campos de conocimiento que un estudiante de otra forma buscaría evitar. Promovía un equilibrio entre muchas disciplinas y diferentes formas de conocimiento. Al mismo tiempo permitía (y exigía) que un estudiante adquiriera más de un conocimiento suficiente para aprobar con una especialización particular. Reconociendo casi las infinitas variantes, estos sistemas de concentración y distribución a la larga se adoptaron en docenas,

327

---

113. Lowell, *At War With Academic Traditions*, pp. 108-109, 116.

después en cientos de *colleges* y universidades a lo largo del país.[114]

Un enfoque alternativo que colocó un énfasis aún mayor sobre la integración sinóptica se orientó hacia lo que vino a conocerse con el nombre de "educación general", "estudios generales" o "cultura general". Ya en 1902, John Dewey, entre otros, sugirió que los cursos supercargados carecían de lógica y cohesión interna. Según opinaba, estos eran deficientes en su estructura organizativa o carecían de un marco arquitectónico de referencia más amplio. Sostenía que era necesario un modo para integrar las partes, unirlas de manera holística de tal forma que las interrelaciones entre los elementos constituyentes fueran más evidentes.[115] Nadie parecía tener claro qué era lo que podía satisfacer dicho propósito, pero, la sugerencia parcial de Dewey era "una visión global, al menos, del universo en sus múltiples fases de la cual un estudiante pudiera obtener una 'orientación' del mundo en general".

Entre los primeros que probaron la idea se encontraba Alexander Meiklejohn, quien mientras actuaba como decano y profesor de filosofía en Brown, en los años previos a la Primer Guerra Mundial, desarrolló un curso de investigación de grado (en 1914) titulado "Las instituciones sociales y económicas". Diez años más tarde se encontraba defendiendo dos tipos diferentes de cursos generales de investigación, uno para los estudiantes del primer año y, otro, como una experiencia "de toque final" para los estudiantes del cuarto año.[116] El último, servía como prototipo para los simposios de los estudiantes del último año introducidos en 1924, en el Reed College de Oregón. Se anunció que su propósito era ayudar a los estudiantes a alcanzar una síntesis de las múltiples fuerzas históricas, literarias y científicas que formaban la sociedad contemporánea. Anteriormente, Reed estuvo entre los primeros que exigieron un examen de competencia previo al último año, así como también, la preparación y la defensa oral de una tesis en el último año. Algo que simbolizó el compromiso de Reed con lo académico fue la virtual eliminación de todas las actividades extracurriculares.

328

---

114. Se ofrece una buena síntesis en Rudolph, *Curriculum: A History of the American Undergraduate Course of Study Since 1636* (San Francisco: Jossey-Bass, 1977), pp. 227-244.

115. John Dewey, *The Educational Situation* (Chicago: University of Chicago Press, 1902), pp. 85-86.

116. Véanse Meiklejohn, "The Unity of the Curriculum", pp. 2-3; M.L. Burton, "The Undergraduate Course", en *New Republic*, 32 (25 de octubre de 1922), p. 9; Louis T. Benezet, *General Education in the Progressive College* (Nueva York: Teachers College Press, 1943); William T. Foster, "Our Democratic American Colleges", en *Nation* 88 (1º de abril de 1909), p. 325; y Foster, "The Gentleman's Grade", en *Educational Review*, 33 (abril de 1907), pp. 386-392.

En 1928, Alexander Meiklejohn se trasladó a la Universidad de Wisconsin donde contribuyó al establecimiento de un nuevo *college* experimental de 2 años. En pocas palabras, su premisa esencial era que los estudiantes inscritos se dedicarían por completo durante el primer año al estudio de las civilizaciones romana y griega, utilizando una variedad de perspectivas de disciplinas: históricas, literarias, económicas, sociales y culturales. Las clases se iban a mantener reducidas e informales. En el segundo año, los estudiantes tornarían la atención al análisis intensivo de la civilización moderna, una vez más, iluminados desde el punto de vista interdisciplinario. En el transcurso, la tarea sería rastrear las conexiones y las relaciones entre los diferentes prismas de las disciplinas. En la práctica, lo que resultó representaba el regreso a un curso de estudio prescrito, con pocas variaciones u opciones para acomodar los intereses individuales de los estudiantes.

El enfoque más celebrado sobre la educación general comenzó con John Erskine en la Universidad de Columbia, en 1919, cuando su curso popular sobre "Temas de guerra", ahora revisado y reorganizado como "introducción a la civilización contemporánea" se exigía a todos los estudiantes que ingresaban a primer año.[117] El curso de Columbia fue el primero de muchos que enfatizaba el desarrollo social-histórico mediante la lectura y la discusión de fuentes primarias. "Existe una cierta cantidad mínima de tradición espiritual e intelectual [de Occidente] que un hombre debe experimentar y comprender si se lo quiere denominar educado [explicaba un anuncio del profesorado]". En 1936, Columbia también ofrecía una serie de materias humanísticas integradoras, después un curso de visión de conjunto (*survey course*) en ciencias. Sin que transcurriera mucho tiempo se probaron los prototipos de Columbia y de Reed en una gran cantidad de otros *campus*. Luego, siguió una experimentación extensiva a medida que los *colleges* y las universidades intentaban suministrar a sus estudiantes los amplios esquemas del conocimiento humano mediante diferentes cursos sinópticos de investigación y puntos de vistas generales introductorios a las disciplinas.[118] Cabe mencionar de manera especial

329

---

117. Dwight C. Miner, ed., *A History of Columbia College on Morningside* (Nueva York: Columbia University Press, 1954), pp. 46-53. Véanse Rudolph, *American College and University*, pp. 455-456; y "The Columbia College Faculty Devises a Course in Contemporary Civilization, 1919", en Hofstadter y Smith, pp. 904-905. También refiérase a Norman F. Coleman, "How We Teach at Reed College", en *Bulletin of the Association of American Colleges*, 14 (noviembre de 1928), pp. 407-408.

118. Se representa una referencia útil sobre la experimentación de los *colleges* del período en Hoyt Trowbridge, "Forty Years of General Education", en *Journal of General Education*, 11 (julio de 1958), pp. 161-169.

los cursos de investigación desarrollados en Dartmouth, en 1921, el curso de Ética Social que comenzó en la Universidad de Utah cerca de 1930 que trataba "las bases éticas del proceder público y privado en las relaciones humanas".

Aunque los cursos de visión de conjunto estaban de moda, sin embargo, también eran duramente criticados. Los cargos de trivialidad, superficialidad y falta de profundidad eran frecuentes. Una queja común era que los cursos introductorios trataban a los inscritos en ellos como futuros especializados en las disciplinas que representaban, por consiguiente, frustraban el intento original de suministrar una perspectiva intelectual amplia. Otros criticaban a los cursos de visión de conjunto por su aparente falta de estructura. El mismo Alexander Meiklejohn, al criticar el curso de visión de conjunto típico, lo describía como "una musiquilla, un toque de filosofía, un vistazo en la historia, algo de práctica de la técnica en el laboratorio, una o dos emociones en la apreciación de la poesía".[119] Era evidente que el descubrimiento o el invento de una forma de llevar el conocimiento a una especie de unidad resultaba una tarea difícil, que no se alcanzaba con facilidad con ningún único método. Mucho de la historia de los planes de estudio de la educación superior en Norteamérica, entre los años 1920 y 1940, en realidad, despertaron el interés sobre el tema de cómo los *colleges* y las universidades intentaban evitar la anarquía intelectual de la especialización excesiva. En forma gradual, no obstante, se convirtió en una política establecida, dedicar la mayoría o la totalidad de los primeros 2 años de *college* a la educación general. La característica más asombrosa de los diferentes esquemas concebidos fue la diversidad de enfoques. La amplitud de la experiencia intelectual era un tema común, pero, por otra parte, no surgieron modelos uniformes.

Algunas instituciones conservaron el énfasis en los cursos "de visión de conjunto" o de "orientación". Otros, como Princeton, probaron el plan de instrucción de preceptores, considerando que el enfoque de la integración académica se alcanzaba mejor si los estudiantes trabajaban con preceptores supervisándolos de cerca con programas de estudios muy individualizados. En Harvard, bajo la presidencia de Lowell, el énfasis se ponía en los exámenes generales y la diferenciación introducida entre "los cursos de distinción honorífica" y "los cursos regulares". En Swarthmore, a comienzos de 1920, bajo la presidencia de Frank Aydelotte, los experimentos comenzaron con coloquios especiales, los cursos de distinción honorífica separados de los cursos de

---

119. Meiklejohn, "The Unity of the Curriculum", *Op. cit.*, pp. 2-3.

instrucción regulares y exámenes finales generales conducidos por completo por examinadores externos. En Yale, y otros lugares, se realizaron esfuerzos para revivir el sentido de la atención individualizada y la cercanía provista por "residencias" o "*colleges*" de estudiantes. En el Hiram College de Ohio, a comienzos del año 1934, se inauguró un modelo de estudio intensivo de una materia por vez, excluyendo a las demás. Arthur E. Morgan en el Antioch College, en 1921, fomentó el resurgimiento de la idea de estudio y trabajo, esta vez como un programa de 5 años que combinaba la educación liberal, la capacitación social y trabajo de la vida real con el objetivo de mostrarles de frente a los estudiantes las "realidades prácticas en toda su intrincada complejidad". Los *colleges* experimentales progresistas, tales como Black Mountain en North Carolina y las instituciones para mujeres tales como Sarah Lawrence y Bennington, establecieron programas de la línea de Dewey que hacían hincapié en los requisitos de trabajo exterior, cursos interdisciplinarios, estudios individualizados con el objetivo de referirse a los problemas y cuestiones sociales actuales y el estudio independiente.[120]

Si la preocupación por satisfacer las necesidades de los estudiantes excepcionalmente talentosos era el dilema de las instituciones de la *Ivy League* (Liga de la Hiedra) del Noreste, en la Universidad de Minnesota en 1930, el decano J.B. Johnston afirmaba que "una de las funciones del primer y el segundo, años es llevar a un elegante final el hábito de ir a la escuela por parte de aquéllos que pueden aprender las lecciones bastante bien y que nunca harán nada más". Su idea de que un *college* democrático pudiera suministrar el "fracaso elegante" contribuyó a la planificación de un College General que abrió en 1932 para los estudiantes poco motivados y con un nivel bajo que, según se creía, era poco probable que completaran un programa de 4 años.[121] El primer año, se inscribieron más de un millón de estudiantes de dudoso potencial académico. Se les puso a trabajar en cursos como: Cómo Estudiar, Decoración del Hogar, El hombre y la Tierra, y Alimentos y Nutrición. No se enseñaban lenguas extranjeras ni cursos en laboratorios ni

331

---

120. Véanse Frank Aydelotte, *Breaking the Academic Lock Step: The Development of Honors Work in American Colleges and Universities* (Nueva York: Harper and Row, 1944); y Aydelotte, *An Adventure in Education* (Nueva York: Macmillan, 1941), p. 224. Véanse también Burton R. Clark, *The Distinctive College* (Chicago: Aldine, 1970, Capítulo 7; y Algo D. Henderson, y Dorothy Hall, *Antioch College: Its Design for Liberal Education* (Nueva York: Harper, 1946).

121. Refiérase a Rudolph, *American College and University*, p. 478. Véase James Gray, *The University of Minnesota, 1851-1951* (Minneapolis: University of Minnesota Press, 1951), pp. 308-322.

especializaciones técnicas avanzadas. Un hecho que demostraba la orientación de clase media baja del *College* fue el hecho de que, en 1939, un quinto de todos los estudiantes inscritos se encontraban registrados como hijos de inmigrantes de clase trabajadora. El tema determinante bajo todos los aspectos era el del ajuste social y las capacidades prácticas de vida para los estudiantes no tradicionales. El estudio académico riguroso no tenía lugar en el General College de Minnesota, ya que, no estaba ni pensado ni programado para ello.

Los Grandes Libros y el Plan Chicago

Sin duda, uno de los experimentos curriculares más destacables y controvertidos llevado a cabo por una universidad importante fue el que lanzó, en 1930, la Universidad de Chicago bajo la dirección del canciller (presidente) Robert Maynard Hutchins.[122] En contra de todas las tendencias dominantes, la suya fue una iniciativa dirigida nada menos que a revivir la tradición "clásica" de la educación liberal. Hutchins complementó la aprobación del profesorado de una unidad autónoma del *college* de grado con su respaldo a un nuevo plan de estudios obligatorio. Estaba pensado para evitar la atomización típica del sistema optativo, mientras que al mismo tiempo promovía la enseñanza general a una escala imposible de alcanzar mediante los cursos de visión de conjunto. El programa de estudio se construyó sobre la lectura y la discusión de fuentes originales, los denominados "Grandes Libros" de la civilización occidental. De allí en adelante, se anunció que la educación general en el Chicago significaría el estudio de "los libros más importantes del mundo occidental y las artes de lectura, escritura, pensamiento y expresión oral, junto con las matemáticas". Se expresaba la esperanza haber enmarcado un plan de estudios capaz de abordar todos los elementos de la naturaleza común de la humanidad.

El programa de estudios prescripto era tan uniforme como exigente. Tomaba la forma de una serie de cursos anuales de investigación interdisciplinarios muy compactos, dictados mediante conferencias y complementados por pequeños y frecuentes grupos de discusión. Se otorgaban todos juntos los créditos de los

332

---

122. Para mayores detalles y una descripción completa refiérase a Chauncey S. Boucher, *The Chicago College Plan* (Chicago, University of Chicago Press, 1935); y Reuben Frodin, *The Idea and Practice of General Education* (Chicago, University of Chicago Press, 1951), pp. 87-122.

cursos y los exámenes. La asistencia a clases era voluntaria, aunque se exigía a los estudiantes que se prepararan para exámenes exhaustivos en composición inglesa, humanidades, ciencias sociales y ciencias biológicas y físicas. También se requería un dominio mínimo de un idioma extranjero. En términos generales, el plan de estudios se proponía incluir todas las materias indispensables a una persona educada, sin tener en cuenta su vocación o especialización profesional futura. Los aspirantes podían presentarse a rendir exámenes cuando consideraban que se encontraban preparados. Solo cuando habían aprobado todos los exámenes se les permitía continuar los estudios a un nivel superior o en otro *college* de la Universidad. Bajo el energético liderazgo de Hutchins, el denominado "Plan Chicago", se convirtió en la innovación de la que más se habló en la educación superior norteamericana llevada a cabo en el siglo XX.[123] En una serie de ensayos, artículos y libros, Hutchins explicaba con detalle la filosofía educativa inspiradora que intentaba alcanzar en el Chicago. Lo más leído entre sus muchas obras fue una colección de discursos estilo manifiesto brindadas en las Conferencias Storr en Yale y publicadas en 1936 como *La educación superior en Norteamérica*. Allí dio rienda suelta a la expresión mordaz de un punto de vista, caracterizado muy acertadamente mucho tiempo después por el historiador Frederick Rudolph (*La universidad y el college norteamericano*, 1962), como "una especie de regreso extraño y maravilloso a Jeremiah Day y al Informe de Yale de 1828".[124]

333

Examinando el resto de la educación superior norteamericana, Hutchins expresaba solo hallar una confusión generalizada, una capitulación al materialismo y consumismo e instituciones temerosas, distinguidas principalmente por la descarada inclinación al entrenamiento vocacional y el oportunismo sin principios. Suponía que el "amor al dinero" había tenido el efecto práctico de crear una universidad "de estación de servicios". Tratando de ser todas las cosas para todas las personas, según su opinión, la universidad típica había inclinado sus energías para favorecer el espíritu de la época y adecuarse a las demandas populares de las clases más bajas. Vituperaba la tendencia de la universidad de tratar de dar respuesta a todas y cada una de las exigencias en nombre de la utilidad social. En su apuro por satisfacer las necesidades misceláneas, inmediatas, de bajo nivel de toda clase y estilo, a juicio de Hutchins, los planes de estudio

123. Adviértase Rudolph, *American College and University*, pp. 479-480.

124. *Ibídem*, p. 479. Véase Robert Maynard Hutchins, The Higher Learning in America (New Haven, Conn.: Yale University Press, 1936; nueva publicación, 1962). Las referencias y las citas son de la reimpresión de 1962.

habían proliferado de forma absurda. Peor aún, la universidad se había mostrado dispuesta a ofrecer instrucción a prácticamente cualquier cliente. Una vez comenzado, el proceso de acomodación social prometía continuar sin ningún fin a la vista. Cada vez más, la universidad como estación de servicio moldeaba las políticas para adecuarse a quienes pagaban las cuentas: los estudiantes, los donantes privados y el poder legislativo estatal. La institución académica típica, insistía Hutchins, no era ni libre ni independiente, ya que siempre estaba obligada a buscar dinero para mantener sus incontables tareas.[125]

La confusión sobre el significado de la democracia, Hutchins continuaba en su discurso, había dado lugar a la noción equívoca de que todos tenían derecho a la misma cantidad de educación. De hecho, el imperativo democrático, bien entendido, solo mandaba que debiera ofrecerse una oportunidad a todos para que se beneficiaran de la educación superior. La educación superior *debía ser* elitista, en el sentido meritocrático de reservarse en forma exclusiva a los mejor capacitados para sacar provecho de ella, para aquellos con el interés y habilidad suficientes para ser capaces de mantener un esfuerzo intelectual serio. En cuanto a la pasión peculiar norteamericana por las credenciales, el factor principal responsable de que muchos estudiantes acudieran en gran número a las universidades, Hutchins consideraba que podría aliviarse si se otorgaba un título de bachiller a cada ciudadano al nacer. Solo en ese momento las universidades y los *colleges* podían tener la libertad de educar a aquellas pocas personas con un interés genuino en el aprendizaje.

La sociedad contemporánea, según Hutchins, estaba confundida en su presunción de que la educación debía servir a un fin vocacional. El verdadero fin de la universidad, opinaba, debería ser la búsqueda desinteresada de la verdad por sí misma. "Cada grupo en la comunidad que se encuentra lo suficientemente bien organizado como para poseer una voz posible de ser escuchada, desea que la universidad les ahorre la necesidad de capacitar a sus propios empleados. Desea obtener de la universidad un producto lo más acabado posible [declaraba Hutchins]". El problema que advertía, era que las universidades habían accedido de manera libre a esa presión. La consecuencia, anunció de manera profética, sería que pronto todos reclamarían ser admitidos a la universidad "con el fin de ser capacitados para algo".[126]

Hutchins reconocía la necesidad de la capacitación para un trabajo. No

125. Hutchins, *Op. cit.*, pp. 4-12.

126. *Ibídem*, p. 36.

obstante, consideraba que la universidad era un lugar insuficiente para intentar la instrucción directa para el empleo. "Convertir las instituciones profesionales en instituciones de oficios degradaba a las universidades y no elevaba a las profesiones [insistía Hutchins]". La ambigüedad inherente en cualquier programa de capacitación radica en cómo asegurar la eficiencia técnica inmediata, y al mismo tiempo lograr una comprensión amplia de los principios generales que sustentan un oficio o profesión. En sus palabras: "desde mi punto de vista, los trucos del oficio no pueden aprenderse en una universidad y si se pueden aprender no debería ser así. No pueden enseñarse en una universidad porque quedan desactualizados y nuevos trucos los reemplazan, porque los docentes quedan desactualizados y no pueden mantenerse al día con los trucos actuales y porque solo se pueden aprender los trucos en la situación real en la que van a ser empleados".[127] La universidad se debía concentrar, según la visión de Hutchins, en la promoción de la amplia comprensión que constituye la base o el fundamento de las habilidades específicas y colocar su aplicación en un contexto inteligible.

La prescripción anticuada de Hutchins era un franco retorno a la "capacitación intelectual común". Sin ella, afirmaba, una universidad permanecería con una serie de unidades académicas dispares carentes de cualquier comprensión o lenguaje común o sentido compartido de propósito. De manera más específica, lo que se necesitaba, según su visión, era una "provisión común de ideas fundamentales" para superar la "falta de unidad, el desacuerdo y el desorden", que consideraba que habían abrumado al sistema educativo. En un manifiesto desafío a los 100 años de experiencia, afirmaba que: "la educación implica enseñanza. La enseñanza implica conocimiento. El conocimiento es verdad. La verdad es la misma en todas partes, por lo tanto, la educación debe ser la misma en todas partes". Por consiguiente, la educación bien comprendida debe dirigirse "al cultivo del intelecto" y dedicarse a la búsqueda única de las virtudes intelectuales: el centro de cualquier plan de estudios diseñado para todas las personas será [...] el mismo en cualquier momento, en cualquier lugar, bajo cualquier condición política, social o económica".[128]

Para Hutchins, al igual que para Mortimer Adler, Mark Van Doren, Jacques Barzun, Irving Babbitt, Gilbert Highet y muchos otros, los "estudios permanentes" que mejor reflejaban la naturaleza humana común eran los que

335

127. *Ibídem*, p. 47.

128. *Ibídem*, pp. 66-67.

suministraban los Grandes Libros: aquellas obras que a través de los siglos habían alcanzado el estatus de "clásicos" en todos los campos del conocimiento más importantes. Un verdadero Gran Libro, explicaba Hutchins, es el que ha sobrevivido a la prueba del tiempo, que siempre es contemporáneo y no solo tiene interés por su antigüedad, ya que su atractivo fundamental carece de tiempo y es independiente de cualquier circunstancia particular económica, social o política. Dura mucho más tiempo que las obras menores que han sido olvidadas. Un gran libro puede leerlo casi cualquier persona. Trata de temas universales que siempre ocupan a las personas pensantes. Lo más importante de un Gran Libro, como Hutchins lo describía, era su capacidad para ayudar a desarrollar normas de gusto y sentido crítico que conducen al pensamiento racional y a la reflexión.

Hutchins nunca pensó que el público norteamericano se inclinaría a abrazar sus ideas. Por el contrario, consideraba que serían muy poco populares aunque no menos válidas. Un cuarto de siglo más tarde, mucho tiempo después de haber partido de la Universidad de Chicago, sus puntos de vista permanecían sin cambio alguno. En el prefacio de una reedición de su *Higher Learning* (*La educación superior*), vio que estaban en funcionamiento las mismas tendencias que había advertido en 1936. "Una de las tareas más sencillas en el mundo [declaraba en forma mordaz], es reunir una lista de divertidísimos cursos ofrecidos en las universidades y los *colleges* de Estados Unidos. Dichos cursos reflejan la total falta de un fin coherente y racional en estas instituciones".[129] A su juicio, si las instituciones de educación superior alguna vez le habían ofrecido a la nación un liderazgo intelectual, cualquier afirmación de que continuaban haciéndolo había perdido credibilidad hacía tiempo.

Los estándares educativos habían colapsado por completo. Según su modo de ver la situación, el triunfo de la especialización, el énfasis en la capacitación vocacional y la trivialidad era total.

Por lo menos algunos de los elementos del Plan Chicago se imitaron en colleges experimentales y programas honoríficos de otras instituciones en todo el país a fines de 1930. La creación del Monteil College en la Universidad Estatal de Wayne, por ejemplo, fue uno de los primeros entre varios intentos por adaptar las ideas de Hutchins. Más conocido fue el programa que construyeron Stringfellow Barr y Scott Buchanan en el St. John's College en

336

129. *Ibídem*, pp. XIII-XIV.

Annapolis, Maryland y más tarde en Santa Fe (Nuevo México). Los críticos atacaban todos las programas de este tipo como no democráticos, anticuados y completamente desligados de las necesidades modernas. Los defensores, por su parte, continuaban afirmando el valor y la utilidad de una educación basada en un sistema de fuentes fijo. Aunque los enfoques de la educación general y de la cultura liberal organizados alrededor de los Grandes Libros representarían siempre un tema menor en la educación superior norteamericana, también hallaron su lugar dentro del conjunto de experimentos curriculares que llevaron a cabo las universidades y los *colleges*.[130]

Los *colleges* de 2 años

A principios de siglo, haciéndose eco de una afirmación muy repetida, David Starr Jordan, en 1903, predijo que "a medida que transcurra el tiempo el *college* desaparecerá, de hecho si no lo hacen de nombre. Los mejores se convertirán en universidades, los otros retornarán a su lugar como academias".[131] Uno de los diferentes factores que parecían confirmar el juicio de Jordan era la frecuencia con que muchos *colleges* luchaban por convertirse en universidades mediante la expansión de sus cursos de posgrado. Durante un tiempo parecía ser que un *college* que no aspirara al estatus de universidad o que no siguiera los pasos para transformarse en una, de alguna manera, carecía de ambición y respeto propios. Otro factor presente era la expectativa de que las escuelas secundarias mejorarían a paso firme, hasta llegar al punto de ser comparables con los gimnasios alemanes en cuanto a la preparación de estudiantes para la entrada directa a los programas preparatorios profesionales de nivel universitario. De hecho, hacía mucho tiempo que era costumbre que los

337

130. David Boroff, "St. John's College: Four Years with the Great Books", en *Saturday Review*, 46 (23 de marzo de 1963), pp. 58-61; Donald P. Cottrell, "General Education in Experimental Liberal Arts Colleges", en Guy Montrose Whipple, ed., *General Education in the American College, Part II, The Thirty-Eighth Yearbook of the National Society For The Study of Education* (Bloomington, Ind.: Public School Publishing, 1939), pp. 206-207; Christopher Jencks y David Riesman, *The Academic Revolution* (Nueva York: Doubleday, 1968), p. 494 y ss.; F.R. Leavis, "Great Books and a Liberal Education", en *Commentary*, 16 (septiembre de 1953), pp. 224-232; Gerald Grant y David Riesman, "St. John's And the Great Books", en *Change*, 6 (mayo de 1974), p. 30; y Harry D. Gideonse, *The Higher Learning in a Democracy* (Nueva York: Holt, Rinehart and Winston, 1937, pp. 2-6, 8-10, 19-27, 30-34; John Dewey, "President Hutchins' Proposals To Remake Higher Education", en *The Social Frontier*, 3 (enero de 1937), pp. 103-104.

131. Citado en Leon B. Richardson, *A Study of the Liberal College: A Report to the President of Dartmouth College* (Hanover, N.H.: Dartmouth College, 1924), p. 15.

graduados de las mejores academias secundarias privadas y de algunas cuantas escuelas secundarias públicas ejemplares fueran admitidos como estudiantes de segundo año de los *colleges,* de esta manera se les permitía completar el programa de grado en 3 años. Con las escuelas secundarias pujando desde abajo y las instituciones profesionales universitarias demandando desde arriba una capacitación especializada más temprana, los *colleges* se sentían estrujados entre los dos. Muchos se cuestionaban si el *college* de 4 años iba a tener que cumplir alguna función en el futuro si continuaban las tendencias contemporáneas. Más de una vez se sugirió que la educación de grado, si sobrevivía, quedaría reducida a 3, o posiblemente a solo 2 años. Entre los que fomentaban la abolición de los *colleges tradicionales* de 4 años se encontraba William Rainey Harper de Chicago, quien hablaba con desprecio del "fetiche de 4 años" asociado con los *colleges* de grado.[132]

Algunos líderes académicos sentían la necesidad de que se entablara una especie de negociación.[133] Como lo expresaba en 1908 un profesor de Brown: "el problema que yace bajo todas las instituciones más fuertes es el de mezclar, en la debida proporción, lo mejor del antiguo *college* anglonorteamericano con lo mejor de la universidad moderna alemana". Los *colleges* privados con sus propias fuentes de ingresos, que escogieron no intentar convertirse en universidades estaban resueltos a seguir por su propia cuenta. Se concentrarían en la cultura y educación liberal, o confiarían en una mezcla de las humanidades tradicionales y una cantidad limitada de programas preparatorios de grado preprofesionales para atraer estudiantes. Después de haberse sumergido primero en la educación general, los graduados de este tipo de *colleges* serían libres de presentarse a universidades más grandes para cualquier capacitación profesional adicional que necesitaran. El estatus de los *colleges* de grado *dentro* de las universidades era menos claro. En principio, la idea de poseer una institución de posgrado colocada sobre un *college* de grado era muy aceptada.

132. Véanse Brubacher y Rudy, pp. 250-260; Veysey, p. 338; Jacques Barzun, "College to University and After", en *American Scholar*, 33 (primavera de 1964), pp. 212-220; Charles W. Eliot, *Educational Reform* (Englewood Cliffs, N.J.: Prentice-Hall, 1898), pp. 151-176; William R. Harper, "The Length of the College Course", en *Educational Review*, 26 (septiembre de 1903), pp. 134-140; Lewis W. Smith, "Early Junior College-Harper's Influence", en *Junior College Journal*, 11 (mayo de 1941), p. 516 y ss.; Charles K. Adarrs, "The Next Step in Education", en *Forum*, 10 (febrero de 1891), pp. 629-630; William H. Cowley, "The War on the College", en *Atlantic Monthly*, 169 (junio de 1942), p. 721; Walter C., Eells, "Abolition of the Lower Division: Early History", en *Junior College Journal*, 6 (enero de 1936), pp. 194-195.

133. Véanse Rudolph, *Curriculum*, pp. 197, 200, 274, 284-286; y David O. Levine, *The American College and the Culture of Aspiration, 1915-1940* (Ithaca, N.Y.: Cornell University Press, 1986). También adviértase Goodchild y Wechsler, pp. 401-412.

El interrogante más inmediato a medida que transcurría el siglo, era si era posible mantener y alimentar estudios liberales dentro de un ambiente más amplio dedicado en forma agresiva a la especialización profesional. Algunas instituciones experimentaron con una separación completa de la educación de grado y de posgrado. Lo más común, en gran medida, fueron los trabajos para organizar las facultades de pregrado y de posgrado como un cuerpo único, ejerciendo un control unificado sobre todos los programas con títulos desde el nivel de grado hasta el doctorado. Tomando una supuesta ruta "intermedia" se encontraban las instituciones donde el *college* de grado se dividía en secciones superiores e inferiores. En otros casos, los programas de grado estaban simplemente añadidos a los programas de posgrado ofrecidos a través de las instituciones profesionales que conformaban la universidad.

Mientras, presionados en nombre de la oportunidad democrática de suavizar los requisitos de admisión y de aceptar a estudiantes en cantidades cada vez mayores, a comienzos de 1920 algunas instituciones públicas comenzaron a experimentar graves problemas de superpoblación. El profesor Norman Foerster de North Carolina se expresó, protestando en nombre de muchos, por lo que sentía era la caída de los estándares académicos como consecuencia de la superpoblación. El profesor escribió: "si la educación superior merece su nombre no puede ponerse al alcance de los que no es posible educar, ni de los educables de forma pasiva". Del mismo modo, un profesor en el Estado de Ohio descartó un llamamiento para permitir a cualquier estudiante graduado de secundaria la entrada a la universidad estatal considerando tal llamamiento "un sentimentalismo extremo".[134] En forma gradual las líneas de desacuerdo se endurecieron. Por un lado, se encontraban aquéllos que apoyaban el impulso hacia un crecimiento casi ilimitado, incluso si significaba un cierto descenso de los estándares académicos. Por otro, se encontraban aquéllos que sentían la necesidad de preservar una medida mayor de elitismo y excelencia académica en la educación superior pública, incluso si esto significaba no admitir a todos los estudiantes.

Con el surgimiento del denominado *junior college* llegó una alternativa a la educación pública de 4 años.[135] En 1918 ya existían 85 instituciones,

339

---

134. Las citas son de Levine, en Goodchild y Wechsler, *Op. cit.*, p. 403.

135. Los antecedentes se suministran en Jesse P. Bogue, y Shirley Sanders, "Analysis of Junior College Growth, 1896-1949", en *Junior College Journal*, 19 (febrero de 1949), pp. 311-319; Walter C. Eells, *The Junior College* (Boston: Houghton Mifflin, 1931); Gregory Goodwin, *A Social Panacea: History of the Community-Junior College Ideology* (Los Ángeles: ERIC Clearinghouse for Junior Colleges, 1973; Walter J. Greenleaf, *Junior Colleges* (Washington, D.C.: United States Bureau of Education, 1936).

con una matrícula combinada de 4.500 estudiantes que representaban un poco menos del 2% de todos los estudiantes de grado. De las 85 ubicadas en 19 estados diferentes, más de la mitad se concentraban en los cinco estados de California, Missouri, Virginia, Texas e Illinois. (No había ninguna ubicada al Este de Michigan o al Norte de Kentucky y Carolina del Norte.)[136] Para mediados de 1900 la cantidad había aumentado a 196, con un aumento en la matrícula muy superior. En el año 1938 las matrículas de los *junior colleges* se triplicaron, representando una porción aún mayor del 18% de todos los estudiantes de *colleges* inscritos en el ámbito nacional. Respondiendo a las necesidades de los estudiantes de las clases más bajas que carecían de los medios o del deseo para embarcarse en un plan de estudios de 4 años directamente desde la escuela secundaria, o para aquellos que buscaban una instrucción relativamente económica a una distancia que les permitiera desplazarse todos los días, las instituciones públicas de 2 años sin duda hallaron su propio y especial nicho en la educación superior norteamericana. Sin ellas, la educación superior norteamericana apenas hubiera podido adaptarse al impresionante aumento de las matrículas de los *colleges* registrado entre 1920 y 1940.[137]

340

En su inicio, muchas de las instituciones de 2 años se consideraron principalmente como "suministradores" de las universidades y los *colleges* de 4 años más prestigiosos y más exigentes académicamente. El plan de estudios del *junior college*, según esta visión, representaba la primera parte del programa total de estudios que los estudiantes completaban antes de transferirse a una institución de 4 años para completar el título de bachelor (aproximadamente licenciado). Mucho tiempo después muchos continuaron considerando al *junior college* como un paso preparatorio para la vida universitaria y la carrera profesional. Esa percepción no se perdió entre los líderes de los *colleges* de humanidades, algunos admitían hallar una amenaza sustancial a la existencia de sus propias instituciones de 4 años en las recién llegadas instituciones de 2 años. Pero, hacia fines de 1920 y comienzos de 1930, la tendencia fue comenzar a considerar a los *junior college* públicos más como instituciones

136. Véanse Bogue, *The Community College* (Nueva York: McGraw-Hill, 1950); y Leland L. Medsker, "Changes in Junior Colleges and Technical Institutes", en Logan Wilson, ed., *Emerging Patterns in American Higher Education* (Washington, D.C.: American Council on Education, 1965), pp. 79-84.

137. Véase Algo D. Henderson y Jean Glidden Henderson, *Higher Education in America* (San Francisco: Jossey-Bass, 1974), pp. 50-52.

terminales donde los estudiantes de medios limitados (y supuestamente con habilidades o aspiraciones más limitadas) podían prepararse para las ocupaciones calificadas y semiprofesionales. El presidente A. Lawrence Lowell de Harvard expresó su satisfacción con la proliferación de las instituciones de 2 años porque, como lo admitía con bastante franqueza, "uno de los méritos de estas nuevas instituciones será apartar del *college*, en vez de guiar hacia él a los jóvenes que no tienen gusto por la educación superior".[138] Elogiados como instrumentos de utilidad y eficiencia social, alabados por ofrecer la expresión concreta del impulso democrático, la educación para todos, los *junior college* continuaron floreciendo en los años de la Depresión, incluso cuando las grandes universidades públicas languidecían por carecer de la financiación adecuada del Poder Legislativo estatal.[139]

Con el conocimiento que da de la visión retrospectiva histórica, resulta sencillo advertir el papel hasta cierto punto ambiguo y paradójico que las instituciones de 2 años desempeñaron en la educación superior. Su contribución fue satisfacer el precepto de que en una democracia todos tienen derecho a acceder a la educación superior. Las instituciones de 2 años se percibían como algo útil no solo porque contribuían a la difusión de la educación superior dentro de la sociedad, sino también porque prometían satisfacer las necesidades de aquéllos con menores medios y capacidades. En la medida en que se dejaba la puerta abierta para que los graduados de 2 años que lo merecían pudieran seguir hacia delante en una institución de 4 años, los *junior colleges* ofrecían la imagen de mejorar en vez de limitar la movilidad social. En la medida en que se convirtieron en instituciones terminales, colaboraban para satisfacer la necesidad igualmente importante de educar una mano de obra capacitada, mientras que en forma simultánea dejaban la oportunidad a las instituciones de 4 años de suministrar las credenciales para los líderes y los profesionales de la sociedad del mañana.[140]

341

---

138. El texto completo de Lowell aparece en Lowell, "Universities, Graduate Schools, and Colleges", en *Atlantic Monthly*, 150 (agosto de 1932), pp. 219-221.

139. Véanse Elbert K. Fretwell, *Founding Public Junior Colleges* (Nueva York: Teachers College, Columbia University, 1954, Capítulo 2); y Leland L. Medsker y Dale Tillery, *Breaking the Access Barriers* (Nueva York: McGraw-Hill, 1971), p. 18 y ss.

140. A. Monroe Stowe, *Modernizing the College* (Nueva York: Alfred A. Knopf, 1926), pp. 55-56. Resulta significativo, tal vez, que en décadas recientes muchos *colleges* de 2 años buscaron declarar la (presumiblemente) apelación más prestigiosa "*community college*" para sí mismos. El cambio, sin duda, refleja las fuerzas ideológicas en juego y las aspiraciones institucionales para un estatus mejorado.

De las escuelas normales a los *colleges*
estatales de magisterio

En 1890, existían alrededor de 135 escuelas normales públicas de todos los tipos y tamaños. La matrícula combinada era de 27.000 que representaba solo una fracción de la cantidad total de estudiantes que se preparaban para ser maestros. Además, existían cerca de 40 escuelas normales privadas, la mayoría de las cuales eran estrictamente regionales, o instituciones locales que se especializaban en suministrar algún tipo de educación superior más allá del octavo grado. Diez años más tarde, la cantidad total de escuelas normales se había reducido a 127 (aunque algunas habían crecido y las matrículas combinadas habían aumentado a un total de 47.000). En el año 1920, la cantidad disminuyó a 69 y, en 1933, no existían más de 50 instituciones normales públicas todavía floreciendo. La tendencia, a principios de 1930 si no antes, era sin duda, que las escuelas normales con un solo objetivo del tipo tradicional desaparecieran a toda velocidad.

342

Pocos lamentaron la inminente desaparición. Las escuelas normales privadas o públicas sufrían hacía mucho tiempo, una reputación de calidad académica inferior y de estándares poco exigentes. En las primeras décadas del siglo XX, existía el conocimiento generalizado de que los estándares de admisión habían permanecido bajos a pesar de las repetidas propuestas de hacerlos más estrictos. En 1895, por ejemplo, solo el 14% de una muestra de 51 escuelas normales exigían un diploma de escuela secundaria. En 1905, 10 años más tarde, el porcentaje había aumentado a no más del 22%. En 1908, el Deparment of Normal Schools of the National Education Association [Departamento de Escuelas Normales de la Asociación Nacional de Educación] aprobó una resolución a favor de exigir un diploma de escuela secundaria para la admisión en las escuelas normales. No fue hasta 1930 que fue requerido por la mayoría de las pocas escuelas que quedaban.[141]

Mientras tanto, las críticas a las escuelas normales por razones no relacionadas con los estándares de ingreso habían estado creciendo progresivamente desde 1880. Alcanzó un aumento justo después del final del siglo, cuando casi nadie (o así parecía) tenía nada bueno que decir sobre ellas. Cada vez más se las contemplaba como un anacronismo, un atavismo rudimentario del pasado, sumergidas en una tradición antigua y desconectadas de las necesidades

141. Joel Spring, *The American School 1642-1993*, 3ª ed. (Nueva York: McGraw-Hill, 1994), p. 273.

presentes. Se sugería que no era culpa suya el no haber podido ofrecer un suministro confiable de maestros de elevada calidad a las escuelas primarias públicas de la nación. Menos aún habían demostrado tener la capacidad de entrenar profesores para las escuelas secundarias. Tal vez ahora podía decirse que habían sobrevivido a su capacidad para ser de utilidad.

Cualesquiera que fueran las razones para la percepción negativa de las escuelas normales, algo había que hacer. Un indicador de la dirección hacia la que se desplazaban los acontecimientos fue que, en 1908, el *Deparment of Normal Schools of the National Education Association* [Departamento de Escuelas Normales de la Asociación Nacional de Educación] elaboró una declaración de políticas recomendando que: "A pesar de que la palabra 'normal' puede considerarse buena, se debe eliminar del nombre de estas escuelas, que deben denominarse *colleges* para maestros".[142] En esa época, poco se apreciaba que en la mayoría de los casos sería necesario algo más que un simple cambio de nombre para transformar estas escuelas en auténticas instituciones de nivel de *college*.

Clasificar los detalles por los cuales algunas escuelas normales se cerraron y otras se transformaron con todo éxito en *colleges* de 4 años no resulta una tarea sencilla.[143] Algunas escuelas normales privadas simplemente cayeron en el olvido y su supresión no fue advertida ni tampoco lamentada. En muchos lugares, algunas escuelas normales públicas, del mismo modo, quebraron poco a poco por la falta de apoyo. No obstante, era más frecuente que las mejores escuelas normales públicas fueran capaces de administrar la transición, experimentando la metamorfosis a universidades o *colleges* estatales de magisterio completos. (En otros casos, se construyeron *colleges* normales estatales desde cero, en ausencia de un linaje que los ligara a alguna institución antecedente.)

Un pequeño grupo de instituciones fundadas antes del año 1900 como *colleges* normales o universidades, ejerció una influencia especial en el campo de la preparación docente en los últimos años del 1800 y a comienzos del siglo XX. A diferencia de las primeras escuelas secundarias normales, ahora comprometidas en convertirse en instituciones con un nivel de *college* de 4 años, las primeras eran instituciones ostensiblemente postsecundarias desde su creación. Con frecuencia, adoptaban el modelo o el ejemplo al cual los

343

142. Charles A. Harper, *A Century of Public Teacher Education* (Washington, D.C.: American Association of Teachers Colleges, National Education Association, 1939), p. 138.

143. Consúltese Jessie Pangburn, *The Evolution of the American Teachers College* (Nueva York: Bureau of Publications, Teachers College, Columbia University, 1932).

nuevos *colleges* recurrirían para su guía en su propio desarrollo. Los primeros incluían el Kansas State Normal en Emporia (fundada en 1865), Normal Estatal del Sur de Illinois, Universidad de Carbondale (fundada en 1873), Normal Estatal de Iowa (fundada en 1876) y la Universidad Estatal Normal de Illinois. Entre ellas la Normal Estatal de Michigan en Ypsilani fue la primera autorizada a funcionar (1897) como un *college* de magisterio público con el apoyo del estado. Otorgó el primer título de licenciado en 1905.

Para 1920, los *colleges* de magisterio públicos eran comunes en todo el país y la cantidad aumentaba todos los años. Con bastante diferencia de las escuelas normales de las cuales muchos eran descendientes, todos requerían un diploma de secundaria para la admisión. Cada uno poseía, por lo menos, un curso de 4 años de duración que conducía al título de bachillerato (típico en la educación secundaria). Y casi desde la creación, como si buscaran reforzar su identidad como verdaderas instituciones al nivel de *colleges*, la tendencia de la mayoría de los *colleges* para maestros era diversificar el plan de estudios académico y convertirse en *colleges* de humanidades en la medida de lo posible. La visión de miembros del profesorado de humanidades era esencial, tanto para apoyar a la preparación docente como para permitir a los *colleges* elaborar programas en otros campos y disciplinas.[144]

344

La evolución de los *colleges* para maestros y las instituciones normales de 4 años en *colleges* estatales regionales de multipropósito y universidades de un carácter más general, fue en esencia un fenómeno posterior a la Segunda Guerra Mundial.[145] La llegada a los *campus* a fines de la década del cuarenta de cientos de miles de veteranos que regresaban de la guerra, ejerció un impacto poderoso, principalmente porque muchos estudiantes denominados "no tradicionales" estaban ingresando a los *colleges* sin intención de recibir una preparación como docentes. En una repetición de alguna manera reminiscente del apuro en que las escuelas normales del siglo XIX se habían hallado, los *colleges* cuyo objetivo de larga data había sido la preparación de docentes, ahora, estaban obligados a cambiar los recursos para apoyar programas y cursos de estudios que no tenían nada que ver con la capacitación docente. En el transcurso de un período notable por su brevedad, la denominación "*colleges*

---

144. Se aporta un relato antiguo pero todavía de utilidad de cómo evolucionaban los *colleges* de 4 años en R. Freeman Butts, *The College Charts Its Course: Historic Conceptions and Current Proposals* (Nueva York: McGraw-Hill, 1939).

145. Véase Warren C. Lovinger, *General Education Teachers Colleges* (Oneonta, N.Y.: American Association of Colleges for Teacher Education, 194).

para maestros" había dejado de reflejar adecuadamente la amplia misión y los intereses de las instituciones estatales regionales.

La expansión que sobrevino a fines de 1960 y comienzos de 1970, cuando los nacidos en el *boom* de la natalidad de la posguerra llegaron a las instituciones de educación superior y las inscripciones subieron vertiginosamente, sirvió principalmente para acentuar y expandir la naturaleza del multipropósito de la mayoría de los *colleges* estatales del país. De manera irónica, en la escalada para adoptar los atavíos de la investigación y la educación asociados con las universidades más prestigiosas, los profesores de las escuelas y los *colleges* de educación dentro de las mismas instituciones estatales regionales, no se opusieron a eliminar las referencias a "maestros" en los nombres de sus respectivas instituciones. Muy por el contrario, algunos apoyaron el cambio con vigor, en particular cuando se encontraba acompañado por la propuesta de elevar el "*college*" más o menos por una autorización legislativa y declararlo una "universidad". Los educadores de docentes recibieron la adhesión del resto de sus colegas del profesorado que no tenían que ver directamente con la educación docente, que preferían no ser asociados con ella y que daban la bienvenida a cualquier cambio terminológico que pudiera servir para despegar la identidad de su institución de sus orígenes como un *college* de maestros. La progresión fue bastante similar en casi todos los estados: de "*colleges* normales" o "*colleges* para maestros" a "*colleges* estatales" a "universidades estatales".

La preparación docente en la universidad

El establecimiento de los "*colleges*" o "escuelas" de educación independientes como componentes académicos constitutivos *dentro* de las universidades fue un proceso lento, que se extendió desde fines del siglo XIX y continuó pasada la mitad del siglo siguiente. El proceso se podría calificar como ruidoso, acompañado, como estuvo con frecuencia, por asperezas y enérgicos debates. Poco tiempo después del comienzo del siglo XX, por ejemplo, A. Ross Hill, decano del Teacher College que se acababa de fundar en la Universidad de Missouri, dirigiéndose a una audiencia en la reunión anual de la Asociación Nacional de Educación, se adelantó a declarar lo que todavía se consideraba en algunos sectores como una idea muy audaz: que el departamento normal preparatorio, tradicionalmente "los hijastros pobres del ámbito universitario", debían coordinarse completamente con los *colleges* de

345

derecho, ingeniería y medicina. "Los cursos sobre filosofía de la educación, historia de la educación, genética y psicología educativa [insistía], " tienen el mismo derecho a ocupar un lugar en el esquema de la educación liberal que tienen la filosofía, la ética, la sociología general" y otras asignaturas. Las clases sobre "teoría y práctica de la enseñanza, sobre administración institucional y cuestiones similares", declaró Hill, debían colocarse en el mismo nivel que los "cursos técnicos en derecho, ingeniería o medicina".[146]

La cuestión que Hill estaba poniendo sobre el tapete en 1905 en su esencia, era si los departamentos preparatorios normales debían abolirse —como muchos todavía sostenían a gritos— o si, como recomendaba él mismo con firmeza, debían elevarse al estatus completo de escuelas o *colleges* dentro de las universidades. Como resultado, en un período relativamente corto triunfaron quienes compartían la visión de Hill. La Universidad de Texas tenía un Teacher College que se asemejaba al que se había abierto antes en la Universidad de Missouri. También lo hicieron la Universidad de Columbia y la Universidad de Chicago. Minnesota se encontraba en el proceso de establecer su primer *college* de educación en el mismo año en el que Hill dio su discurso.

En 1906, por lo menos nueve universidades tenían *colleges* de educación. En otras, alrededor de dieciocho, la educación ya se encontraba organizada como un departamento más o menos coordinado con otros departamentos académicos. En el Estado de Ohio se formó en 1907 un *college* de educación. Ese mismo año la Universidad Estatal de Iowa fundó su propia Escuela de Educación (colocada primero dentro del College de Humanidades). Del mismo modo, la preparación docente de la Universidad de Michigan permaneció como un departamento dentro del College de Literatura, Ciencias y Artes hasta 1921, cuando se creó una escuela independiente de educación.[147]

En 1890, los cursos de preparación docente se ofrecían en cerca de 114 *colleges* y universidades de un total de más de 400 instituciones (incluyendo una cantidad de escuelas normales). En 1897, la cantidad de escuelas que ofrecían cursos sobre pedagogía ascendió a 220, incluidas aquéllas patrocinadas

146. A. Ross Hill, "Should Chairs of Pedagogy Attached to College Departments of Universities be Developed into Professional Colleges for the Training of Teachers Co-ordinate with Those of Law, Medicine, and Engineering, or Should They be Abolished?", en *National Education Association, Addresses and Proceedings* (Chicago: University of Chicago Press, 1905), pp. 512-515.

147. Walter S. Monroe, *Teaching-Learning Theory and Teacher Education 1890 to 1950* (Urbana Ill.: University of Illinois Press, 1952), pp. 325-326.

por los departamentos preparatorios de nivel secundario independientes. En 1900, 3 años más tarde, por lo menos cerca de una docena de departamentos normales se habían convertido en unidades académicas regulares dentro de las instituciones de 4 años.[148] Entre ellos se contaba a Johns Hopkins, Stanford, Clark, New York University, Harvard y la Universidad de Pennsylvania, entre otras. En menos de 5 años después del discurso de Hill, existían 156 programas de preparación docente en escala completa en la educación superior norteamericana. En 1932, hacia fines de la tercera década del siglo casi 600 instituciones de educación superior ofrecían cursos de estudios preparatorios docentes.[149] En 1948, un total de 196 de estas instituciones ofrecían programas de capacitación docente bien acreditados o aprobados de manera oficial. En 1950, la cantidad de escuelas con programas preparatorios habían aumentado a 1.200; y en las últimas tres décadas del siglo, el total ascendió a casi 1.400.

Lograr que la educación docente fuera una característica integral del panorama académico de la educación superior no era una tarea insignificante. Incluso desde el comienzo hubo quienes sostenían que las escuelas de educación debían posicionarse no en el nivel de grado sino en el de posgrado, similar a los *colleges* de derecho o medicina, donde los cursos de estudios se encontraban abiertos solo a aquellos que ya habían completado el título de licenciado.[150] Entre los persuadidos de que la educación profesional debía ofrecerse en forma primaria o incluso en forma exclusiva en el nivel de pos bachillerato se encontraban luminarias de la época tales como: Elwood P. Cubberley, William H. Burnham, Frederick E. Bolton, Charles F. Thwint y Frank McMurry.

347

Las unidades educativas de Harvard, Columbia y California en Los Ángeles, tuvieron la mejor oportunidad de transformarse en escuelas de educación de posgrado. La preparación de los maestros de nivel secundario y primario mantuvo su importancia en algunas de éstas y en la mayoría de otras universidades importantes. Pero, el principal interés del profesorado ascendió bastante rápido hacia la educación de posgrado, con el énfasis en la capacitación

---

148. W.A. Luckey, *The Professional Training of Secondary Teachers in the United States* (Nueva York: Macmillan, 1903), pp. 62, 101.

149. Willard S. Elsbree, *The American Teacher, Evolution of a Profession in a Democracy* (Nueva York: American Book Company, 1939), p. 331.

150. W.F. Sutton, "The Organization of the Department of Education in Relation to Other Departments in Colleges and Universites", en *Journal of Pedagogy*, 19 (diciembre de 1906 - marzo de 1907), pp. 81-130.

avanzada de los administradores, los especialistas en los planes de estudios y otros líderes de escalafones superiores y administradores de escuelas. Muchas de las instituciones estatales de mayor tamaño pronto los imitaron, elaborando asesorías, estableciendo centros de desarrollo e investigación, expandiendo los programas de los títulos de grado y en innumerables otras formas para distanciarse lo más posible del trabajo menos prestigioso de educar a futuros maestros al nivel de grado.[151]

La especulación sobre los motivos de quienes a comienzos del siglo XX presionaron con firmeza para una educación profesional al nivel de posgrado, debe permanecer como tal, es decir, una cuestión de conjetura. Sin duda, algunos creían firme y sinceramente que la preparación de los líderes educativos debía hacerse a partir de una base construida sobre la educación de grado. Asimismo, resultaría ingenuo asumir que las cuestiones de prestigio y estatus no tenían nada que ver con las posiciones que asumieron y, por las que lucharon con tanto vigor. La capacitación docente de grado que abarcaba un gran número de estudiantes estaba destinada a permanecer como una empresa importante en la mayoría de las escuelas: era "una gallina de los huevos de oro" que generaba demasiados ingresos por matrículas como para prescindir de ella por completo. Pero, mientras tanto, continuaron los esfuerzos a lo largo del siglo para elevar a la educación a la posición de una disciplina semejante al derecho o la medicina, un campo más apropiado para seguir en el nivel posterior al *bachelor*.

El primer paso fue sostener que los administradores de escuelas y otros líderes necesitaban la capacitación avanzada en un nivel posterior al bachillerato. Luego, en segundo lugar, el argumento se amplió a la noción de que todos los futuros maestros debían recibir su capacitación en el nivel de posgrado. La primera alternativa ganó aceptación en los círculos de capacitación docente con bastante rapidez. La segunda ganó apoyo en forma más lenta, aunque mucho antes del final del siglo el argumento de los programas "de extensión" atraía un fuerte apoyo de muchos educadores en las grandes universidades. No obstante, para poder aportar una credibilidad intelectual o académica a su propuesta, quedaba todavía un antiguo desafío: hacer presión a favor de que la educación profesional fuese un campo legítimo de instrucción e investigación.

---

151. Jurgen Herbst, *And Sadly Teach: Teacher Education and Professionalization in American Culture* (Madison, Wisc.: University of Wisconsin Press, 1989), p. 161, 187.

La búsqueda de la legitimidad

Muchos continuaban sin convencerse de que el argumento a favor de la educación como campo de estudio profesional podía proponerse de manera exitosa. La cuestión que se debatía enérgicamente en algunos sectores, por consiguiente, era si el intentar absorber la capacitación pedagógica "tendía a entrometerse o a limitar" el verdadero trabajo de un *college* o universidad.[152] La mayoría de los académicos tradicionalistas siguieron sin dejarse convencer de que, la pedagogía, una asignatura que antes se enseñaba solo al nivel secundario, merecía ser elevada al estatus que correspondía a una disciplina verdadera de *college*. La sensación era que no solo la Educación carecía de un cuerpo de contenidos coherentes o bien definidos, sino que no era probable que lo adquiriera a corto plazo. Intentar transformarla en un tema legítimo de indagación académica e instrucción formal al nivel universitario mediante una mera autorización administrativa, sostenían, era quijotesco y, a la vez, una especie de engaño. El presidente Charles W. Elliot de Harvard fue el vocero de los sentimientos de muchos escépticos que se inclinaban a contemplar con mal disimulada burla y desdén las nuevas cátedras de pedagogía y departamentos de educación establecidos recientemente. "Considero que el profesorado [comentaba], apenas posee un interés o confianza en lo que comúnmente se denomina pedagogía."

Si los profesores de los *colleges* sumergidos en la tradición humanista tenían sus dudas sobre las posibilidades de convertir la pedagogía en una disciplina auténtica, albergaban reservas aún mayores sobre las capacidades y calificaciones académicas —o bien la aparente falta de las mismas— de aquellos reclutados para desempeñar la tarea. El verdadero problema era que los académicos con experiencia en la organización genuina de cursos de estudios pedagógicos al nivel de *college* simplemente no existían todavía. La tendencia que despertó la mayoría de las críticas fue la de asignar la responsabilidad del desarrollo de los programas preparatorios a miembros del profesorado, que no se encontraban bien preparados para afrontar el desafío. Una queja típica sobre la forma arrogante en que se administraban las designaciones fue la que realizó, en 1903, un profesor declarando: "en algunos casos parece que la

349

---

152. Jerome Allen, "Presidential Address", en *National Education Association* (1881), p. 199. Refiérase a James R. Robarts, "The Quest for a Science of Education in the Nineteenth Century", en *History of Education Quarterly*, 8 (invierno de 1968), pp. 431-436.

solicitud ha sido el resultado del esfuerzo por hallar un lugar para un hombre que se cree que hará menos daño en un departamento de educación que en cualquier otro lugar".[153]

Al carecer de profesores calificados, las universidades recurrían algunas veces a los anteriores funcionarios de escuelas públicas —a superintendentes, directores de escuelas y funcionarios de escuelas normales— para que les ayudaran a formar los programas académicos de capacitación de docentes. En algunos casos, por lo menos, el resultado tuvo un éxito razonable, a juzgar por los estándares dominantes de la época. Con mayor frecuencia, los resultados fueron poco menos que desastrosos, con cursos que trataban las minucias de las prácticas en el aula de la forma más mecánica imaginable. Con una gran carencia del contenido o sustancia intelectual, la mayoría diferían poco de las ofertas de las escuelas normales de menor nivel.

Para explicar por qué tantos futuros docentes buscaban evitar los cursos que se les ofrecían, un profesor reconoció con franqueza que se debía a que "el trabajo pedagógico era tan estúpido y débil que un cerebro activo se cansaba demasiado para soportarlo". Por esta razón, en parte, la práctica de combinar los nombramientos de profesores fue una de las más aceptadas; es decir, de reclutar a alguien que ya ostentaba una posición acreditada como filósofo, retórico, sociólogo, historiador o psicólogo, y darle una posición como profesor de didáctica pedagógica. Luego, se le daría la orden de ofrecer uno o dos cursos especiales dirigidos expresamente a los candidatos a docentes. Entre los primeros en orientar sus intereses a la pedagogía y obtener designaciones adjuntas se encuentran: William James y G. Stanley Hall, Edward L. Thorndike, John Dewey, Albion Small, Thorstein Veblen y Herbert Baxter Adams, entre otros.

La pedagogía como materia de instrucción al nivel de *college*, debe decirse, tendía a ser bastante abstracta y teórica cuando estaba a cargo de los académicos de las disciplinas tradicionales. No se hizo mucho al principio para hacer una distinción entre la educación general y una capacitación especializada y "profesional" aparte para docentes. La opinión que se sostenía, más bien, era que si debía existir una capacitación para docentes, se debían incorporar materias de interés y relevancia especial para los maestros con solo un pequeño cambio en el énfasis o enfoque como un elemento dentro de una educación humanística sólida.

---

153. James Donaldson, "The Science of Education", en *American Journal of Education*, 26 (1876), pp. 485-487.

La noción de que la educación profesional docente no poseía una identidad separada de la educación liberal, prevaleció por supuesto, en una época en que los estudios pedagógicos todavía se encontraban en su etapa embrionaria y estaban escasamente definidos. En otras palabras, había crecido muy poco la enseñanza como actividad, en la forma de un cuerpo de conocimiento separado o sistemático. Resultó inevitable, que la mayoría de los educadores de maestros buscaran una inspiración y una guía en las disciplinas humanísticas y en las ciencias sociales incipientes. El objetivo esencial era recurrir a las disciplinas académicas establecidas, para buscar cualquier intuición intelectual pertinente que estas disciplinas pudieran ofrecer, y que tuviera relación con el trabajo en el aula en su primer nivel. Sin duda, al comienzo, en la búsqueda de un contenido sustantivo para los estudios pedagógicos, no se sugerían mejores alternativas.

La filosofía, el derecho, la psicología, la economía política y la sociología eran estudios de apoyo a los que comúnmente se recurría. La esperanza o la expectativa era que pudieran contribuir, por ejemplo, a una mejor comprensión de las escuelas como instituciones sociales, del aprendizaje en sus contextos culturales, de la naturaleza de los objetivos de la instrucción, los procesos formativos del desarrollo del niño, las consideraciones éticas en la instrucción y demás. El resultado fue el surgimiento de disciplinas híbridas como: historia de la educación, filosofía de la educación, sociología de la educación, educación comparada y psicología educativa —estudios especializados derivados de las respectivas disciplinas madres— que después se organizaron para suministrar los elementos básicos del primer plan de estudios de preparación docente. Lo que los futuros docentes necesitaban adquirir, según se asumía, era un sentido del contexto interpretativo y crítico de la enseñanza y el aprendizaje, una perspectiva intelectual amplia de su trabajo futuro.

351

Solo con el tiempo la noción de pedagogía como *teknikós* —como casi exclusivamente una cuestión de adquirir y aplicar técnicas de instrucción específicas— comenzó a ganar aceptación en la educación superior. En el siglo XX, a la larga, comenzó a ejercer una influencia dominante en los círculos de capacitación de docentes, asumiendo durante una época algo semejante al estatus de un dogma incuestionable. No es necesario agregar que a medida que los cursos con métodos especializados comenzaron a multiplicarse y a dominar el plan de estudios preparatorios, los antiguos estudios "fundacionales" en educación —con la única excepción de la psicología educativa— tendieron a perder su posición central en los planes de estudios preparatorios. En cambio, la tendencia cada vez mayor era asignarles una función puramente "ceremonial" o consignarlas cada vez más a la periferia de la educación de docentes. El hecho de que los cursos de historia y filosofía de la educación adquirieron una cierta mala reputación por la forma poco adecuada en que se enseñaban y por tener poca relación con las preocupaciones prácticas de los maestros, es probable que haya apresurado el proceso.

Como resultó ser, el buscar a antiguos maestros, administradores de escuelas y funcionarios de escuelas normales, así como también, a académicos universitarios para conformar un claustro de profesores, tendía a producir lo que solo podía caracterizarse como un plan de estudios muy ecléctico. Un curso de estudios típico, como el que se ofrecía en Michigan (en 1889-1890) incluía, en el primer semestre, 4 horas obligatorias de cursos sobre "el arte de enseñar y dirigir", instrucción en Métodos de Instrucción y Práctica General en el Aula, Higiene Escolar y Derecho Escolar. En el segundo período académico, los estudiantes se inscribían en cursos de 3 horas dedicados a la historia de la educación Antigua y Medieval, la supervisión de la escuela, la administración general de la escuela y "el arte de calificar y organizar cursos de estudios". Los períodos subsiguientes se dedicaban al estudio de "los principios teóricos y críticos subyacentes al arte de la enseñanza y la dirección", el desarrollo histórico de la educación moderna, el estudio comparativo de los sistemas de educación y seminarios sobre temas especiales de la historia y la filosofía de la educación.[154]

Incluso, dentro de instituciones grandes, no fue sino hasta bien entrado el siglo XX que los *colleges* y las universidades fueran más allá de la designación de un mero puñado de individuos para administrar todas las responsabilidades relativas a la capacitación docente. Charles DeGarmo, escribió en 1892, que deploraba el hecho de que con frecuencia hacía falta un compromiso institucional genuino para la preparación de docentes de las escuelas de niveles inferiores. "Nuestras cátedras de pedagogía en las universidades norteamericanas [sostenía DeGarmo], son demasiado defectuosas en cuanto a que son componentes, pero, no unidades orgánicas de la vida universitaria. Se encuentran conectadas con sus propias materias aliadas de manera mecánica y no de manera orgánica [...] el profesor de pedagogía se encuentra unido con cuidado a la universidad como un todo, pero, no posee un grupo de personas con el cual

154. Adviértase, por ejemplo, la discusión en Francis B. Palmer, *The Science of Education* (Nueva York: Van Antwerp, Bragg and Company, 1887).

pueda organizar un departamento de educación."[155]

Por otro lado, incluso cuando se encontraban formados departamentos o escuelas de educación completos, las dudas persistían en el *campus* sobre su integridad y rigor académico, dudas que se extendían a las capacidades académicas de aquellos reclutados para integrarlos. Un retrato que decididamente no era elogioso del profesor de educación que data de comienzos del 1900 presagiaba epítetos crueles que, con frecuencia, se oyeron durante el resto del siglo. El antiguo experto en pedagogía, se insistía, era "tierno, poco intelectual, meloso y bien intencionado [...] un doctor torpe de enfermedades que no puede diagnosticar, inofensivo aunque defensivo con mal humor", alguien que era apto para ser "un promotor mecánico" o un "promotor vanidoso de trivialidades irrelevantes".[156] Tal vez nada ilustra de manera tan viva cómo los educadores profesionales convertidos en profesores al final del siglo no pudieron ganar la confianza de sus colegas y compañeros académicos. Ni, más fundamentalmente, tampoco la preparación de maestros que ellos presidían logró ser aceptada como una empresa académica firme y legítima. (La aspiración para lograrlo, se puede argumentar un siglo más tarde, todavía se tiene que realizar.)

El problema de cómo montar mejor los programas de capacitación docente de bachillerato ocupó mucho tiempo. Hacia fines del siglo XIX, la mayoría de las cuestiones básicas estructurales o de organización ya habían salido a la superficie y se estaban convirtiendo con rapidez en temas de debates activos. Mucho dependía de cómo se concebía el trabajo de la preparación docente. ¿Era la capacitación docente algo que debía ser *injertado* en la educación liberal? ¿Podía la primera, de alguna manera, ser *inculcada* o *integrada dentro* de la segunda? O, ¿*No* eran las dos *distinguibles* una de otra?

Los interrogantes sin respuestas abundaban: ¿Era apropiado introducir cursos profesionales y metodológicos a los candidatos a docentes mientras todavía se encontraban en medio de los estudios académicos generales, posiblemente incluso en el primer o segundo año del *college* dentro de un programa de estudios de 4 años? ¿Qué tipo de equilibrio se debe alcanzar entre los componentes profesionales o técnicos de la preparación de un futuro docente y los elementos liberales de la educación de grado del estudiante? ¿Podían los dos entrelazarse de alguna manera o desenvolverse uno paralelo al otro? O,

353

155. Citado en Merle L. Borrowman, *The Liberal and Technical in Teacher Education, A Historical Survey of American Thought* (Nueva York: Bureau of Publications, Teachers College, Columbia University, 1956), pp. 25-26.

156. Thomas J. Morgan, *What Is the True Function of a Normal School?* (Boston: Willard Small, 1886), p. 14.

¿Debían secuenciarse en forma separada, en cursos completamente separados? Para finalizar, ¿quién debería decidir todas estas cuestiones; debía asignarse la responsabilidad de la capacitación docente a un profesorado educativo en forma exclusiva o debía ser una tarea compartida por la institución como un todo? Si fuera la segunda opción, ¿qué se requeriría para lograr la cooperación y el apoyo necesario de los profesores en las diferentes ciencias y artes humanísticas?

Surgieron otros interrogantes. ¿Se debía exigir que los futuros docentes de secundaria tuvieran una "especialización" o campo académico basado en las materias que enseñarían eventualmente? Y, ¿se debería demorar la enseñanza de cursos pedagógicos hasta la última parte del programa de la obtención del título de bachiller? O, ¿era preferible posponer la capacitación docente especializada hasta incluso más tarde, después de que los candidatos hayan completado hasta el título de licenciado? Una vez más, ¿eran las necesidades de preparación de los docentes de nivel primario diferentes de manera significativa de aquéllas de los futuros docentes de nivel secundario? ¿Cuándo debía realizarse la práctica docente? ¿Era necesario que el estudiante de magisterio realizara antes una observación guiada y prácticas en aulas de escuelas primarias o secundarias? Estas y otras consideraciones continuaron desafiando a los educadores de docentes a lo largo de todo el siglo XX; y, puede decirse en un sentido muy real, que desde ese entonces ellos jamás han reconocido ninguna resolución o consenso autorizado.

Eclipsando todas las demás cuestiones, hacia fines del siglo XIX y comienzos del siglo XX persistía la pregunta, todavía sin respuesta, de la legitimidad académica e intelectual de la educación docente misma como actividad profesional. ¿*Existía*, en realidad, un cuerpo de conocimiento acreditado y confiable subyacente a los programas preparatorios, sin considerar cómo se organizaban? O, por lo menos, ¿existían las bases para creer que un cuerpo de conocimientos capaz de suministrar los fundamentos intelectuales y empíricos se encontraba en proceso de desarrollo? ¿Había el estudio de la "educación" comenzado a construir su propio aparato conceptual único, un marco organizado de ideas, sus propias formas de investigar y averiguar? O, ¿era la pedagogía en sí misma un derivado de otras disciplinas más básicas, sin poseer una identidad especial propia?

La tendencia, entre los primeros educadores del siglo XIX, siempre fue la de asumir o afirmar de manera rotunda que ya existía una verdadera "ciencia" de la educación. O bien, se expresaba la confianza de que podía esperarse que surgiera una disciplina auténtica en un futuro cercano. Como le había dicho James Carter al American Institute of Instruction [Instituto Norteamericano de Instrucción] en 1930, aunque era verdad decir que la pedagogía todavía se encontraba en su infancia como campo de investigación, el progreso de su desarrollo como una ciencia válida estaba destinado a avanzar "con un movimiento tan irresistible y firme como el de las esferas".[157] Prestando apoyo al tema, Richard Edward intervino con un juicio similar años más tarde. Hablando en una reunión de la National Education Association [Asociación Nacional de Educación] en 1865, respondía a las críticas: "algunas veces se ha dado a entender que esta pretendida ciencia de la educación es un mito; que aquello de lo que versa no tiene importancia. Se ha lanzado la acusación, tal vez de manera no del todo generosa, que sus profesores y defensores son más entusiastas que sabios; que se burlan de manera intencional del público o que se burlan de manera inconsciente de ellos mismos; que, en pocas palabras, todo el tema resulta ser una especie de impostura bien intencionada".

Edward expresaba con confianza que los principios básicos de la enseñanza ya se conocían y que, al igual que como ocurría en el campo de la medicina, las implicaciones y las aplicaciones se concebirían y adicionarían con el tiempo. Confesaba: "aquí se encuentra la ciencia más noble que jamás haya absorbido el pensamiento de los hombres. Existen aquí principios inmutables que toda persona joven que ingresa en la tarea de enseñar debe estudiar y comprender. Existe, en la naturaleza de las cosas, un fundamento para la profesión de enseñar".[158]

355

Hacia fines de siglo, con el registro de un progreso al parecer muy pequeño, pudo haber sido comprensible el escepticismo cada vez mayor sobre el supuesto carácter inevitable del surgimiento de una disciplina de educación. La tarea de presentar argumentos convincentes para una verdadera "ciencia" de la educación hasta el momento había adquirido una cierta urgencia intelectual; y con tan pocos avances sólidos a la vista, la intención de llevarla adelante tendía a colocar a la defensiva a los promotores. Demostrar que los programas de preparación para los maestros descansaban sobre una base sólida de conocimientos, que podían ser defendibles desde el punto de vista académico, fue un desafío que ocupó la atención y la energía de los educadores de docentes durante décadas; en efecto, todo el siglo XX y más allá.

157. F.A.P. Barnard, *Annual Report of the President of Columbia College, Made to the Board of Trustees, June 6, 1881* (Nueva York: Columbia College, 1881), p. 55.

158. Refiérase a Charles DeGarmo, *Herbart and the Herbartians* (Nueva York: Charles Scribners'Sons, 1896); Gabriel Compayré, *Herbart and Education by Instruction* (Nueva York: Thomas Y. Crowell, 1907); Percival R. Cole, *Herbart and Froebel, An Attempt at Synthesis* (Nueva York: Teachers College, Columbia University, 1907); y Harold B. Dunkel, *Herbart and Herbartianism: An Educational Ghost Story* (Chicago: University of Chicago Press, 1970).

CAPÍTULO SIETE

La educación superior de la posguerra en Norteamérica

La persecución a los académicos disidentes

En vísperas de la Segunda Guerra Mundial, cuando el temor popular a los "subversivos" y a los "inconformistas" de toda índole era muy fuerte, la atmósfera de la época de la depresión en Norteamérica, no era definitivamente compatible con la libertad académica. Un ejemplo ilustrativo del clima de la época fue la formación, en 1940, del Rapp-Coudert Committee del Poder Legislativo del Estado de Nueva York, cuya tarea auto designada era buscar y revelar a los supuestos "subversivos" dentro del sistema municipal de *colleges* de la ciudad de Nueva York (ahora la City University de New York, CUNY).[1] Fue un momento inoportuno, por no decir otra cosa, de parte del College de la ciudad de Nueva York el extender un ofrecimiento de una cátedra al distinguido, pero, controversial matemático y especialista en lógica inglés Bertrand Russell, en ese entonces, con una designación temporaria en la UCLA.

---

1. Veáse Willis Rudy, *The College of the City of New York: A History, 1847-1947* (Nueva York: City College Press, 1949), pp. 450-452.

No bien Russell había aceptado el puesto, cuando una protesta pública se desató, comenzando con un pleito iniciado por la madre de un estudiante en contra de la municipalidad por haber ofrecido empleo a alguien descrito como "lujurioso, libidinoso, lascivo [...] erotómano, afrodisíaco, irreverente, de mentalidad cerrada, mentiroso y privado de moral".[2] El obispo de la Iglesia Episcopal, William T. Manning, se unió a la denuncia contra Russell como un "reconocido propagandista en contra tanto de la religión como de la moral" que supuestamente defendía el adulterio.[3] Otros líderes religiosos y políticos destacados se hicieron eco del horror de la designación del defensor ateo del escepticismo y del amor libre. Solo el cuerpo estudiantil y algunos miembros del profesorado tomaron partido por Russell. Uno fue Albert Einstein, quien parte en broma, escribió que "los grandes espíritus siempre enfrentan una violenta oposición de las autoridades".

John E. McGeehan, juez que presidía la Corte Suprema de Nueva York, al tomar su decisión en contra de la designación de Russell confesó que no se encontraba preparado para permitir que un hombre como Russell ocupara una "cátedra de indecencia". Alguien cuyos libros promulgaban "doctrinas inmorales y lujuriosas", declaraba el juez, no se encontraba calificado para una posición académica.[4] Como una especie de apéndice de todo el poco feliz incidente, una edición posterior de la obra de Russell *An Inquiry into Meaning and Truth* (*Significado y Verdad*) incluía una nueva página con un listado de sus diferentes posiciones como docente y los honores recibidos por Russell. Concluía: "Prudentemente declarado indigno de ser profesor de Filosofía del College de la ciudad de Nueva York (1940)". Nadie podría haber estado más complacido, se dice que Russell comentó a sus amigos.

Si existía algo absurdo o tragicómico en la destitución de Russell, no se podía decir lo mismo de los más de 40 profesores que habían sido expulsados o cuyos contratos no habían sido renovados en el año 1940, ya sea porque eran supuestos comunistas o porque se negaban a divulgar sus creencias políticas. Los acosos a los comunistas se serenaron un poco durante los años de la guerra, en cierta medida porque Estados Unidos y la ex Unión Soviética eran aliados oficiales en la lucha para derrotar al peligro nazi. Pero, en el período inmediato de la posguerra, a medida que las rivalidades de las superpotencias

358

---

2. John Dewey y Horace M. Kallen, eds., *The Bertrand Russell Case* (Nueva York: Viking Press, 1941), p. 20.

3. *Ibídem*, p. 19.

4. *Ibídem*, pp. 22, 213-225.

se intensificaban y la alianza de la época de la guerra dieron paso a la confrontación global y la animosidad, la caza política de brujas contra un buen número de comunistas del país, "partidarios del estatismo", "colectivistas", "socialistas", "simpatizantes del comunismo" e "izquierdistas" comenzó a escala nacional con un vigor y entusiasmo renovados.[5] El tristemente célebre Comité de las Actividades Antinorteamericanas, establecido en 1938 como un cuerpo investigador ad hoc bajo el liderazgo de Martin Dies, se reconstruyó en 1945 como un cuerpo independiente que desencadenó una campaña de intimidación y acoso a cualquiera cuyas simpatías políticas se considerasen sospechosas.

La evidente indiferencia del comité hacia los procedimientos judiciales, la publicación de cargos sin citar prueba de la veracidad, la presunción de culpabilidad hasta que la inocencia se probara y la tendencia de grupo a recurrir al principio de culpabilidad por asociación, estableció un ejemplo notorio que otras organizaciones propagandistas también se encontraban dispuestas a emular. Robert Maynard Hutchins dando su testimonio en 1949 frente al Comité de Investigación de Actividades Sediciosas de Illinois declaró: "el miasma del control del pensamiento que ahora se esparce sobre el país es la mayor amenaza para Estados Unidos desde Hitler".

359

A medida que la histeria de la Guerra Fría se profundizaba, la aprensión de la supuesta amenaza comunista monolítica a escala mundial solo aumentaba. Incluso cuando el Estado soviético procedía a devorar a la Europa Oriental y a convertir sus países en estados clientes, mientras China caía bajo el control del maoísmo, el temor en casa era que los agentes comunistas y sus simpatizantes se encontraban cavando las bases mismas de la vida norteamericana, penetrando en el gobierno, la industria, los negocios y las escuelas. Debido a que la opinión convencional sostenía que cualquier clase de liberalismo o no conformismo se parecían peligrosamente al comunismo, se deducía, según la línea del pensamiento conservador, que cualquier ataque a los promotores de dichas ideas significaría un golpe al comunismo mismo. Las protestas de que las esenciales garantías constitucionales de libertad se pisoteaban durante el proceso se enfrentaban, de manera típica, con las expresiones oficiales de sarcasmo y desdén. Hacia fines del 1940 y comienzos del 1950, las purgas continuaban: se buscaban textos subversivos en las bibliotecas; las autoridades

5. Véase "Academic Freedom and National Security", en *American Association of University Professors Bulletin*, 42 (primavera de 1956), p. 99.

municipales y estatales llevaban a cabo controles de supresión; los juramentos de fidelidad gozaban de un tremendo apoyo popular y se extendieron sobre el país olas sucesivas de intolerancia.

Se examinaba especialmente a los académicos para descubrir en ellos tendencias de izquierda.[6] Las estimaciones de algunos sectores sobre la cantidad de "subversivos", definidos en términos amplios, escondidos dentro del ámbito universitario representaban el 20 y 30% del profesorado; por consiguiente, se señaló a las instituciones de educación superior como objetivo para vigilarlas de cerca. El Comité Judicial de Seguridad Interna del Senado (el Comité McCarren) ocupó los titulares nacionales cuando anunció que no se ahorraría ningún esfuerzo para arrancar de raíz las influencias de izquierda en la educación superior y revelar los "nidos de comunistas" que presumiblemente se encontraban subvirtiendo a los jóvenes inocentes y confiados de la Nación.[7] El informe de McCarren al Comité judicial del Senado del 2 de enero de 1952, por ejemplo, acusó con gran fervor, pero sin evidencias que lo apoyaran: "El partido comunista de Estados Unidos ha realizado todos los esfuerzos para infiltrar la profesión docente de este país. En su intento de corromper a los docentes de los jóvenes, los agentes del Kremlim han tenido un éxito destacado, en especial entre los profesores de nuestras universidades y *colleges*". El senador McCarren continuó: "En estos pocos años el partido comunista ha reclutado el apoyo de alrededor de 3.500 profesores, muchos de ellos como miembros contribuyentes, muchos otros como simpatizantes, algunos como agentes de espionaje minucioso, algunos como adherentes a la línea del partido en diferentes grados y algunos como los ingenuos tontos útiles de la subversión".[8]

360

El senador Joseph McCarthy de Wisconsin, presidente del Comité de Operaciones Gubernamentales del Senado, propuso que el Gobierno redoblara los esfuerzos para limpiar los bosques del ámbito universitario no solo de todos los "comunistas" sino también de los sospechosos "pensadores de comunismo". Predijo que esta empresa demostraría ser "la tarea menos popular y más desagradable que cualquiera pudiera realizar, porque en el momento que lo hiciera el infierno explotaría. De costa a costa se podía oír el grito de

6. Ellen W. Schrecker, *No Ivory Tower: McCarthyism and the Universities* (Nueva York: Oxford University Press, 1986).

7. Un estudio informativo de la época se ofrece en Jane Sanders, *Cold War on Campus* (Seattle: University of Washington Press, 1979).

8. Véase Rudy, *Op. cit.*, pp. 451-452.

la interferencia en la libertad académica". Desafiado a defender su comité de los cargos de que se encontraba arrasando de manera bárbara las libertades académicas, respondió despectivo: "la libertad académica significa el derecho de obligarlo a usted [el ciudadano norteamericano] a emplearlos para enseñar a sus hijos la filosofía en la cual usted no cree". El Consejo Nacional de Educación Norteamericana, una organización de derechas encabezada por Allen Zoll fue aún más lejos. Dedicado a la "erradicación del marxismo y el colectivismo de [...] los *colleges*", acusaba que "la libertad académica es la línea política comunista más importante para la educación superior norteamericana". El columnista conservador William F. Buckely fue el vocero de unos sentimientos comparables, se unió a las críticas de lo que denominaba "las supersticiones de la libertad académica".[9]

No todos los ataques contra la libertad académica provenían de afuera. La resolución de 1949 de la Asociación Nacional de Educación elaborada por el presidente de Harvard James Bryand Conant, por ejemplo, enunciaba el principio de que la asociación al partido comunista "y la rendición de la integridad intelectual que la acompaña, hace que un individuo no sea apto para cumplir las obligaciones de docente en este país".[10] No se podía permitir que las consideraciones de la libertad académica frustraran los esfuerzos para deshacerse de los subversivos. Se citó al reverendo Hunter Guthrie, S.J., en su discurso inaugural como presidente de la Universidad de Georgetown en el *Georgetown Journal* de octubre de 1950 como ridiculizando "el fetiche sagrado de la libertad académica" por casi las mismas razones: "Este es el punto débil de nuestro modo de vida norteamericano y cuanto más rápido se le llegue a blindar por alguna limitación razonable, más pronto el futuro de esta Nación se encontrará seguro de consecuencias fatales".

La AAUP tomó la postura de que "en la medida en que el partido comunista en Estados Unidos sea un partido político legal, la afiliación al mismo

361

9. Ejemplos y comentarios relevantes aparecen en Allen A. Zoll, Our American Heritage (Nueva York: National Council for American Education, 1950), p. 12; Robert C. Morris, "The Right Wing Critics of Education: Yesterday and Today", en *Educational Leadership*, 35 (mayo de 1978), p. 625; y Morris, "Thunder on the Right: Past and Present", en *Education*, 99 (invierno de 1978), pp. 168-169; William Van Til, *Education: A Beginning* (Boston: Houghton Mifflin, 1974), p. 161; Mary Anne Raywid, *The Axe-Grinders: Critics of Our Public Schools* (Nueva York: Macmillan, 1962), pp. 1, 2; y Robert A. Skaife, "They Oppose Progress", en *Nation's School*, 47 (febrero de 1951), p. 32.

10. La posición de Conant se repitió en Sidney Hook, *Heresy —Yes; Conspiracy— No* (Nueva York: John Day, 1953). Una posición opuesta se presentó en Alexander Meiklejohn, *Political Freedom: The Constitutional Powers of the People* (Nueva York: Harper and Row, 1960), pp. 3-4, 59-60, 86.

no debe considerarse como una razón justificada para la exclusión de la profesión académica".[11] La postura opuesta, compartida en gran medida, tanto dentro como fuera del ámbito universitario, no obstante, era que cualquiera que fuera un comunista era, por necesidad, un autómata intelectual, es decir, un individuo que había renunciado a su propia libertad intelectual y ya no se encontraba calificado para buscar o impartir conocimiento de una forma imparcial. Pocos creían que los docentes comunistas realizaban propagandas abiertas en las clases o que tenían éxito para adoctrinar a los estudiantes de una manera manifiesta. Pero, el razonamiento proseguía, si alguien era servil de una manera ideológica a una línea partidaria y estaba comprometido con un movimiento que exterminaría toda la libertad si se lo permitiera, no se podía decir que el comunista era un individuo libre.[12] Por lo tanto, debía ser excluido de la docencia. (No parece que se le haya dado mucha credibilidad a la posibilidad de que una persona se uniera al partido comunista porque él o ella sostenía ciertas creencias, en vez de ser una persona que seguía ciegamente una ideología porque así lo exigía la disciplina del partido comunista.)

362 A comienzos del 1950, tan afianzada y extendida se encontraba la creencia dentro de la comunidad académica de que, un marxista no podía desempeñar ninguna función que no fuera el informador del partido, que incluso cuando se expulsaba sin pruebas a los profesores por ser sospechosos de comunistas o simpatizantes, con frecuencia se apagaba pronto la protesta resultante. Frente a las insoportables presiones para "limpiar la casa" muchos *colleges* y universidades respondieron con prontitud. Las universidades y los *colleges* estatales tenían la tendencia a ser los más represivos, expulsaban a cualquiera que hallaran culpable de falta de franqueza sobre sus convicciones o lealtades políticas.[13] En Princeton, Michigan, Rutgers, Washington y una cantidad de otras instituciones, más de un profesor perdió su trabajo.

Numerosos académicos, cuando se los llevaba ante algún cuerpo investigador para ser interrogado sobre su lealtad política, apelaban como una cuestión de principio a la Quinta Enmienda que protege el derecho de no autoincriminarse. El senador McCarthy se aprovechaba de estas acciones como evidencia que confirmaba la culpabilidad declarando con confianza que "la negativa de un testigo a responder si es o no es un comunista, sobre la base de

---

11. Véase "Statement of Committee on Cultural Freedom", en Dewey y Kallen, *Op. cit.*, pp. 226-227.

12. Esto, en esencia, era la posición defendida por Sidney Hook, *Op. cit.*, nota 10.

13. Adviértase, como ejemplo, Gardner, David P., *The California Oath Controversy* (Berkeley: University of California Press, 1967).

que su respuesta tendería a incriminarlo es la prueba más positiva que se puede obtener de que el testigo es comunista". Los funcionarios de la universidad tendían a estar de acuerdo. Por consiguiente, el estar asociado con una organización política no popular aunque fuera legal, o la negativa a confirmar o denegar la afiliación, se consideraba un motivo adecuado para la expulsión.

No fue sino hasta bien entrada la década de los 50, cuando las acusaciones radicales de subversión del senador McCarthy comenzaron a perder credibilidad, que las presiones comenzaron a disminuir. Pero, las secuelas de la persecución contra los comunistas en el período de la posguerra, dieron como resultado que literalmente cientos de reputaciones académicas perdieran su brillo, que muchas carreras fueran apartadas de su rumbo o totalmente destruidas. Se trataba, sin duda, de un capítulo inicial trágico y poco feliz en la historia de la educación superior norteamericana de mediados del siglo XX.[14]

El cambio de los modelos de crecimiento

Las universidades y los *colleges* mostraron un crecimiento destacado en la primera mitad del siglo XX, con matrículas que se expandían en forma exponencial mucho más allá del aumento de la población de la Nación para el mismo período de 50 años.[15] Al finalizar el año académico de 1899-1900, por ejemplo, las instituciones de educación superior otorgaron en forma colectiva un total de alrededor de 29.000 títulos; para el año académico 1949-1950, la cifra comparativa había alcanzado cerca de medio millón. Las cantidades de estudiantes inscritos en la educación postsecundaria se duplicaban cada 50 años aproximadamente, al igual que la cantidad de profesores empleados en universidades y *colleges*. La educación de posgrado crecía con mayor rapidez aún, con una cantidad de doctorados que se duplicaba cada 11 años. Más de dos tercios de aquellos que recibían doctorados ingresaban en la carrera universitaria.[16]

363

14. Refiérase a Paul F. Lazarsfield y Wagner Thielens, *The Academic Mind* (Nueva York: Free Press, 1958); Robert K. Carr, "Academic Freedom, the A.A.U.P., and the United States Spreme Court", en *American Association of University Professors Bulletin*, 45 (marzo de 1959), pp. 5-24; Robert E. Summers, *Freedom and Loyalty in Our Colleges* (Nueva York: H.W. Wilson, 1954); y la sección de las conclusiones de Walter P. Metzger, *Academic Freedom in the Age of the University* (Nueva York: Columbia University Press, 1955).

15. Henry G Badger, "Higher Education Statistics: 1870-1952", en *Higher Education*, II (septiembre de 1954), pp. 10-15.

16. Toby Oxtoby *et al.*, "Enrollment and Graduation Trends from Grade School to Ph.D., 1899-1973", en *School and Society*, 76 (1955), pp. 225-231.

La educación postsecundaria continuó expandiéndose durante la segunda mitad del siglo.[17] En 1947, 2 años después del fin de la Segunda Guerra Mundial, unos 2,3 millones de estudiantes se inscribieron en más de 1.800 instituciones de 2 y 4 años y las matrículas se dividían casi en forma pareja entre las universidades y *colleges* públicos o privados.[18] El crecimiento rápido y constante en el sistema educativo superior del país continuó por más de una década, desde 1947 a alrededor de 1962. Gran parte del crecimiento fue una función de la elevación de los niveles de permanencia en el sistema educativo a todos los niveles: un aumento a ritmo constante en la proporción de la población que completaba la escuela secundaria; la proporción mayor de graduados de secundaria que ingresaban al *college* y un aumento en el porcentaje de los graduados de *college* que continuaban los estudios en el nivel postsecundario.

Las mismas tendencias se mantuvieron en las décadas sucesivas, aunque a un ritmo un poco más reducido, con la excepción parcial de las cifras que reflejaban el porcentaje de los graduados de escuela secundaria que ingresaba al *college* y que ascendía en forma constante.[19] En 1960, por ejemplo, cerca del 40% de todos los estudiantes del último año de la secundaria eran aceptados en un *college*; en 1970 la cifra alcanzó el 52%; se registró una breve disminución al 51% en 1980; y el porcentaje retomó la dirección ascendente y alcanzó el 61% en 1991. No obstante, otras tendencias de inscripciones comenzaron a disminuir poco a poco y con este ritmo más lento de aumento, los indicadores parecían reflejar la posibilidad de que se aproximaba un "punto de saturación". De esta forma, la tasa del aumento proporcional de los estudiantes graduados de la escuela secundaria que se admitían en los *colleges* parecía estabilizarse; y el aumento del porcentaje (aunque no el total absoluto) de los poseedores de título de licenciado que buscaban la admisión en una

364

17. Raymond Walters, *Four Decades of U.S. Collegiate Enrollments* (Nueva York: Society for the Advancement of Education, 1960); y Calvin B.T. Lee, *The Campus Scene*, 1900-79 (Nueva York: David McKay, 1970), p. 75 y ss.

18. Walters, "Statistics of Attendance in American Universities and Colleges, 1949", en *School and Society*, 70 (diciembre de 1949), p. 392; *Educational Policies Commission, Higher Education in a Decade of Decision* (Washington, D.C.: National Education Association, 1957, pp. 4-5, 31-32; Charles J. Anderson, *A Fact Book on Higher Education* (Washington, D.C.: American Council on Education, 1968), p. 809; Martin Trow, "American Higher Education: Past, Present, and Future", en *Educational Researcher*, 15 (abril de 1988), pp. 13-15.

19. Lo restante del perfil estadístico a continuación se encuentra compilado de fuentes ya citadas y de ediciones sucesivas de *Fact Book on Higher Education*. Consúltese Anderson *et al.*, *1989-90 Fact Book on Higher Education* (Nueva York: Macmillan, 1989), pp. 5-9, 133-145. También la mayoría de las proyecciones y cifras actuales son derivadas en parte de Thomas D. Snyder *et al.*, *Digest of Educational Statistics 1993* (Washington, D.C.: National Center for Educational Statistics, octubre de 1993), pp. 172-223.

escuela de posgrado no pudo mantener el ritmo anterior de aumentos anuales común antes de comienzos de la década del 60.

Las matrículas de los *colleges* aumentaron de manera constante durante la década del 50. En los 60, la expansión continuó como antes, reflejando las cambiantes características demográficas del segmento de la población nacional que asistía a un *college*. Específicamente, gran parte del aumento de la matrícula del período, reflejaba el aumento en los números absolutos del grupo de población en edad de asistir al *college*, los jóvenes entre los 18 y 21 años, resultado del *boom* de la natalidad del período inmediato a la posguerra. Los nacidos en la segunda mitad de la década del 40, tenían, en la década del 60, edad de asistir a un *college* y comenzaron a inundar las instituciones de educación superior de la nación. Una segunda oleada de población a fines de los 50 y comienzos de los 60 produjo otro estallido en las matrículas en la década del 70 y llegó a lo más alto a comienzos de los 80.

Gran parte del crecimiento de la matrícula ocurrido entre los años 60 y 90 fue absorbido por las instituciones públicas a costa de aumentos comparables en las matrículas privadas. En 1970, las inscripciones de estudiantes en *colleges* alcanzaron 8,5 millones, 6,2 millones de las cuales eran en instituciones de 4 años y 2,3 millones en *colleges* de 2 años. Mientras que 2,1 millones asistían a escuelas privadas, 6,4 millones del total de 8,5 millones se encontraban inscritos en universidades y *colleges* públicos. En 1980, 7,5 millones se encontraban inscritos en escuelas de 4 años y 4,5 millones en *colleges* de 2 años. El mayor aumento ocurrió en las instituciones públicas, que habían alcanzado los 3 millones desde 1970, con un crecimiento mucho más lento patente en las matrículas de las escuelas privadas, que ascendían a no más de medio millón. De un estimado de 12,5 a 12,6 millones de estudiantes inscritos en la educación superior en 1990, 10,5 millones se encontraban en instituciones públicas, junto con cerca de 3 millones en *colleges* privados, un aumento neto de alrededor de 400.000 desde 1980. Desde el punto de vista de los porcentajes y las tasas de aumento de las matrículas, las universidades y *colleges* públicos se expandieron con mayor rapidez que las instituciones privadas entre 1970 y 1990.

Hubo también un apreciable aumento en el número de instituciones postsecundarias entre 1970 y 1990. En 1970, hubo 2.556 *colleges* y universidades funcionando (1.665 instituciones de 4 años y 891 instituciones de 2 años); en 1980 de un total de 3.231 instituciones postsecundarias, 1.957 eran instituciones de 4 años y 1.264 eran instituciones de 2 años. En 1982, existía la

365

cantidad estimada de 7,7 millones de estudiantes inscritos en universidades y *colleges* de 4 años y otros 4,5 millones en *college* de 2 años; más de 1 millón de estudiantes de posgrado; y 5,1 millones de estudiantes a medio tiempo repartidos entre las diferentes categorías de las instituciones de educación superior. Los *colleges* de 2 años ascendían a 1.311; existían 2.029 instituciones de 4 años; en conjunto empleaban a cerca de 865.000 instructores en los diferentes escalafones. Los gastos totales para la educación superior se calculaban en cerca de 95 mil millones de dólares anuales. Cerca del 75% o más de todos los estudiantes de grado asistían a universidades públicas grandes o *colleges* estatales, que representaban en forma conjunta menos de un cuarto de la cantidad de instituciones que inscribían a estudiantes de grado. Una porción sustancial del mismo 75% se concentraba en unos 280 *colleges* o universidades con apoyo del Estado.

En 1986, las matrículas en aproximadamente 3.200 instituciones llegaban a cerca de 12,3 millones, con el 77% de todos los estudiantes en instituciones públicas. Todos los *colleges* combinados otorgaban en forma anual tres veces y media la cantidad de títulos conferidos a fines del 1940. En 1990, existían en Estados Unidos más de 2.100 universidades o *colleges* públicos incluyendo unos 900 *community colleges* públicos (estudios universitarios del primer ciclo de 2 años de duración). Lo restante, cerca de 1.400, eran *colleges* privados.

La mezcla de factores responsables por los aumentos en las matrículas cambiaba con el tiempo. Desde mediados de los 70 en adelante, un aumento en la cantidad de mujeres que asistían al *college* contribuyó materialmente al crecimiento, así como también el porcentaje cada vez mayor de personas de color y otras minorías que buscaban una educación postsecundaria. El equilibrio entre la educación de grado y de posgrado cambió. Más significativo era aún el marcado aumento en la cantidad de estudiantes de medio tiempo. Lo más dramático de todo fue el cambio en la composición por edad de la población estudiantil del *college*, con el aumento creciente de personas mayores, denominados estudiantes "no tradicionales".

Según las cifras reveladas en 1992 por el Centro Nacional de Estadística Educativa, del Departamento de Educación de Estados Unidos, había aproximadamente la cantidad de 14,2 millones de estudiantes inscritos en *colleges* norteamericanos el año anterior. Entre 1978 y 1983, la cifra había ascendido de cerca de 11,5 millones a 12,4 millones, un aumento del 11% en el período de 5 años. En 1984 y 1985, las matrículas en la educación superior disminuyeron levemente, luego aumentaron de un estimado 12,3 a 12,4 millones en

1991, representando un aumento de cerca del 13% desde 1986. Las matrículas en las instituciones públicas habían crecido de cerca de 8,8 millones en 1978 a 11 millones estimados en 1991, un aumento del 26%.

Se esperaba que las matrículas públicas aumentaran entre 11,8 y 13 millones en el año 2003, con el porcentaje más probable de crecimiento proyectado de cerca del 14%. Del mismo modo, las matrículas en los *colleges* privados según se informa, aumentaron de cerca de 2,5 millones en 1978 a 3,1 millones en 1991, también representando un incremento del 26%. Las expectativas eran que las cifras variaran entre 3,3 y 3,7 millones poco tiempo después del final del próximo siglo, siendo lo más seguro que represente un aumento del 14%. Se esperaba que el total de matrículas combinadas en instituciones privadas y públicas alcancen entre 15,1 y 16,7 millones en el año 2003.

Las matrículas de posgrado desde 1978 ascendieron a un ritmo más rápido que las matrículas de grado; y algunos signos indicaban la continuación de la tendencia en el siglo XXI. Las matrículas de grado fueron desde 9,7 millones a fines de los años 70 a 12,2 millones estimados en 1991, un aumento del 26%. Las proyecciones del gobierno previeron un aumento a casi 14 millones durante los primeros 3 años después de 2000, un incremento proyectado del 14%. Las matrículas de posgrado, entre 1978 y 1991, aumentaron de 1,3 millones a 1,7 millones, un 30% de aumento; y las proyecciones demostraban un aumento probable de por lo menos el 10%, y cerca de 1,9 millones en el año 2003. Otras proyecciones independientes sostuvieron que las matrículas de posgrado podían aumentar a un ritmo mucho más rápido.

Según se informa existían 4,6 millones de estudiantes de medio tiempo que asistían al *college* en 1978, según el Departamento de Educación de Estados Unidos. Debido a los costos elevados, entre otros factores, el porcentaje de aquéllos que asistían medio tiempo alcanzó los 6,1 millones en 1991, un aumento anual del 2,3%, lo que significó un incremento total del 34% entre 1978 y 1991. Entre aquellos que asistían en especial a los *community colleges* de 2 años, predominaban los estudiantes *part-time*. Mientras que el porcentaje de todos los estudiantes de grado de medio tiempo aumentaba de manera significativa, incluyendo aquéllos registrados en las instituciones de 2 y 4 años, las cantidades cada vez mayores de los estudiantes de posgrado *part-time* impulsaron una porción aún mayor de los incrementos en las matrículas de posgrado típicas de las décadas de los 80 y 90, en especial en las instituciones públicas de 4 años.

Continuando con la tendencia que había comenzado mucho antes del

367

año 1950, las mujeres comenzaron a superar en cantidad a los hombres entre el total de asistentes a las universidades y *colleges* norteamericanos.[20] Se estimaba que el número de mujeres en las instituciones de educación superior en 1978 era de 5,6 millones; en 1991 el número aumentó a un estimado de 7,8 millones, con una tasa de crecimiento anual del 2,5% o del 38% en el período de 5 años. Entre 1970 y 1991, la cantidad de mujeres en el *college* se había duplicado, con los incrementos más grandes en la asistencia registrada por las mujeres de raza blanca (seguido por el próximo porcentaje más elevado de incremento entre las personas de color de ambos sexos). Las mujeres estudiantes de grado en 1989, por ejemplo, recibieron casi el 53% de todos los títulos de *baccalaureate* otorgados ese año. En 1973, según las cifras recopiladas por National Research Council [Consejo Nacional de Investigaciones], el 18% de todos los doctorados conferidos, habían sido otorgados a mujeres. Una década después el total había aumentado alrededor del 21%; 10 años después se mantenía en 23%. El aumento de matrícula de mujeres proyectado para el año 2003, era entre 8,3 y 9,1 millones, un incremento de cerca del 13%.

Casi todas las evaluaciones a comienzos de 1990, previeron cambios importantes en la distribución por edad de los estudiantes de *college*, cambios que continuarían en el siguiente siglo. Los estudiantes entre los 18 y 24 años de edad habían aumentado de 7,2 millones en 1983 a 7,8 millones estimados en 1991, un aumento del 8%. Se esperaba que la cifra aumentara a 9,2 millones en 2003, un 19%. En consecuencia, la proporción de estudiantes entre 18 y 24 años de edad, que había descendido del 57,4% en 1983 al 54,8%, en 1991, se esperaba que aumentara una vez más a cerca del 57,2% después del final del siglo. Por otra parte, los estudiantes de 25 años de edad y mayores habían aumentado de 5,1 millones en 1983 a la cantidad estimada de 6,2 millones en 1991, un incremento del 23%. Se esperaba que la cifra alcanzara 6,7 millones en el 2002, un incremento de cerca del 7%. El porcentaje de mujeres de 35 años de edad o mayores entre 1972 y 1991, había aumentado del 3,4 al 6,3%; y los indicadores sugerían que una cantidad mayor de mujeres de más edad se sumarían a las listas de estudiantes en los *campus*.

Se esperaba que las inscripciones de las minorías se expandieran, tanto en términos absolutos como relativos, mucho más rápido que cualquier otro segmento de la población de los *colleges*.[21] A fines de la década de los 80 y mediados

20. Snyder, *pássim*; y Anderson, *Op. cit.*, pp. 7-8.

21. *Ibídem*, pp. 6, 9.

de los años 90, los informes confirmaban que en algunos *colleges* regionales o locales especializados, los estudiantes de las "minorías" representaban, en realidad, la mayoría de los estudiantes ingresantes.[22] Los logros mayores, relativamente hablando, fueron obtenidos por los hispanos, tanto en los *colleges* y las universidades de la mayoría cultural, tales como la Universidad de New Mexico Highlands y East Los Angeles College, como en instituciones de cultura predominante minoritaria como el Colegio Jacino Trevino en Texas, las Universidad de Astlan en California, la Escuela y Colegio Tlatelolco en Colorado y el Colegio César Chávez en Oregon. Los modelos de inscripciones entre los nativos norteamericanos se encontraban más mezclados. No obstante, se advirtió que los que antes se habían designado como los "*colleges* de indígenas", como el Oglala Sioux Community College en South Dakota y el Southwestern Polytechnic Institute en Nuevo México continuaban atrayendo a estudiantes en cantidades cada vez mayores.

Participación gubernamental y empresarial

369

Ninguna lista repetida de aburridas estadísticas, por extensa e importante que sea, podría hacer justicia al crecimiento de la educación superior norteamericana en el período de la posguerra. La prolongada intervención del gobierno federal en la academia representó una de las muchas influencias formativas en juego, aunque ésta moldeó, de manera decisiva, tanto el carácter como la dirección o empuje de gran parte de dicho crecimiento.[23] Durante los años de la guerra, ante el descenso precipitado de las matrículas y la elevación de los costos operativos muchos *colleges* se convirtieron en casi dependientes por completo de los subsidios gubernamentales para sobrevivir. Era usual que la ayuda asumiera la forma de contratos para programas de entrenamiento militar especializado. Utilizando las instalaciones y el cuerpo docente existente, literalmente cientos de *colleges* y universidades se comprometieron a ofrecer capacitación técnica relacionada con la guerra e investigación bajo los auspicios federales.

22. Véase también Michael A. Olivas, "Indian, Chicano, and Puerto Rican Colleges: Status and Issues", en *Bilingual Review*, 9 (enero-abril de 1982), pp. 36-58.

23. James E. Russell, *Federal Activities in Higher Education After the Second World War* (Nueva York: King's Crown Press, 1951), y para mayores antecedentes véase Lawrence Gladieu, *Congress and the Colleges* (Lexington, Mass.: D.C. Heath, 1976).

Para 1945, más de la mitad de los ingresos que sustentaba a ciertas instituciones académicas provenían del gobierno nacional. La política gubernamental
fue la de continuar y extender las subvenciones de investigación y los contratos
de capacitación en el período de la posguerra. La atención cada vez mayor que
se prestaba a los estudios técnicos y científicos dentro de las universidades, sin
olvidar mencionar a una cantidad creciente de proyectos de investigación co-
operativos, derivaban, en forma exclusiva, de los fondos federales. A fines del
1940, por ejemplo, se estimó que más del 80% o más de los gastos totales de la
Nación de investigación en ciencias físicas y biológicas estaban financiados por
el gobierno federal. Un porcentaje en constante crecimiento de los fondos de
investigación se destinó a los *campus* de los *colleges*.[24]

De igual importancia, si no mayor aún, eran los suministros de la
Servicemen's Readjustment Act [Ley de Reajuste a los miembros en servicio]
de 1940 (conocida popularmente como la *G.I. Bill*) y de la Ley Pública 550
de 1952, que liberaron, en forma literal, miles de millones de dólares para
ayudar a financiar el costo de la educación universitaria para los millones de
veteranos de guerra que regresaban. Los *colleges* y las universidades se encontraban inundados de estudiantes. Las residencias y las aulas improvisadas se
esparcieron por todas partes para acomodar al creciente número de inscritos.[25] Cerca del fin de la guerra, la Surplus Property Act [Ley de Propiedad
Pública Excedente] de 1944 y las legislaciones subsiguientes condujeron a
la donación o venta a precios reducidos de edificios y suministros militares
excedentes con un valor de millones de dólares estadounidenses para que
fueran utilizadas por las instituciones académicas en graves dificultades. Una
vez más, durante la Guerra de Corea, la generosidad federal colaboró para
financiar el costo de la nueva construcción. (En algunas instituciones, las
instalaciones "temporales" edificadas con rapidez en el período inmediato de
la posguerra todavía se encontraban en uso y no habían sido reemplazadas a
comienzos de 1960, una década y media después del fin de la guerra. A éstas
habían sido añadidas muchas más construidas con préstamos gubernamentales autorizados por el Congreso a comienzos de la década del 50).

A mitad de siglo, una docena o más de organismos federales, sin contar
cada rama de los servicios armados, estaba gastando más de 150 millones

370

24. Se ofrece un panorama general en Walter C. Hobbs, *Government Regulation of Higher Education* (Cambridge, Mass.: Ballinger, 1978).

25. Keith W. Olson, *The G.I. Bill, the Veterans, and the Colleges* (Lexington: University Press of Kentucky, 1974).

de dólares anuales por los contratos de investigación con los *colleges* y las universidades. Los subsidios federales continuaron en 1960, en algunos años superaron los 45 millones de dólares para diferentes programas especializados y contratos de investigación.[26] En 1962, se destinaron 2 mil millones de dólares en préstamos para la construcción de colegios mayores estudiantiles y otras instalaciones que generaban ingresos en las instituciones de todo el país. Al año siguiente, en 1963, la Higher Education Facilities Act [Ley de Instalaciones de la Educación Superior] amplió el apoyo para la construcción de nuevas aulas, laboratorios y bibliotecas, además de préstamos y subvenciones. Continuaba la capacitación en servicio del personal federal en los *colleges* y universidades y los gastos totales federales solo para la investigación realizada en las universidades superaba en forma anual los 750 millones de dólares. La inversión total del gobierno federal en la educación superior para el año 1947 fue de 2,4 mil millones de dólares; esa cifra aumentó en forma dramática a fines de 1950 y aumentó aún más durante las cuatro décadas siguientes, aunque con el tiempo estuvo acompañada de cambios importantes en las categorías de los gastos.[27] En 1958, llegaron dólares federales adicionales de ayuda en forma directa e indirecta para los estudiantes en los programas inaugurados mediante la National Science Foundation [Fundación Nacional para la Ciencia], los National Institutes of Health [Institutos Nacionales de Salud] y la National Defense Education Act [Ley Nacional de Defensa de la Educación].

371

El aumento de los fondos federales para la educación superior en los años 50 y a comienzos de los años 60, en los momentos más críticos de la Guerra Fría, se defendía con el argumento de que al fortalecer los *colleges* y universidades, el Gobierno estaba reforzando las defensas nacionales y colaborando para avanzar en objetivos políticos vitales nacionales. El presidente del Committee on Education Beyond the High School [Comité de Educación Más Allá de la Escuela Secundaria] en el informe de 1957, por ejemplo, tomó una clara posición: "Norteamérica dará una muestra de indolencia si cierra los ojos a las importantes zancadas que la ex Unión Soviética estaba realizando en la educación de posgrado, en particular en el desarrollo de científicos, ingenieros y técnicos [declaraba el autor del informe]. Se encontrará ciega

---

26. Para un análisis convincente del marco de las diferentes iniciativas de política federal que afectaban la educación superior en la época de posguerra, véase Janet C. Kerr, "From Truman to Johnson: Ad Hoc Policy Formulation in Higher Education", en *Review of Higher Education*, 8 (otoño de 1984), pp. 15-84.

27. Trow, *Op. cit.*, p. 15 y ss.

de manera inexcusable si deja de ver que el desafío de los próximos 20 años requerirá de líderes no en la ciencia y la ingeniería y en los negocios y la industria, sino también en el gobierno y la política, en los asuntos exteriores y la diplomacia, en la educación y los asuntos cívicos. Un ejercicio responsable del papel de nuestra Nación en el liderazgo del mundo también requiere de un interés y una comprensión ciudadana mayor de las relaciones exteriores y los asuntos mundiales".[28]

No todos consideraban la ayuda federal como un beneficio puro para la educación superior. Los escépticos albergaban sus dudas sobre el apoyo federal para la investigación universitaria a expensas de las mejoras de capital necesarias y el apoyo a la instrucción. Incluso cuando el gobierno cubría los costos de construcción de edificios se advertía que el aumento de los costos operativos y los beneficios indirectos rara vez eran adecuados. Por lo tanto, mientras era evidente que un marcado aumento de disponibilidad de los fondos federales se estaba convirtiendo con rapidez en un modelo dominante en el período de la posguerra, los críticos se preguntaban si el apoyo federal supondría intervención o mandato gubernamental, con la consecuente pérdida de autonomía de los *colleges* y universidades. Como mínimo, ésta parecía ser una pregunta legítima.

La respuesta de muchos estudiantes disidentes, así como también de muchos críticos no pertenecientes al ámbito académico en los turbulentos años 60 fue, sin duda, afirmativa en cuanto a que el apoyo federal *significaba*, de hecho, una amenaza importante a la manifiesta independencia y autonomía de los *colleges* y las universidades. Los defensores de la conexión federal, por otra parte, podían señalar a la Higher Education Act (Ley de educación superior) de 1965 que autorizaba el financiamiento federal para permitir la intervención de las instituciones académicas en la solución de los problemas comunitarios de salud pública, pobreza y vivienda por medio de la investigación, la extensión o la educación continua. Esa ley y otras semejantes, se afirmaba, colaboraban para ampliar las bibliotecas, construir instalaciones y mantener los esfuerzos académicos al frente de la lucha para el progreso

---

28. Para una muestra de la controversia alrededor de la ayuda federal a la educación superior, incluyendo el Informe de 1957, refiérase a Gail Kennedy, ed., *Education for Democracy, The Debate over the Report of the President's Commission on Higher Education* (Lexington, Mass.: D.C. Heath, 1952); American Council on Education and National Education Association Educational Policies Commission, *Federal-State Relations in Education* (Washington, D.C.: National Education Association, 1945), pp. 45-47 y John K. Norton, "The Need for Federal Aid for Education", en *School and Society*, 77 (17 de marzo de 1956), pp. 87-38.

social.[29] Además, sin las becas de enseñanza nacional con fondos federales y los préstamos con intereses bajos o las subvenciones completas, como los suministrados por la Ley de educación superior de 1972, para citar uno de muchos casos, cientos de miles de estudiantes, quienes de otro modo hubieran carecido de los recursos necesarios, contaban con los medios para asistir al *college* y recibir una educación. En los 80, se transformó en una moda afirmar que la conexión entre los organismos gubernamentales estatales y federales y las ramas del ámbito académico eran más semejantes a una sociedad laboral, o una colaboración que a una relación de dependencia. Cada vez más, la política federal canalizaba los fondos a los estudiantes bajo la forma de préstamos con intereses bajos y subvenciones completas en vez de otorgarlos de manera directa a las instituciones mismas. Por consiguiente, se presumía que la influencia gubernamental indebida sobre los *colleges* y las universidades de alguna manera se encontraba mitigada.

Henry Rosovsky, ex decano de Artes y Ciencias de Harvard fue más franco que la mayoría en su evaluación de la situación. Escribiendo en *The University, An Owner's Manual* [*La universidad, manual para quienes se sienten sus propietarios*, 1990], Rosovsky reconocía de manera abierta que el Gobierno local, estatal y federal en parte eran "propietarios" de la universidad. Advertía que el gobierno se había convertido en el "financista de la investigación, el banco de los estudiantes y las universidades, regulador, juez y jurado de muchas actividades académicas". Confesaba que "casi ninguna universidad en este país puede funcionar sin el apoyo federal y en muchos casos sin el apoyo estatal. Eso significa que el Gobierno, de alguna manera, es propietario".[30] El historiador Page Smith de la UCLA *Killing the Spirit: Higher Education in America* (*La muerte del espíritu: la educación superior en Norteamérica*), 1990, juzgaba que las universidades se encontraban ligadas al complejo militar-industrial por lazos financieros que según sospechaba, "nunca podían romperse". Pero derivó una implicación algo diferente a la de Rosovsky. Smith escribió: "en la actualidad el 90% de todos los fondos de investigación federales provienen de la Comisión Reguladora Nuclear de la NASA y del Departamento de Defensa".

373

29. Ernst Becker, "Financing Higher Education: A Review of Trends and Projections", en United States Office of Education, *Trends in Post-Secondary Education* (Washington, D.C.: United States Government Printing Office, 1970), pp. 97-180; Theodore Schultz, "Resources for Higher Education: An Economist's View", en *Journal of Political Economy*, 76 (mayo-junio de 1968), pp. 327-347; Earl F. Cheit, *The New Depression on Higher Education* (Nueva York: McGraw-Hill, 1971).

30. Henry Rosovsky, *La Universidad: Manual del propietario* (Buenos Aires: Universidad de Palermo, 2010).

Luego, se preguntaba en forma retórica: "¿podemos hablar de la independencia de la universidad frente a esta estadística? Lo mejor que se puede decir es que, hasta el momento, el gobierno federal ha sido relativamente moderado en el uso del poder para doblegar a las universidades a su parecer, como expendedor que es de enormes sumas de dinero. Tal vez [aventuraba una hipótesis], se deba a que las universidades son conformistas en vez de que el gobierno sea tan moderado". El deseo de aprovechar las subvenciones y contratos federales, presumía Smith, desempeñaba un papel importante en la determinación de la composición y el carácter del profesorado de las universidades. Los campos y las disciplinas que gozaban de un buen apoyo de los contratos con el Gobierno tenían la posibilidad de prosperar mientras que los campos o especialidades académicas menos favorecidas se marchitaban. Los profesores, en cantidades cada vez mayores, construían sus carreras profesionales sobre la capacidad de obtener subvenciones y contratos lucrativos.[31]

Igual de preocupante para algunos resultaba la cuestión de si restaba algo de la cacareada independencia de las universidades a la luz de las alianzas con la industria y los negocios corporativos. Los críticos expresaban que, supuestamente, habiendo "vendido sus almas" cuando comenzaron a aceptar las enormes subvenciones federales para trabajar para el complejo militar-industrial, ahora las universidades se encontraban comprometidas en la construcción de una conexión corporativa paralela. Se observaba que las contribuciones corporativas, lo mismo que los fondos federales, descendían en forma desproporcionada sobre las instituciones académicas. Es decir, tenían la tendencia a enriquecer a ciertas disciplinas y departamentos académicos mientras propiciaban, de manera indirecta, el empobrecimiento de otras especialidades menos favorecidas. Según algunos detractores, la creciente implicación de las corporaciones industriales y de negocios en la vida de las universidades, en la cual la investigación universitaria se encontraba apoyada por las corporaciones que comercializaban los resultados y dividían las ganancias con las universidades a las que prestaban los fondos, debería haber desatado serios cuestionamientos éticos. Rara vez sucedió. Un editorial del 19 de septiembre de 1988 en el *New York Times* cuestionaba la conveniencia de los lazos íntimos académicos-corporativos: "Oscar Wilde podía resistirlo todo excepto la tentación. Los presidentes de las universidades, parecen ser que pueden resistirlo todo excepto el dinero".

374

31. Page Smith, *Killing the Spirit: Higher Education in America* (Nueva York: Viking Penguin, 1990), pp. 1, 10-11, 13.

La evidente venta agresiva asociada con el establecimiento de universidades en cooperativas cuasi independientes dedicadas a comercializar los productos o procesos de valor comercial generados por la investigación de los profesores resultaba ser especialmente exasperante para los críticos de la participación corporativa. La reacción de Smith no fue atípica: "roguemos que [...] no tengamos que oír más declaraciones mojigatas sobre que las universidades se encuentran comprometidas en la 'búsqueda de la verdad'. Lo que sin duda buscan con una mayor dedicación que la verdad son los grandes billetes [...] Cualquier profesión con los mismos ideales exaltados por la universidad tendrá un barril sin fondo". La universidad moderna, a su juicio, se encontraba "metida hasta el cuello en hipocresía". Por el derecho de compra, el "capital" había comprado la universidad moderna de investigaciones y estaba bien avanzado en doblegarla para sus propios fines.[32]

El papel de control del Gobierno y el Estado sobre la educación superior pública también se convirtió en un tema de preocupación y debate que comenzó a fines de los 60, se intensificó en las décadas de los 70 y 80 y continuó con gran fervor en los 90. Según el punto de vista de los académicos, las legislaturas estatales podrían servir mejor a la causa de la educación superior suministrando fondos adecuados para los *colleges* y universidades públicas, mientras dejaban las cuestiones de la administración interna a las juntas de administración individuales de las instituciones y a sus líderes administrativos. En California y Nueva York, seguidos por otros estados, sin embargo, los planificadores legislativos trabajando junto con algunos administradores académicos comenzaron a esbozar planes elaborados para una coordinación y control más centralizados.[33] Producto de su trabajo, a partir de los años 50, en ciertos estados por lo menos, fueron enormes instituciones con *campus* múltiples encabezados por juntas de gobierno centrales, Por otra parte, en estado tras estado, las instituciones públicas postsecundarias caían en los "sistemas" estatales. (Algunas veces la incorporación de *colleges* regionales individuales ferozmente competitivos dentro de un sistema de gobierno único, se aseguraba a cambio de promesas de hacer que cada miembro constitutivo fuera una universidad desarrollada por completo.) Desde la perspectiva de la eficiencia, las

375

32. *Ibídem*, pp. 2, 13.

33. Hasta cierto punto un poco antiguo, pero, todavía útil para rastrear los comienzos de sistemas de educación superior coordinados estatales es John S. Brubacher y Willis Rudy, *Higher Education in Transition*, 3ª ed. rev. (Nueva York: Harper and Row, 1976), pp. 384-386.

expectativas eran que una junta de gobierno centralizada y fuerte, que respondiera en forma directa al gobernador del Estado o a la legislatura estatal, trabajaría para eliminar el derroche, evitar la duplicación injustificada de programas de posgrado y desalentar al "aumento de autoridad" académica costosa.

Con mucha frecuencia, el gobierno centralizado fallaba en la producción de los resultados esperados. En el proceso de planificación se pasó por alto la tendencia de los legisladores estatales de convertirse en defensores o "estimuladores" de cualquier *college* o universidad pública que se encontrara ubicada en sus respectivos distritos locales. A pesar de los esfuerzos elaborados de planificación, pocas juntas de gobierno estatales tuvieron la suficiente influencia política para contrarrestar las demandas de las instituciones individuales para agregar programas o ampliar los existentes. En otras palabras, el regionalismo y localismo demostraron ser fuerzas demasiado potentes que trabajaban frente al ideal de la administración coordinada, la elaboración de presupuestos y el desarrollo programático a escala estatal. El resultado, evidente para casi todos en los años 80 y 90, fue el equivalente académico de la política "clientelista". Además, ahora varios estados se hallaron envueltos en burocracias engorrosas de educación superior, demasiados débiles como para imponer restricciones significativas al crecimiento sin control, aunque eran fuertes y tenían la influencia suficiente para evitar que se hiciera caso omiso de sus reglas y normativas "de arriba".

Los modelos de coordinación y los grados de control diferían según cada Estado. Florida, North Carolina y Virginia otorgaban poderes en estructuras de gobierno muy centralizadas. Indiana permitía a las cuatro instituciones públicas más importantes (Purdue, Indiana, Indiana State y Ball State) un considerable espacio y autonomía. Tennessee desarrolló un sistema de dos niveles, al igual que Pennsylvania. En el segundo caso, Pitt, Penn State y Temple, como las instituciones más importantes asistidas por el Estado, gozaban de un permiso relativo para establecer políticas por sí mismas. Una mayor coordinación se encargaba de las operaciones de los otros *colleges* o universidades del estado, la mayoría de ellas antiguas escuelas normales o *colleges* para maestros estatales. Los estados rurales del Oeste como Montana, Nevada, Wyoming y North Dakota, resultaron poco afectados por la tendencia hacia el control centralizado. Tampoco hubo sistemas de control estricto comunes en los estados del Sur. En los demás lugares la situación era bastante diferente. La Junta de Gobierno de Ohio buscó, en repetidas ocasiones, expandir su papel político en la educación superior (aunque, se debe decir, las universidades regionales estatales resistieron con éxito sus esfuerzos y algunas veces estos fueron socavados por iniciativas legislativas individuales). El poder y la autoridad del consejo de coordinación de Missouri se establecieron en forma precaria en contra de las prerrogativas institucionales locales. Michigan mantuvo su tradición del gobierno descentralizado. Maryland experimentó algún plan de centralización en la década de los 80, luego en los 90 llevó a cabo una tendencia contraria hacia una mayor independencia local para cada una de sus instituciones públicas.

El modelo más general en los 80 y 90 fue un modelo de juntas de gobierno estatales y legislaturas que buscaban ejercer un mayor control sobre las actividades internas de los *colleges* y universidades públicas. Los procedimientos y los estándares de admisión, la carga académica del profesorado, las cuotas de los préstamos a los estudiantes, los programas de estudio y trabajo y otras cuestiones relacionadas vinieron a quedar más que nunca, bajo estricto escrutinio legislativo. Los miembros del profesorado y los administradores se hallaban ocupados en la elaboración de planes estratégicos, declaraciones de objetivos y análisis operativos detallados ordenados por la ley estatal. En síntesis, mientras se permitía proceder a gusto a los *colleges* privados, el sector público en la educación superior, a mediados de los 90, luchaba por acomodarse a un nivel y una intensidad de vigilancia y supervisión del Estado que no se comparaba con nada de lo que estaba acostumbrado por tradición.

377

La academia corporativa

El surgimiento de la educación superior norteamericana como sociedad corporativa perfectamente congruente en todos los aspectos más importantes con el capitalismo de libre empresa fue un fenómeno que no pasó inadvertido por mucho tiempo.[34] La mayoría de los observadores coincidían en que tuvo su punto de partida en la rápida expansión y proliferación de *colleges* y universidades de todo tipo en el período inmediato a la posguerra; en la popularidad cada vez mayor de las estrategias de administración tomadas de la industria y los negocios en los años 60 y los consiguientes intentos de su aplicación en la empresa académica en los 70 y 80 y en los efectos combinados de las florecientes inscripciones y la

---

34. *Ibídem*, pp. 408-410; y John Hardin Best, "The Revolution of Markets and Management: Toward a History of American Higher Education Since 1945", en *History of Education Quarterly*, 28 (verano de 1988), pp. 177-191.

disminución de recursos característicos de las últimas cuatro décadas del siglo. La denominada "revolución" o "transformación" corporativa, como algunos la apodaron, fue una evolución multifacética y muy compleja. Reflejaba y combinaba varias ramas diferentes aunque entrelazadas: la racionalidad tecnocrática, la industrialización corporativa, la burocratización, las demandas por una mejor rendición de cuentas, el igualitarismo radical, una marca de positivismo primitiva, pero, funcional (manifestada por ejemplo, en los intentos de reducir las medidas y criterios cualitativos a índices cuantitativos), una obsesión con la eficiencia institucional y, sobre todo, la ética corporativa del libre mercado.

Numerosas instituciones de educación superior, en su organización interna, parecían haber tomado muchos de los "aderezos" de las empresas de gran escala: declaración de objetivos, planeamiento estratégico, sistemas elaborados de presupuesto, contabilidad meticulosa, análisis de costos y efectividad, investigaciones de mercado, trabajos de relaciones públicas, gerenciamiento de la calidad total, estructuras de gobierno jerárquicas y burocracias piramidales, el cálculo matemático de las unidades de aprendizaje (créditos por curso y horas; GPA o calificación que se calcula dividiendo la nota del estudiante entre el número de créditos de la asignatura), división y especialización del trabajo, el uso de "cazatalentos" profesionales para reclutar a administradores o académicos reconocidos y así ad infinítum.

La clave para comprender lo que había ocurrido, según la visión de los analistas, era determinar el grado en que las instituciones académicas en muchos aspectos fundamentales, habían llegado a diferir poco de las empresas comerciales tradicionales que buscan sobrevivir en el mercado.[35] Las escuelas de educación superior evolucionaron en instituciones capitalistas empresariales, muy individualistas y altamente competitivas unas con otras. De este modo, la que una vez fue la noción popular de los *colleges* y las universidades como enclaves idílicos cubiertos de hiedra, más o menos aislados de las distracciones y cuestiones mundanas, dedicados al aprendizaje desinteresado, a la contemplación por placer y a la alimentación intelectual de la juventud, se habían convertido, como los críticos se apresuraron a señalar, en una caricatura de las realidades académicas a fines del siglo XX. Era una imagen popular, pero, ya no adecuada para comprender el estado del ámbito académico moderno en toda su complejidad operativa.[36]

---

35. La interpretación sigue el análisis de Best, *Ibídem*, p. 178 y ss.; y véase Trow, *pássim*.

36. La influencia cada vez mayor de las normas de los negocios corporativos sobre el ámbito universitario ▶

Muchos observadores de la educación superior norteamericana advirtieron de manera particular la miríada de formas en que las fuerzas del libre mercado comenzaron a ejercer una influencia profunda y omnipresente en las tareas y el comportamiento de las instituciones de educación superior. Ahora la competencia se encontraba en todos los niveles del sistema. Entre los estudiantes, se convirtió en una cuestión de competir por la admisión en las instituciones que escogían; luego, una vez admitidos, por las calificaciones y los estipendios de becas y préstamos; y, después de la graduación, por trabajos o la admisión en las instituciones de posgrado. Entre los profesores, la competencia era por el tenure, los incrementos de salarios, el progreso en las posiciones, por subvenciones y contratos, asignaciones de trabajo de preferencia, licencias de ausentismo y año sabático, por la oficina y el espacio de trabajo, por los premios y los honores, por el prestigio y la "visibilidad" profesional. Del mismo modo, los departamentos individuales, los centros, las escuelas y los *colleges* dentro de la universidad competían unos con otros como nunca antes por espacio, financiación y apoyo administrativo. En las épocas de esplendor, los *colleges* contrataban manos extras a un ritmo según el trabajo: temporales, profesores adjunto con dedicación exclusiva o parcial, consignados a los márgenes, con frecuencia, pagados con el denominado dinero de las subvenciones y los contratos, y con pocas probabilidades de asegurarse un nombramiento que condujera al tenure en el cargo.

379

La competencia entre las instituciones se intensificó en gran medida a lo largo de la última parte del siglo. Frente a la gran expansión, lo que se presentaba era un mercado favorable al comprador, que obligaba a los *colleges* y las universidades (tanto públicos como privados) a competir de manera activa unos con otros por los estudiantes y sus matrículas. Debido a que los gastos por matrícula y trámites que pagaban los estudiantes representaban una proporción mucho mayor de los ingresos operativos en los *colleges* privados que en los públicos, la fluctuación en el número de estudiantes, con frecuencia, podía significar la diferencia entre el bienestar financiero y el desastre económico. Por lo tanto, hacía mucho que el reclutamiento de estudiantes era una cuestión de relativa urgencia. Por

▶ norteamericano se discute en Laurence R. Veysey, *The Emergence of the American University* (Chicago: University of Chicago Press, 1965), pp. 258-259, 302-303, 305-309, 315-317, 351-353. Se ofrece una perspectiva bastante diferente pero relacionada en Bruce Wilshire, *The Moral Collapse of the University* (Albany: State University of New York, 1990).

otra parte, las universidades con asistencia pública y con presupuestos derivados de la matrícula propia, dominadas por fórmulas de financiación que recompensaban un alto número de inscripciones, se hallaban, por esta razón, en la necesidad de redoblar esfuerzos para mantener o aumentar la cantidad de estudiantes admitidos.

Las instituciones académicas de diferentes tipos desarrollaron sus propios mercados y submercados particulares para el reclutamiento de estudiantes. Las escuelas de la Ivy League [Liga de la hiedra] y las universidades privadas prestigiosas con admisiones extremadamente selectivas buscaban un tipo en particular de cliente-estudiante. Las universidades de investigación públicas líderes atraían una clase diferente aunque parcialmente coincidente de estudiantes. Los *colleges* de humanidades tradicionales y las escuelas religiosas funcionaban dentro de sus propios submercados. Los *colleges* estatales públicos de 4 años y las universidades regionales tendían a reclutar estudiantes en otro mercado. Las instituciones públicas o privadas de 2 años, se encontraban al servicio de otros mercados. La ubicación geográfica de una institución, ya fuera que se encontrara situada en un ambiente rural, suburbano o urbano; su tamaño; el tipo de programas de grado y los planes de estudio que patrocinaba; las políticas de admisión; el nivel de apoyo que estaba en capacidad de dar a los estudiantes; la reputación académica general y el prestigio que gozaban (o que carecían) los *colleges* o las universidades, todos ahora figuraban como elementos principales que definían los mercados dentro del cual cualquier institución podía competir de manera exitosa.

No es de sorprender que los *colleges* y las universidades exitosas se hayan convertido en expertos en la comercialización de sí mismos, prestando una atención especial a la creación de su propia imagen, las relaciones públicas y las estrategias para captar estudiantes. Mediante la diferenciación de los "productos", envolviéndolos con cuidado y la adaptación de las ofertas curriculares a los cambios o giros en la demanda del mercado, las instituciones de educación superior, de esta forma, se posicionaron para lograr preeminencia. En algunas ocasiones hallaron conveniente asociarse con otros productores para dominar un mercado determinado. Con la misma frecuencia, cuando era posible, las escuelas individuales preferían mantenerse independientes. Pero de cualquier forma, las instituciones académicas en casi todos los aspectos se asemejaban más a otras empresas capitalistas comprometidas en el negocio de la compra y la venta.

Si era necesaria más evidencia sobre la competencia dentro del ámbito universitario corporativo, los observadores tenían que posar sus miradas sobre el manejo de las competencias deportivas en algunas de las universidades más grandes. Los deportistas se habían convertido en grandes negocios en el sentido más completo de la palabra, en una fuente de ingresos importante y en sobresalientes formadores de imagen para muchas instituciones académicas. Los entrenadores se encontraban bajo la presión de preparar equipos ganadores. Las instituciones competían con fervor por los jugadores. La venta de entradas a los eventos deportivos más importantes (baloncesto y fútbol americano) recibían un control minucioso por parte de los contadores y los directores de los deportistas atentos a los resultados en los libros de contabilidad. Las investigaciones sobre las violaciones a las reglas, los fraudes y las artimañas en las convocatorias y el pago de las estrellas favorecidas por los departamentos de deportes de las instituciones académicas más importantes, reflejaban un paralelo con los escándalos corporativos. Casi no transcurría un año sin una nueva revelación de prácticas cuestionables o ilegales.[37]

Para algunos observadores en 1990, parecía que la "marca del nombre" académico se había transformado en más importante que la "calidad del producto" en la educación superior y que las instituciones dentro de la misma categoría amplia, tal vez diferían unas de otras en el estilo, pero, rara vez, en la sustancia. Otros señalaban que, considerando el cuadro completo, el sistema norteamericano de educación superior de ninguna manera era homogéneo; por el contrario, se había transformado en increíblemente diverso, incorporando a una cantidad de instituciones de todas las clases posibles, en todos los niveles de seriedad posibles, que representaban estándares y grados de rigor académicos bastante divergentes, ofreciendo estudios en casi cualquier materia imaginable.[38] De hecho, algunos sostenían que era confuso referirse a un "sistema" de educación superior. Pero, casi todos coincidían en que la singularidad de la educación superior norteamericana en el ocaso del siglo XX, era el hecho de que ésta ofrecía un alto grado de acceso a alguna parte del sistema total, a casi todos los que expresaban un deseo de ser admitidos y, en muchos casos, sin imponer ningún requisito que evidenciara la capacidad o talento académico del aspirante para calificar y ser admitido.

381

---

37. Smith, *Op. cit.*, pp. 14-16, 59, 207-208.

38. Trow, *Op. cit.*, p. 18.

La educación superior de las personas de color

En ningún ámbito fueron más notables los cambios que tuvieron lugar en la educación superior norteamericana que en el que se refiere a la participación de los afroamericanos.[39] Las inscripciones de las personas de color en el nivel posterior a la secundaria en vísperas de la Segunda Guerra Mundial fueron minúsculas: es probable que no hayan habido más de 5.000 estudiantes de color en *colleges* de blancos fuera del Sur en 1939, que representaban cinco décimas partes del 1% del total de las inscripciones en el Norte. Cerca de la mitad de estos estudiantes se concentraban en menos de dos docenas de instituciones. Asimismo, solo un puñado de personas de color se encontraban inscritas en los *colleges* y universidades del Sur; y de ese puñado cerca de uno de cada diez se encontraban inscritos en un *college* o universidad con mayoría de blancos.[40] Después de la guerra, las inscripciones de las personas de raza negra en instituciones para personas de raza blanca en el Sur aumentaron en unos cientos a comienzos del 1950, cuando se registró un estimado de 453 estudiantes en 22 instituciones históricamente de blancos en el Sur durante el año académico 1952-1953. Durante el período desde 1940 hasta 1950, las inscripciones de las personas de color en los *colleges* de blancos fuera del Sur ascendieron a 61.000, lo que representa cerca del 47% de todas las inscripciones de personas de color, pero, el 3% de la matrícula total en dichos *colleges*. En 1947, se estimaba que las matrículas de personas de color en el ámbito nacional representaban el 6% de las matrículas totales de los *colleges* de ese año, un punto elevado que no fue superado hasta el año 1967.[41]

Obedeciendo a la decisión de la Corte Suprema de Estados Unidos (Brown *versus* Topeka, Consejo de Educación) en mayo de 1954, comenzó a acelerarse el fin de la segregación en las instituciones históricamente para blancos en el Sur. En algunas ocasiones llegó de manera voluntaria o en respuesta a la presión social. En otros casos, se necesitaron acciones legales prolongadas.[42] En

382

39. Véase Frank Bowles y Frank A. DeCosta, *Between Two Worlds: A Profile of Negro Higher Education* (Nueva York: McGraw-Hill, 1971), pp. 61-80.

40. Martin D. Jenkins, "Enrollment in Institutions of Higher Education of Negroes", en *Journal of Negro Education*, 9 (abril de 1940), pp. 268-270.

41. Véase Hurley H. Doddy, "The Progress of the Negro in Higher Education", en *Journal of Negro Education*, 32 (otoño de 1963), pp. 485-492.

42. Phineas Indritz, "The Meaning of the School Decisions: The Breakthrough on the Legal Front of Racial Segregation", ▶

febrero de 1956, una estudiante de color llamada Autherine Lucy se inscribió en las clases de la Universidad de Alabama y fue expulsada inmediatamente con el pretexto de que ella había conspirado para colaborar en los disturbios de los estudiantes blancos que habían acompañado la noticia de su admisión. No se admitieron afroamericanos en Alabama durante los siguientes 7 años.[43] El 11 de junio de 1963, tres personas de color se inscribieron para hallar el ingreso prohibido físicamente por el gobernador de Alabama George C. Wallace, que anunció en forma pública que nunca aceptaría el fin de la segregación. Se retractó una hora más tarde cuando la Guardia Nacional de Alabama llegó para hacer cumplir una orden que admitía a los estudiantes de color.[44]

Unos acontecimientos aún más estrafalarios acompañaron el intento inicial de poner fin a la segregación en la Universidad de Mississippi. En junio de 1958, un estudiante de color llamado Clennon King buscaba la admisión para hacer su doctorado. Lo arrestaron con rapidez acusándolo de alterar la paz y quedó detenido en un psiquiátrico estatal por locura. Liberaron a King cuando los funcionarios del instituto informaron que no podían hallar evidencia alguna de una enfermedad mental. El resultado, no obstante, fue que no se le permitió la inscripción en la universidad.[45]

383

Tres años más tarde, en junio de 1961, James Meredith, un estudiante de color en el Jackson State, buscó la transferencia a la Universidad de Mississippi. Al igual que en el caso de Clennon King, los abogados de la universidad argumentaron que sufría una enfermedad psiquiátrica y que se le debía negar la admisión. El 30 de septiembre, armado con una decisión de la Corte de Apelaciones, Meredith llegó al *campus* acompañado por una fuerza de oficiales federales. Se desataron los disturbios y se enviaron tropas. Al día siguiente se inscribió a Meredith y prosiguió los estudios sin mayores incidentes.[46]

En 1961, el fin de la segregación se encontraba completo de manera ostensible en la mayoría de los estados fronterizos y en alrededor de un tercio de

---

▶ en *Journal of Negro Education*, 23 (verano de 1954), pp. 355-363; y Guy B. Johnson, "Desegregation in Southern Higher Education", en *Higher Education*, 20 (junio de 1964), pp. 5-7.

43. Southern Education Reporting Service, *Statistical Summary, 1964-65* (Nashville: Southern Education Reporting Service, 1965), p. 4.

44. *Ibídem*, p. 4.

45. Reed Sarratt, *The Ordeal of Desegregation* (Nueva York: Harper and Row, 1966), pp. 127-128.

46. Southern Education Reporting Service, *Statistical Summary*, p. 14. Véase James H. Meredith, *Three Years in Mississippi* (Bloomington: Indiana University Press, 1966).

los estados centrales del Sur. En 1964, existía la cantidad estimada de 15.000 personas de color inscritas en *colleges* predominantemente blancos en el Sur, lo que representaba un cuádruple de aumento desde 1957.[47] Mientras tanto, las matrículas de las personas de color para los estudios de grado en los *colleges* del Norte habían aumentado de cerca de 45.000 en 1954 a casi 95.000 en 1967-1968.[48] La cantidad de personas de color que asistían a los *colleges* de blancos en el Sur durante la primera mitad de los años 60 aumentó de 3.000 en 1960 a 24.000 en 1965 y a 98.000 en 1970. Entre 1965 y 1970, las inscripciones de las personas de color en las instituciones de blancos aumentaron más del triple. Al mismo tiempo, las inscripciones de las personas de color en los *colleges* y las universidades históricamente para negros descendieron del 82% de todas las personas de color que asistía a *colleges*, al 60% entre 1965 y 1970; y cayó al 40% en 1978.[49]

La matrícula de las personas de color en cuanto al porcentaje del total de estudiantes que asistía a los *colleges* y las universidades en el ámbito nacional ascendió de manera continua después de mediados de los 60. En 1971, la cifra permaneció en el 8,4%; en 1977, aumentó al 10,8% de la matrícula total de *colleges*. Entre 1967 y 1974, por ejemplo, la matrícula de personas de color en instituciones de blancos aumentó un 160%, en comparación con un 34% de aumento en la matrícula de personas de color en los *colleges* tradicionales para personas de raza negra y con un 33% de aumento en la matrícula total. El mayor crecimiento numérico en la matrícula de personas de color ocurrió en los *colleges* y universidades para blancos en el Norte. En 1987, por primera vez en la historia norteamericana, los estudiantes de color se inclinaron más a matricularse en instituciones con predominio de blancos que en instituciones tradicionalmente para negros. Un número ligeramente inferior a uno de cada cinco estudiantes de color se encontraba inscrito en un *college* para personas de raza negra.

Mucho menos divulgado en la época, fue el hecho de que las inscripciones de las personas de color en instituciones de educación superior tanto para blancos como para negros habían, en realidad, *disminuido* en relación con la

47. Johnson, *Op. cit.*, pp. 5-7.

48. La Carnegie Commission on Higher Education compiló las cifras citadas de múltiples fuentes, incluyendo Marjorie O. Chandler y M.C. Rice, *Opening Fall Enrollment in Higher Education, 1967* (Washington, D.C.: United States Office of Education, 1967), pp. 52-134. También consúltese "White, Negro Undergraduates at Colleges", en *Chronicle of Higher Education* (22 de abril de 1968), pp. 3-4.

49. W.R. Allen, "Black Colleges v. White Conges", en *Change*, 19 (mayo-junio de 1987), pp. 28-31.

marca más alta alcanzada en 1979-1980, a pesar de que había duplicado el total entre 1960 y 1980. Asimismo, los números representados en porcentajes del conjunto de personas de color con un promedio de edad entre los 18 y 21 años continuaban quedándose bastante atrás del porcentaje de los blancos que asistían a los *colleges*. Los análisis diferían en cuanto al porqué las instituciones de educación superior de blancos habían comenzado a experimentar una disminución en el número de estudiantes de color asistentes. Parte de dicha disminución, se decía, era el resultado los altos índices de desgaste y abandono registrados entre los estudiantes afro-americanos inscritos en instituciones donde predominaban los estudiantes blancos. Otro factor fue el aumento en el número de personas de color que, en los años 80, escogió asistir a *colleges* públicos para personas de raza negra. Las inscripciones totales combinadas aumentaron de 120.000 en 1987 a 150.000 en 1990. Muchas instituciones privadas para personas de color informaron aumentos similares, o incluso más sorprendentes en las inscripciones.[50] El menor costo de los *colleges* para personas de color puede haber sido parte de la razón. Algunos comentaristas suponían que el crecimiento de las inscripciones en los *colleges* para personas de color también era el resultado del deseo de muchos afroamericanos por escapar de lo que se percibía como un contraataque o una ola creciente de racismo en las instituciones de los blancos. Más común era la explicación de que los *colleges* y universidades para personas de color se encontraban mejor adaptados que sus competidores blancos para satisfacer las necesidades especiales educativas y de progreso de los estudiantes afroamericanos.

385

A comienzos de los 90, las cerca de tres docenas de instituciones públicas para personas de color del país estaban inscribiendo a cerca del 20% de toda la población negra en la educación superior y cerca del 60% de los inscritos en todas las instituciones con predominio de personas de color.[51] Los defensores de las instituciones de las personas de color sostenían que dichas instituciones otorgaban un porción desproporcionada desde el punto de vista estadístico (cerca del 37%) de todos los títulos de licenciatura (*baccalaureate*) conferidos

---

50. Las cifras citadas se compilaron de diferenes resúmenes estadísticos en S. Arbeiter, "Black Enrollments: The Case of the Missing Students", en *Change*, 19 (mayo-junio de 1987): 14-19; N. Joyce Payne, "The Role of Black Colleges in an Expanding Economy", en *Educational Record*, 68 (otoño de 1987 / invierno de 1988), pp. 104-106; y Jacqueline Fleming, *Blacks in College* (San Francisco: Jossey-Bass, 1984, *pássim*).

51. Gail E. Thomas y Susan Hill, "Black Institutions in U. S. Higher Education: Present Roles, Conributions, Future Projections", en *Journal of College Student Personnel*, 28 (noviembre de 1987), pp. 496-503.

a las personas de color. Por otra parte, se señaló que más del 40% de todos los estudiantes afroamericanos se encontraban inscritos en instituciones de 2 años, mientras que el 90% de todos los *colleges* para estudiantes de raza negra eran instituciones de 4 años. La conclusión a la que llegaron algunos fue que la aparente diferencia estadística entre las instituciones de blancos y de las de color era ilusoria. Cuando se compararon los respectivos registros de producción de licenciados de todas las instituciones de 4 años, se demostró que los *colleges* de personas de color inscribían a un tercio de todos los candidatos de color al título de licenciado, mientras producían el 34% de todos los títulos de licenciados de personas de color, lo cual no representaba una diferencia significativa en la producción de títulos de licenciado para los estudiantes de color con los *colleges* y las universidades con predominio de *blancos*.[52]

Los defensores de los *colleges* que históricamente eran para la gente de color presentaron sus argumentos sobre otras bases además de las cifras. Sostenían que los *colleges* de personas de color educaban a una cantidad considerable de estudiantes afroamericanos quienes de otro modo no desearían o no podrían tener la posibilidad de obtener un título. A diferencia de sus pares pertenecientes a la cultura mayoritaria, los *colleges* más pequeños para personas de color tendían a concentrarse en satisfacer las necesidades de las personas de orígenes extremadamente desfavorecidos. Por lo tanto, en comparación con otros estudiantes, tanto blancos como negros, que asistían a instituciones con predominio de blancos, era más probable que los afroamericanos inscritos en los *colleges* de gente de color provinieran de familias con bajos ingresos, con registros de logros deficientes o no distinguidos en la escuela secundaria y bajas calificaciones en los exámenes estandarizados. Por consiguiente, se los consideraba estudiantes de "alto riesgo" que no hubieran tenido la posibilidad de calificar para ingresar en *colleges* y universidades con predominio de blancos. Los *colleges* para personas de color, se señalaba, se enorgullecen de su capacidad para aceptar el reto que significa un estudiante académicamente marginado, y compensar y corregir sus deficiencias académicas y conducirlos a la adquisición de un título.

386

52. William B. Harvey y Lea E. Williams, "Historically Black Colleges: Models for Increasing Minority Representation", en *Education and Urban Society*, 21 (mayo de 1989), pp. 328-340; F.G. Jenifer, "The Supreme Court Must Act to Preserve and Strengthen Historically Black Colleges", en *Chronicle of Higher Education*, 38 (16 de octubre de 1991), p. A60; Reginald Wilson, "Can Black Colleges Solve the Problem of Access for Black Students?", en *American Journal of Education*, 98 (agosto de 1990): 443-457.

La experiencia de la educación superior para los afroamericanos que asistían a una institución de personas de color, se afirmaba, difería en gran medida de la que experimentaban normalmente en una institución con predominio de personas blancas. A pesar de las declaraciones de apoyo de la sociedad a la igualdad de oportunidades, los estudiantes afroamericanos en las instituciones para blancos, supuestamente tenían un desempeño más deficiente en comparación con los estudiantes blancos en lo que respecta a índices de perseverancia, logros académicos y ajuste psicológico y social general. Supuestamente los estudiantes de color experimentaban una dificultad mayor para adecuarse a la vida en el *college*; obtenían promedios menores; se sentían más alienados; se inscribían en programas de posgrado con menor frecuencia; abandonaban más rápido y el índice general de deserción era mayor que el de los estudiantes blancos. Por el contrario, aparentemente, a los estudiantes de color en los *colleges* para personas de su misma raza les iba mejor en cuanto a la adecuación a la vida del *college*, gozaban de una mayor apreciación cultural y conservaban aspiraciones más elevadas de futuras carreras que sus pares negros que asistían a *colleges* y universidades de blancos.

En los años 90, a pesar de su supuesta superioridad para satisfacer las 387 necesidades de los estudiantes de color, todos los signos parecían señalar una crisis para la mayoría de los *colleges* y las universidades de personas de color de la nación. Acosados por las fluctuaciones impredecibles de las matrículas, por profesores mal preparados en muchos casos, recursos financieros insuficientes, escaso apoyo de los ex alumnos e instalaciones en estado deplorable, muchos se hallaban en una lucha constante para sobrevivir. A pesar de su importancia histórica para la educación de personas de color en el pasado, algunos críticos sostuvieron, los *colleges* para gente de color en su mayoría habían dejado de ser útiles para el mundo moderno. Precisamente debido a que permitían e incluso alentaban, la segregación de los estudiantes del resto de la sociedad en la que, en última instancia, debían abrirse camino, se presumía que la continuidad de su existencia era dudosa. Incluso entre algunos líderes de color, las instituciones de gente de color cuya identidad se basaba en la raza parecían haberse convertido en algo de que avergonzarse. Alan N. Whiting, ex canciller de la Universidad Central de Carolina del Norte, una institución con predominio de personas de color, en 1988, expresaba sus dudas sobre el futuro que las instituciones identificadas por la raza deberían soportar. "Los cambios sociales [sostenía Whiting] especialmente los relacionados con la desegregación, han reducido a un papel periférico o marginal lo que fue una vez un "imperativo categórico" en la comunidad educativa universitaria. Y, a medida que las instituciones predominantemente blancas perciban e internalicen los desplazamientos demográficos de una minoría que aumenta dramáticamente [...] la población de este país se esforzará cada vez más para adaptarse a las necesidades especiales de aprendizaje de esas poblaciones. Whiting predijo que a la larga, "las instituciones de los grupos mayoritarios desplazarán cada vez más a las instituciones, que hasta el momento han sido denominadas de 'minorías' y reemplazarán la función histórica especial que desempeñaron en el suministro de educación superior en este país".[53]

Los defensores de los *colleges* de personas de color expresaban su desacuerdo con firmeza. "Todavía no estamos convencidos de que las instituciones predominantemente de blancos se encuentren listas para aceptar y correr el riesgo que representan algunos de los estudiantes de color [...] que nosotros aceptamos [declaró Ben E. Bailey, director de investigaciones en el Tougaloo College en Mississippi en 1991]. Además, no creemos que los *colleges* de blancos se encuentren preparados para aceptar estudiantes y profesores de color en un número tal que les permita influir en la formación de los procesos educativos de esas instituciones. La sociedad es constitucionalmente incapaz de aceptar a las personas de color y su cultura sobre premisas de igualdad."[54] El Dr. Sock-Foon C. MacDougall de la Universidad Estatal de Bowie en Maryland coincidía: "en vistas del clima racial predominante en los *campus* de toda la Nación [escribió en 1991], la probabilidad de que las instituciones 'multirraciales' puedan redoblar sus esfuerzos de forma exitosa para satisfacer las necesidades de los estudiantes de las minorías es baja. El racismo va a estar con nosotros durante largo tiempo". Niara Sudurkasa, presidenta de la Universidad Lincoln de Pennsylvania, ofreció una perspectiva similar: "las academias de la corriente mayoritaria están retirando los tapetes de bienvenida que apenas hace poco colocaron para los estudiantes de las minorías [advertía]. Hace un poco más de dos décadas que los *colleges* y las universidades de la mayoría de Norteamérica comenzaron el 'experimento' de abrirse para las

53. Albert N. Whiting, "Black Colleges, An Alternative Strategy for Survival", en *Change*, 20 (marzo-abril de 1988), pp. 10-11.

54. El comentario de Bailey y todas las citas siguientes relativas a los colleges de la gente de color representan las respuestas escritas a un estudio narrativo informado en Paula Roper y Christopher J. Lucas, "Academic Leaders on the Role and Future of Black Colleges and Universites", en *Journal of Thought*, 29 (verano de 1994), pp. 33-46. Véase también Jill M. Constantine, "The 'Added Value' of Historically Black Colleges", en *Academe*, 80 (mayo-junio de 1994), pp. 12-17.

personas de color y los de otras minorías. Con todo, en muchos sectores, este 'experimento' ya se considera un fracaso".

Roy Hudson, vicepresidente administrativo en el Mississippi Valley State College, habló por muchos líderes de *colleges* de personas de color al predecir la estabilidad de las instituciones de educación superior para las personas de raza negra: "el futuro de los *colleges* para los negros se encuentra en las manos de los negros. Siempre y cuando los negros contemplen estos *colleges* como empresas que trabajan para su bien, los *colleges* continuarán existiendo". Hudson agregaba enfáticamente: "la gran amenaza para los *colleges* de los negros son las personas blancas que sienten por instinto que si los blancos no dirigen algo, no debería existir; y los negros que no están seguros sobre quiénes son o dónde quieren estar". Los administradores de los *colleges* de personas de color regresaban en repetidas ocasiones a los mismos temas. Sus instituciones, declaraban ellos, permanecerán como una parte importante de la educación superior norteamericana siempre y cuando sus ventajas únicas no se encuentren disponibles en ningún otro lugar. En una sociedad todavía teñida por el racismo y el prejuicio étnico, las personas de color necesitaban instituciones que puedan considerar como propias. Servirán como enclaves protectores donde será más probable que se sientan aceptados los estudiantes de minorías, donde siempre se alimentarán los sentimientos de identidad y orgullo étnico y donde se les ofrecerán oportunidades que se les niegan en otros lugares. Maxine Allen de la Universidad Norfolk State resumió la perspectiva del futuro con una nota optimista. En 1991 declaró que "los *colleges* de personas de color poseen un futuro brillante si continúan aportando estudiantes con una educación de calidad [...] que les permita ser ciudadanos productivos en esta sociedad altamente tecnológica. La función especial de los *colleges* para personas de color es proporcionar a sus estudiantes experiencias de esta misma raza en un [...] ambiente que trata con información en la vanguardia de la educación superior".

389

La inclusión curricular

Junto al surgimiento de una estructura corporativa dentro de la educación superior norteamericana y la inclusión de nuevos grupos, hubo también cambios importantes en lo que respecta al plan de estudios propiamente dicho. Desde la perspectiva ofrecida hacia el final del siglo, no resultaba difícil discernir las tendencias más importantes en los 50 años previos.[55] Hubo un cambio evidente en contra de una base intelectual para la educación superior. Las humanidades sufrieron sucesivas definiciones y redefiniciones. Los planes de estudio se ampliaron y diversificaron más o menos en forma continua.[56] Se introdujeron nuevas disciplinas (junto con una proliferación en apariencia interminable de subdisciplinas). Se produjo un grado de democratización con el objetivo de abrir el aprendizaje a una cantidad mayor de capacidades y talentos. La acostumbrada disposición del tiempo destinado a los estudios se había hecho menos rígida. Se incorporaron planes de estudio que respondía más adecuadamente a los intereses basados en la edad, el género y la etnia en un grado sin precedentes.[57]

Los ejemplos de cómo se ampliaron los planes de estudios en el último tercio del siglo XX, para incorporar nuevas áreas de estudio, incluyen el surgimiento y el desarrollo de programas especiales en estudios sobre la raza negra, los hispanos, los homosexuales y las mujeres. En este último caso, los estudios sobre la mujer aparecieron por primera vez en la segunda mitad de la década del 60, cuando el profesorado femenino, en un número muy superior al que jamás hubo, comenzó a crear nuevos cursos que trataban las experiencias y aspiraciones feministas. Los esfuerzos en la organización y el desarrollo del curso en parte se inspiraron en el movimiento de los derechos civiles que

55. Los documentos significativos incluyen: Ernest L. Boyer, *College: The Undergraduate Experience in America* (Nueva York: Harper and Row, 1987); Boyer, *Common Learning: A Carnegie Colloquium on General Education* (Princeton, N.J.: Carnegie Foudantion for the Advancement of Learning, 1981); Association of American Colleges, *Integrity in the College Curriculum: A Report to the Academic Community: The Findings and Recommendations of the Project on Redefining the Meaning and Purpose of Baccalaureate Degrees* (Washington, D.C.: Association of American Colleges, 1985); William J. Bennett, *To Reclaim a Legacy: A Report on the Humanities in Higher Education* (Washington, D.C.: National Endowment for the Humanities, 1984); Herant A. Katchadourian y John Boli, *Careerism and Intellectualism Among College Students: Patterns of Academic an Career Choice in the Undergraduates Years* (San Francisco: Jossey-Bass, 1985); G. Jerry, *General Education Today: A Critical Analysis of Controversies, Practices, and Reforms* (San Francisco: Jossey-Bass, 1983); Wee, David L., *On General Education: Outlines for Reform* (New Haven, Conn.: Society for Values in Higher Education, 1981).

56. Bruce A. Kimball, "The Historical and Cultural Dimensions of the Recent Reports on Undergraduate Education", en *American Journal of Education*, 98 (mayo de 1988), pp. 293-322.

57. Refiérase a Douglas Sloan, "Harmony, Chaos, and Consensus: The American College Curriculum", en *Teachers College Record*, 73 (diciembre de 1971), pp. 221-251; Frederick Rudolph, *Curriculum: A History of the Undergraduate Course of Study Since 1636* (San Francisco: Jossey-Bass, 1977), pp. 245-289; Robert Blackburn *et al.*, *Changing Practices in Undergraduate Education* (Berkeley: Carnegie Council on Policy Studies in Higher Education, 1976); Arthur Levine y John Weingart, *Reform of Undergraduate Education* (San Francisco: Jossey-Bass, 1973); Willis Rudy, *The Evolving Liberal Arts Curriculum: A Historical Review of Basic Themes* (Nueva York: Teachers College, Columbia University, 1960).

habían suministrado, con anterioridad, el modelo para los programas y planes de estudios para las personas de color. Entre los pioneros, se consideraba que los cursos enseñados por mujeres y sobre mujeres eran esenciales para corregir la desatención y la distorsión sobre la población femenina en los cursos y planes de estudio de las universidades estándares. La Universidad Estatal de San Diego fue una de las primeras que tuvo una estructura de programa instalada. Entre 1970 y 1975, se produjo la creación de 150 nuevos programas de estudios sobre la mujer una hazaña que se repitió entre 1975 y 1980 en las instituciones de educación superior de todo el país.

Las líderes académicas femeninas consideraron el surgimiento de los estudios sobre la mujer como una tercera fase en la larga lucha histórica de las mujeres norteamericanas por la búsqueda de oportunidades educativas. La primera fue el período en el que, aceptando las presunciones sobre la naturaleza de las mujeres a comienzos del siglo XIX, se procedió a aceptar las peticiones de educación superior para las mujeres, adecuada a las necesidades únicas y distintivas de éstas tal como se las definía en ese momento a escala popular. La segunda fase a fines del 1800, fue cuando las mujeres comenzaron a buscar el acceso a los planes de estudio estándares de los *colleges* y las universidades. La tercera fase, se encontraba marcada por el desafío a la supuesta "hegemonía masculina" sobre los planes de estudio, simbolizada de manera más notable por el advenimiento de los programas de estudios sobre la mujer. El objetivo de los primeros programas era doble: revelar el hecho de la opresión social, económica y cultural de larga data de las mujeres; y, en segundo lugar reparar, mediante la instrucción y la enseñanza, la desatención tradicional a las contribuciones que las mujeres habían aportado a la cultura y a la sociedad. En los 70 y 80, se cultivó una enorme literatura, la mayoría proveniente de fuentes no tradicionales, que documentaba la experiencia y el conocimiento de las mujeres. No obstante, a pesar de la proliferación continua de cursos y la elaboración de programas, en los 80, los estudios sobre la mujer como un campo de estudio todavía tendía a permanecer al margen, bien alejado de la corriente principal académica.[58]

Con el reconocimiento demasiado tardío de que los cursos de estudios de la mujer no habían alcanzado una audiencia amplia o diversa y que muchos estudiantes de *colleges*, incluyendo las mujeres, no suscribían necesariamente

391

---

58. Consúltese Elizabeth Minnich *et al*., eds., *Reconstructing the Academy: Women's Education and Women's Studies* (Chicago: University of Chicago Press, 1988).

los primeros principios y preceptos feministas, la atención, a fines de los años 80 y comienzos de los 90, cambió a la "integración" de las mujeres en la educación. El enfoque ahora era menos una cuestión de construir programas académicos separados y más un cambio de cursos, fuera del dominio de los estudios de la mujer. Myra Dinnerstein, directora de los estudios de la mujer en la Universidad de Arizona, fue citada en la publicación del 9 de septiembre de 1987 del *Chronicle of Higher Education*, expresando: "estamos llegando a una porción bastante pequeña de estudiantes. A menos que uno tome un curso sobre estudios de la mujer, se puede graduar y nunca oír las palabras 'mujeres' o 'género'".

El aspecto cambiante de la población estudiantil —las mujeres ya constituían un poco más de la mitad de todas las matrículas de grado a escala nacional— dio ímpetu a la campaña de los cursos integrados. Los promotores del cambio encontraron con frecuencia una resistencia poderosa. Algunos académicos cuestionaban la legitimidad académica de los estudios de la mujer como disciplina o campo de investigación. Otros, tal vez, se sentían incómodos ante los nuevos interrogantes inquietantes que empezaban a surgir sobre la educación de las mujeres. Las académicas líderes de los estudios sobre la mujer, no obstante, continuaron con sus esfuerzos por alcanzar una "transformación femenina" del plan de estudios. El objetivo, como se definía por lo común en los años 90, era el de la "inclusión total del género", es decir, una manera del abordar el conocimiento en forma tal, que la presencia de la hasta ahora "mitad oculta" de la humanidad se considerase una parte integral y sin cuestionamientos de cualquier estudio o investigación.

La educación general y los estudios liberales en una época de especialización

La adición de programas y planes de estudio con el objetivo de fomentar una mejor comprensión y apreciación de las mujeres y las minorías, representó una innovación curricular importante en la educación superior norteamericana en las últimas cuatro décadas del siglo XX. En efecto, un movimiento temático importante que definía el cambio curricular dentro de los *colleges* y las universidades fue el de la inclusión, la materialización curricular, por así decirlo, de los intereses y las preocupaciones de las minorías. No obstante, aún más fundamental fue que la inclusión era un subconjunto de un mosaico intelectual aún más amplio, que trascendía a los demás en cuanto a los debates sobre cómo debía definirse, sistematizarse y estructurarse el conocimiento para la instrucción en el *college*. El modelo dominante, era el de la oscilación entre los dos polos que iban de lo común a lo diverso, entre los esfuerzos por generar unidad y coherencia en el plan de estudios de grado por medio de algún tipo de aprendizaje compartido por todos en común, por un lado, y la lógica de las fuerzas sociales más amplias, cuyos efectos fueron la división y fragmentación de los planes de estudio, por el otro. En resumen, gran parte de la interminable controversia sobre los planes de estudio de los *colleges* en una época de creciente especialización se relaciona de alguna manera con el eterno problema de cómo definir y preservar la educación general.

En 1939, la National Society for the Study of Education [Sociedad Nacional para el Estudio de la Educación, NSSE] dedicó el Anuario N° 38 al tema de la educación superior en la sociedad contemporánea.[59] Una mirada retrospectiva hacia los experimentos de las dos décadas precedentes, según Alvin C. Eurich de Stanford, sugería un manifiesto fracaso en el logro de un consenso sobre el significado de la educación general. "Cada persona que utiliza la palabra, posee alguna connotación definida en mente [escribía Eurich]. Lo común se piensa como el contraste con la especialización y como algo que implica un énfasis sobre la vida en una sociedad democrática."[60] Pero las diferentes interpretaciones han llevado a una confusión considerable sobre los medios o los métodos de implementación.

El intento de Hutchins en Chicago de enraizar la educación general en una tradición intelectual definida mediante los Grandes Libros del mundo occidental, está en la mente de todos. En sus protestas contra toda la cultura contemporánea con su industrialismo corporativo, ciencia y tecnología, sus instituciones de control, su secularismo y relativismo ético, los cruzados como Hutchins, Mortimer Adler, Mark Van Doren, Jacques Maritain y Norman Foerster habían lanzado un reto. Insistían en que la sociedad moderna se había equivocado por completo en la construcción de lo que constituía una verdadera educación. En la sabiduría del pasado —en sus principios intelectuales clásicos, sus valores perdurables y sus normas fijas— la humanidad hallaría los mejores medios para desarrollar la inteligencia y fomentar el

393

---

59. Guy Montrose Whipple, ed., *General Education in the American College, Part II, The Thirty-Eighth Yearbook of the National Society for the Study of Education* (Bloomington, Ill.: Public School Publishing, 1939).

60. Ivin E. Eurich, "A Renewed Emphasis Upon General Education", en Whipple, p. 6.

desarrollo personal.[61] Pero, el "presentismo histórico" de un punto de vista que estaba en evidente desacuerdo con las tendencias que prevalecían en 1930, no podría esperarse que ganara una gran aceptación. Y, de hecho, no lo hizo. No era más que un enfoque para definir la educación general y no era precisamente un enfoque popular.

John Dewey, por el contrario, hacía hincapié en la necesidad de la experiencia con los problemas sociales y personales de la época actual, como una manera alternativa de suministrar a los estudiantes una educación general (en oposición a la especializada). En forma directa o indirecta, su visión ya había inspirado, por lo menos, a alrededor de media docena de experimentos interesantes con planes de estudios progresistas, una educación para adaptarse a la vida y otros planes de estudio experimentales que continuaron durante la década siguiente a la aparición del anuario de la NSSE. Para Eurich, en un escrito de fines de 1930, el único carácter común discernible en los esfuerzos para promocionar el aprendizaje general fue la insatisfacción con la especialización en los *colleges* y el acuerdo en la necesidad de una mayor "integración" curricular. Consideraba que la educación general era "una expresión de búsqueda de unidad y un énfasis renovado en el ideal democrático". No designaba procedimientos o programas fijos. La educación general era "lo que uno halla en los *colleges* norteamericanos que intentan, con seriedad, modificar los programas para ofrecer una experiencia más unificadora".[62]

John Dale Russell, un profesor de educación en la Universidad de Chicago, en el mismo anuario de la NSSE compartió los resultados de su investigación nacional de los programas de los *colleges* de humanidades.[63] Él también halló en las declaraciones de objetivos grandes variaciones en la forma de comprender la expresión "educación general". Algunos de los que colaboraron consideraban la educación "liberal" y "general" como sinónimos. Otros no estaban de acuerdo, pero, sentían que la diferencia entre las dos no era clara. Una mayoría coincidía en que la educación general excluía la preparación técnica, vocacional y profesional; aunque otros no estaban tan seguros. Algunos creían que la educación general no necesitaba excluir a la capacitación profesional o vocacional siempre y cuando la materia de que se trate sea

61. Dos obras representativas del género incluyen a Mark van Doren, *Liberal Education* (Nueva York: Holt, Rinehart &Winston, 1943); y Jacques Maritain, *Education at the Crossroads* (New Haven, Conn.: Yale University Press, 1934).

62. Eurich, *Op. cit.*, p. 6.

63. John Dale Russell, "General Education in the Liberal Arts Colleges", en Whipple, *Op. cit.*, pp. 171-192.

394

integradora e interdisciplinaria. Algunos pensaban que la educación liberal o general se podía definir en relación con el contenido. Muchos no estuvieron de acuerdo, declarando que la educación general se distinguía más por el espíritu y los medios de su instrucción que por cualquier materia específica.

Henry M. Wriston, presidente de la Universidad Brown, presentó un ensayo especialmente provocativo atacando la noción de que la educación liberal tradicional siempre fue "aristocrática". Basado en la historia, discrepó del conocido argumento de que la educación general no se encontraba bien adaptada para satisfacer las necesidades de una población en masa y los principales beneficiarios siempre fueron unos cuantos individuos selectos. "La historia de la educación superior norteamericana [insistía] se encuentra repleta de ejemplos de personas provenientes de medios que los sociólogos y los psicólogos considerarían con horror y, no obstante, estos estudiantes se han desempeñado brillantemente en el trabajo intelectual y en el desarrollo de los refinamientos sociales." Tampoco eran ellos excepciones aisladas de algún modelo mayor. Hablar de manera hipócrita sobre la necesidad de "vocacionalizar" los planes de estudio de los *colleges*, de acomodar a los "recién llegados" a la educación superior, en su opinión, era eso, hipocresía. Valía la pena considerar la conclusión de Wriston. "La expresión de disgusto por la educación liberal por considerarla "aristocrática" es, con demasiada frecuencia, una expresión de un anti intelectualismo innato; una sospecha de que a la educación superior y el gusto estético más refinado no puede ser obtenido por todos los hombres, por lo tanto, no puede ser democrática [comentaba]". Pero, no había nada en la teoría democrática, según Wriston, que justificara dicho sentimiento. "La 'aristocracia' del intelectualismo [como lo denominó] es de un carácter en total armonía con la teoría y la práctica de la democracia."[64]

El anuario de 1939 marcó un punto divisorio entre la primera fase de actividad en nombre de la educación general, que se extendió desde la Primera Guerra Mundial hasta el fin de la Depresión y un segundo movimiento que comenzó en 1940. Este segundo movimiento o etapa siguió un modelo similar al primero de los años 20. Una vez más el resurgimiento se produjo con las secuelas de la guerra mundial, cuando el clima del país se asemejaba al que hubo un cuarto de siglo antes. Al igual que su antecesor, el renacimiento del interés en la educación general después de la guerra, era un producto de la época. Al igual que en los años 20, se recurrió a la educación general, una

395

64. Henry M. Wriston, "A Critical Appraisal of Experiments in General Education", en Whipple, *Op. cit.*, pp. 307-308.

vez más, para contrarrestar el carácter vocacional, la sobre especialización y el plan de estudios optativo. Los temas conocidos de educar a los ciudadanos para la responsabilidad pública, de promover una herencia cultural común y de promover la "realización personal" ganaron de nuevo actualidad. En una época en que Estados Unidos se hallaba atrapado en el conflicto de la guerra fría con el comunismo mundial, muchos consideraban que existía la necesidad urgente de una educación que reafirmara los valores esenciales de la civilización occidental y la sociedad democrática norteamericana.[65]

El mejor ejemplo del nuevo interés en la educación general fue un informe realizado por un comité de profesores de Harvard (en 1945) titulado *La educación general en una sociedad libre*. Encuadernado en color rojo, pronto se lo apodó "El Libro Rojo".[66] En poco tiempo fue aclamado como una exploración elocuente del significado de la educación general en la modernidad. El análisis del comité comenzaba con la observación de que la educación buscaba cumplir dos objetivos: primero, preparar a las personas para cumplir las funciones personales y únicas en la vida; el segundo, adecuarlas "lo más que se pueda a aquellas esferas comunes que, como ciudadanos y herederos de una cultura común, compartirán con los demás".[67] El desafío no era el mero fomento de las destrezas y los puntos de vista que distinguían a los individuos según sus diferentes talentos y aspiraciones. También era para desarrollar los rasgos y cogniciones que las personas deben compartir en común a pesar de sus diferencias. En una época marcada por una expansión "asombrosa" del conocimiento y la consecuente especialización, el informe advertía que la última tarea se había convertido en algo de dificultad cada vez mayor. Lo que era necesario, según el comité, era una "lógica general, un marco fuerte que no se quebrara con facilidad" dentro del cual las instituciones académicas pudieran realizar en forma simultánea las tareas unificadoras y diversificadoras.[68]

El Libro Rojo de Harvard no llegó a especificar qué podía abarcar un marco óptimo para unificar la enseñanza de grado. Advertía contra la presunción de que cualquier modelo único era viable para todos los *colleges* y las universidades. Para Harvard, el informe recomendaba a la institución un

65. Ernest L. Boyer y Arthur Levine, "A Quest for Common Learning", en *Change*, 13 (abril de 1981), p. 30.

66. Informe del Comité de Harvard, *General Education in a Free Society* (Cambridge, Mass.: Harvard University Press, 1945).

67. *Ibídem*, p. 4.

68. *Ibídem*, p. 39.

sistema donde se exigiría a los estudiantes completar por lo menos un curso en ciencias naturales, uno en humanidades y uno en estudios sociales y tres cursos adicionales de naturaleza general antes de la capacitación especializada avanzada, o en forma paralela a ella. Una combinación de cursos de visión de conjunto y una distribución de requisitos, se afirmaba, salvaguardaría los objetivos más generales o comunes de la educación de grado. La necesidad básica, según concluía el informe, era un equilibrio entre la educación "general" y "especial" (es decir, especializada). Para hacer una distinción entre las dos, se afirmaba que la educación general denotaba "aquella parte de la educación completa del estudiante que apunta primero a su vida como un ser humano y ciudadano responsable; mientras que la educación especial era aquella parte que apunta a la competencia del estudiante en alguna ocupación". La primera es "un organismo completo e integrado", mientras que la segunda es "un órgano; un miembro diseñado para cumplir una función particular dentro de un todo". Se sostenía que ambas eran esenciales en una sociedad libre. Ambas eran necesarias para el desarrollo de una persona educada: un individuo capaz de pensar con eficiencia, comunicar con claridad, realizar juicios relevantes y diferenciar con cuidado los valores.[69]

397

Los autores del Libro Rojo se preocuparon por hacer énfasis en que la educación general no debía considerarse como algo que tiene que ver con "alguna educación etérea sobre el conocimiento en general". Tampoco debía ser desorganizada, el producto de una persona que asistiera a un curso después de otro. Tampoco debía definírsela en modo negativo, en el sentido de cualquier cosa se dejó de lado en el campo de la especialización o concentración. Para finalizar, el informe declara que (en una evidente referencia a Hutchins) la educación general no debe concebirse en función de un grupo específico de libros que deben leerse o de cursos que deben completarse.

El Libro Rojo concluía afirmando que el desafío que enfrenta la democracia moderna en un orden social donde todos son libres de perseguir sus fines privados, aunque todos compartan la responsabilidad de la administración de la comunidad, es preservar el antiguo ideal de la educación liberal y extenderlo lo más posible a todos los miembros de la sociedad. Cualquiera que fuese el contenido específico o la forma, se consideraba que la educación general era indispensable porque hacía referencia a los fines últimos del desarrollo personal y el servicio social. El interrogante más crítico, afirmaba el comité, en consecuencia, era:

---

69. *Ibídem*, pp. 40, 51, 64, 195.

"¿Cómo puede adaptarse la educación general a las diferentes edades y, sobre todo, a las diferentes capacidades y perspectivas, de manera que pueda interesar a cada uno y, sin embargo, permanecer en el objetivo y en la esencia igual para todos?"[70] Por desgracia, *La educación general en una sociedad libre* no brindaba una respuesta definitiva a dicho interrogante.

De manera irónica, el profesorado de Harvard rechazó con el tiempo su propio informe del comité. En otras partes, no obstante, el apoyo por el plan de Harvard tuvo un fuerte reconocimiento y se adoptaron variaciones de las recomendaciones en docenas de *colleges* y universidades. Dos años más tarde, una Comisión de Educación Superior para la Democracia de la Casa Blanca publicó un informe que respaldaba de manera entusiasta la educación general sobre las líneas esbozadas en el Informe de Harvard. En la misma época, aproximadamente, una oleada de actividades de reformas marcó el desarrollo de los planes de estudio de los *colleges*. En la Universidad Denison en Ohio, comenzó en 1942 un curso central titulado "Los problemas de la paz y la reconstrucción de posguerra" que obtuvo la atención nacional. En Wesleyan, en Connecticut y en una cantidad de escuelas de la Ivy League se lanzaron con mucha fanfarria nuevos seminarios de educación general.

Horace M. Kallen, autor de *The Education of Free Men* [*La educación de los hombres libres*, 1949], criticó la identificación de la educación general con un contenido histórico fijo. Aunque se oponía a la capacitación vocacional tradicional, tampoco se encontraba a gusto con los custodios pedagógicos de un "cuerpo de conocimientos" tradicional heredado del pasado que instaba a que las instituciones lo transmitieran intacto. Afirmaba que: "Cualquier pensamiento o cosa, cualquier vocación o técnica crucial para un ser puede convertirse en la base de su liberación. Cualquier arte u oficio, cualquier tema, datos o sistemas de ideas es un instrumento de la educación liberal cuando sirve como un camino y no como una pared para aquel que lo estudia. Cualquiera que sea el objetivo o el campo de estudio: la agricultura, la ingeniería, los negocios, el derecho, la medicina, el ministerio, la enseñanza, la arqueología, la recolección de basura [...] cuando libera, es liberal".[71]

Kallen admitía que el plan de estudios de una educación liberal tradicional, si se adquiere un completo y apropiado dominio de éste, podía servir para liberar al estudiante del provincialismo de su lugar y época; la experiencia era

70. *Ibídem*, p. 93.

71. Horace M. Kallen, *The Education of Free Men* (Nueva York: Farrar, Straus & Giroux, 1949), pp. 88-89, 316-318.

"liberal" por lo menos con respecto a un mundo lejano muerto. "Ser liberado para entrar en la vida más rica del mundo actual, [se apresuró a afirmar] sin embargo, posee una prioridad tan evidente sobre lo demás que el debate recurrente sobre su dignidad y valor expone una ceguera de espíritu inexplicable en aquéllos que la niegan".[72] El pasado engrandecido por los tradicionalistas, Kallen sostenía, es un pasado vivo si las personas vivas en la actualidad lo abrigan, estudian y utilizan para enriquecer su existencia en el presente. El criterio o estándar de relevancia para los estudios liberales y la educación general es, por lo tanto, si enseña a las personas a aprender unas de otras; a comprender, respetar y apreciar las diferencias entre ellas y para ayudarlas a trabajar juntas en fines comunes. Según Kallen, los tradicionalistas, con su "culto mortuorio" a un pasado moribundo eran los culpables de elevar una fase o aspecto de la cultura humana mientras denigraban las demás. La implicancia práctica del punto de vista de Kallen, por supuesto, fue que la educación general o liberal no podía definirse desde el punto de vista de alguna materia específica en particular.[73]

Resulta interesante que, en los 40 y 50, algunos escritores intentaron introducir una clara distinción entre la educación "liberal" y la "general", la sugerencia era que la primera consistía en un cuerpo fijo de disciplinas tradicionales humanísticas y, la segunda, en cualquier curso de estudio exhibiendo amplitud o diversidad. Este uso no coincidía con el de los años 20 y 30, cuando las dos palabras se utilizaban de manera intercambiable y casi como sinónimos. Los escritores, como siempre, albergaban grandes expectativas sobre lo que podría lograr la educación liberal-general, pero, estuvieron eternamente en desacuerdo sobre la sustancia y la estructura.[74]

399

Gresham Riley, decano en la Universidad de Richmond, escribiendo desde la perspectiva de 1980, juzgó que la mezcla de los cursos obligatorios y la elección limitada dentro de los grupos de disciplinas muy vinculadas exhibida por el modelo de educación general de los 50 había sido "muy defectuosa".

---

72. *Ibídem*, p. 317.

73. *Ibídem*, pp. 319, 323, 325-326.

74. Véase T.R. McConnell, "General Education: An Analysis", en Nelson B. Henry, ed., *General Education: The Fifty-First Yearbook of the National Society for the Study of Education*, Part I (Chicago: University of Chicago Press, 1952), pp. 4-13; Horace T. Morse, "Liberal and General Education: A Problem of Differentiation", en James G. Rice, ed., *General Education: Current Ideas and Concerns* (Washington, D.C.: Association for Higher Education, National Education Association, 1964), pp. 7-12; y Morse, "Liberal and General Edution: Partisans or Partners?", en *Junior College Journal*, 24 (marzo de 1954), pp. 395-399.

Además de encontrarse restringido con una mentalidad cerrada solamente a la sociedad occidental y los grupos étnicos y socioeconómicos dominantes, el plan de estudios típico, declaró en la edición de otoño de 1980 de *Liberal Education*, se centralizaba predominantemente en la cuestión de las disciplinas diferentes, mientras se le daba poco o casi ningún lugar a las relaciones entre los cuerpos de conocimiento. Riley consideraba que ese modelo fomentaba la pasividad y dependencia del estudiante en vez de ofrecer oportunidades para que los individuos que aprenden adquiriesen independencia intelectual y que actuasen como aprendices activos.

Además, según Riley, el curso introductorio típico, que podía satisfacer los requisitos de distribución, tenía la tendencia de reprimir el interés del estudiante en vez de estimular la excitación intelectual. "Considero apropiado [observó Riley], que con frecuencia nos referimos a aquellos cursos introductorios como suministradores de 'una exposición' a las diferentes disciplinas. En realidad, 'exponen' los estudiantes a las disciplinas. como la vacunación contra la viruela expone un niño a la enfermedad: uno se 'cura para la vida', en el caso de la vacuna, de la enfermedad y en el primer caso de cualquier interés posible en la materia."[75]

400

Al igual que en los 30, cuando la Depresión renovó con rapidez la preocupación por la utilidad práctica y el plan de estudios vocacional, otra crisis dramática, esta vez simbolizada por el Sputnik, lentificó el segundo resurgimiento de la educación general a fines de los 50. Con el lanzamiento del primer satélite artificial de la Unión Soviética en 1957, los norteamericanos cayeron en un estado cercano al pánico. El desplazamiento de la preocupación por los valores individuales hacia los corporativos, de la preocupación por las actitudes personales hacia las destrezas sociales e intelectuales en una sociedad más amplia, que ya se encontraban en marcha a principios de la década, ahora se acentuaba fuertemente. A medida que los años 50 terminaban, la tendencia se manifestaba hacia la evaluación de la educación en todos los niveles por su contribución potencial a las necesidades y políticas nacionales y menos por su capacidad de satisfacer las necesidades individuales. Mientras aumentaba la preocupación ante la posibilidad de que Estados Unidos se quedará atrás de los soviéticos en la "carrera espacial", la medida oficial para juzgar la educación era su posible utilidad en el ámbito político o militar. Para algunos críticos, la educación general era un lujo que la Nación ya no podía darse.

75. Gresham Riley, "The Reform of General Education", en *Liberal Education*, 66 (otoño de 1980), p. 299.

Los años de Kennedy a comienzos de los 60 reforzaron la disposición a acentuar la eficiencia y la pericia técnica.[76] La tarea por delante, declaró John W. Gardner, autor de la ampliamente discutida obra *Excellence* (1961), era extraer los talentos y las capacidades de cada ciudadano y educar a las personas para que el país pudiera retener la posición de líder mundial. "La difícil, misteriosa, delicada e importante actividad de poner a punto a toda una sociedad [declaró]", enmarca el desafío educativo urgente de la Nación.[77] Era algo ampliamente aceptado que la educación se debía doblegar a los fines nacionales si el país deseaba contrarrestar la expansión soviética y salvaguardar la propia seguridad. En el forcejeo por la competencia especializada y el profesionalismo, la anterior preocupación por la educación general, parecía ahora menos urgente, menos importante, en una época cargada de nuevos peligros y nuevas incertidumbres.

La causa de la educación general se debilitó aún más con la confusión social de los 60, cuando se desató una reacción contra la eficiencia social y el uso de la educación como un instrumento de la política nacional. Daniel Bell de la Universidad de Columbia, en una obra de 1966 titulada *The Reforming of General Education* (*La reforma de la educación general*), llevó a cabo uno de los intentos más importantes por volver a examinar el significado de la educación general en medio de la confusión generalizada de la época.[78] Según su opinión, era necesario centralizarse en "los modos de conceptualización, explicación y verificación del conocimiento" mientras al mismo tiempo se buscaba una forma "de dar al estudiante una sinopsis del conocimiento relevante como un todo intelectual".[79] Para lograr este objetivo dual y a veces paradójico de la "conceptualización" y la "coherencia" se necesitaría una mejor comprensión de cómo se adquiere el conocimiento en las diferentes categorías de disciplinas. En las ciencias y la matemática, la adquisición del conocimiento es, principalmente, secuencial y se construye de manera lineal. El conocimiento en las humanidades es "concéntrico", ya que unos pocos temas principales reaparecen y se reciclan a sí mismos en forma continua (la naturaleza de la tragedia, el amor, el autodescubrimiento y demás). En las ciencias sociales, el conocimiento o la comprensión se adquieren por la vinculación de

401

---

76. Robert E. Mason, *Contemporary Educational Theory* (Nueva York: David McKay, 1972), p. 138 y ss.

77. John W. Gardner, *Excellence* (Nueva York: Harper and Row, 1961), p. XIV.

78. Daniel Bell, *The Reforming of General Education* (Nueva York: Columbia University Press, 1966).

79. *Ibídem*, pp. 8, 68.

un fenómeno con otro en el entorno o contexto apropiado.[80]

Basado en estas suposiciones epistemológicas, Bell recomendaba un plan de estudios para el *college* fundado en el "origen general de la información, seguido por "la capacitación en una disciplina" y cubierto por "la aplicación de esta disciplina a una cantidad de asignaturas relevantes".[81] Bell consideraba que la clave de la coherencia residía en un esquema en el cual el primer año del programa de grado estuviera dedicado a adquirir los conocimientos básicos e históricos necesarios, el segundo y el tercer año dedicados a la capacitación en una disciplina y el cuarto año ocupado en una combinación de trabajo de seminario en la disciplina principal y cursos sinópticos (un nivel "de tercer escalón") que daría al estudiante un sentido de cómo su disciplina principal puede aplicarse a problemas específicos y cómo se relaciona con otros campos del conocimiento. Bell negaba que tenía en mente un conjunto de cursos "interdisciplinarios" o de investigación o cursos del tipo de los llamados de "grandes temas". En la secuencia que él proponía, la fase final establecería la consolidación del conocimiento adquirido con anterioridad y lo colocaría en un contexto superior apropiado, mostrando las posibles conexiones y aplicaciones.[82]

Algunos otros, además de Bell, luchaban con el interrogante de qué podía significar la educación general en la sociedad contemporánea. En una conferencia de 5 días de duración sobre humanidades patrocinada en 1966 por la Universidad de Chicago en cumplimiento de su aniversario número 75, cerca de una docena de conferenciantes se reunió para deliberar sobre el interrogante que primero formuló Herbert Spencer en el siglo XIX: "¿Cuál es el conocimiento de mayor valor?" Después de esa reunión se publicaron una serie de ponencias al año siguiente bajo el título *The Knowledge Most Worth Having (El conocimiento que más vale poseer)*.[83] Durante el curso de las discusiones, el filósofo Richard McKeon aportó cuatro distinciones de utilidad sobre las formas en que la educación puede considerarse "general". Desde su punto de vista, puede connotar la enseñanza común compartida por todos; lo que el plan de estudios prescrito tradicional intentó suministrar. En

402

---

80. *Ibídem*, p. 141.

81. *Ibídem*, p. 166.

82. Véase también Daniel Bell, "A Second Look at General Education", en *Seminar Reports*, I (7 de diciembre de 1973), p. 4; y Bell, "The Reform of General Education", en Robert A. Goldwin, ed., *Education and Modern Democracy* (Chicago: Rand McNally, 1967), p. 103.

83. Wayne C. Booth, ed., *The Knowledge Most Worth Having* (Chicago: University of Chicago Press, 1976).

segundo lugar, puede construirse como la búsqueda de principios o estructuras que subyacen en todo conocimiento; lo que los promotores de la "unidad" epistémica y la "integración" curricular una vez buscaron en la teología o la metafísica y ahora buscan en los sustitutos modernos. En tercer lugar, según McKeon, puede considerarse la educación como la búsqueda del aprendizaje de lo apropiado para toda la experiencia humana, sin importar si se adquiere mediante libros o con la experiencia práctica. Para finalizar, se la puede entender como la búsqueda del aprendizaje derivado de, o aplicable a, todas las culturas.[84] Las distinciones de McKeon surgieron en repetidas oportunidades durante la conferencia. Aunque la reunión concluyó con el acuerdo sobre las metas básicas y los resultados de la educación general, el acuerdo de cómo organizar un plan de estudios para alcanzarlos, resultó tan escurridizo como siempre. Mientras tanto, sin embargo, otros acontecimientos en los *campus* comenzaron a eclipsar las discusiones académicas sobre cómo preservar la educación general en el mundo moderno.

El activismo y el disentimiento estudiantiles   403

Los observadores de la escena de los *colleges* norteamericanos a fines de los años 50 y comienzos de los 60 se maravillaban de la aparente tranquilidad de la situación. Había poco de la excitación o conmoción de la Edad del Jazz o del activismo de la época de la Depresión. Del mismo modo, una relativa quietud prevalecía en los *campus* de la Nación, salpicada en ocasiones por las "bromas para robar medias de las muchachas" y otros rituales postadolescentes de carácter similar. No se oían muchas discusiones puesto que todos asumían que no había mucho que discutir. Los profesores hallaban a los estudiantes de los *colleges* aletargados, pasivos, sumisos y apáticos. Parecían carecer de "grandes ideas", decía la queja común. Se trataba de una época —o así se la consideraba— donde el ámbito universitario se hundió en la inactividad intelectual y cultural.

Comparando a los estudiantes apáticos de los 50 con los estudiantes de una época anterior, los comentaristas recordaban los incidentes en que los estudiantes del siglo XIX causaron disturbios por los alimentos en mal estado, el alojamiento inadecuado y las reglas demasiado estrictas. A comienzos

---

84. Richard McKeon, "The Battle of the Books", en Booth, p. 183 y ss.

del siglo XX, como se advirtió con anterioridad, los estudiantes marchaban protestando contra el rearme y la participación del país en la Primera Guerra Mundial. En los años 20 y 30, los estudiantes expresaron con firmeza sus puntos de vista sobre la inmigración, la libertad de expresión o la Corte Internacional.[85] No obstante, después de la Segunda Guerra Mundial, cuando los veteranos que regresaban inundaron los *campus*, el clima cambió. Estos estudiantes de mayor edad y más maduros, concentrados en los estudios y en obtener empleo, tenían poco tiempo para las actividades sociales externas. Durante los 50 continuó la misma tendencia. Existía una crítica silenciada de la segregación racial y se realizaban protestas esporádicas en contra de la intensificación de la carrera armamentista internacional. La oposición a las pruebas atmosféricas de las armas nucleares fue otra causa que inspiró a una cantidad relativamente menor de estudiantes a unirse en campañas de peticiones, marchas y reuniones (hasta que mediante un tratado internacional todas las pruebas de las potencias se realizaron en forma subterránea, por lo que decreció el interés). La agitación anticomunista del senador McCarthy de Wisconsin y la nefasta persecución de disidentes del Comité de Actividades Antiamericanas desató, del mismo modo, la ira de los estudiantes. Pero éstos por regla general eran la excepción que confirma la regla. En conjunto, se advertía en ese entonces, era típico que los estudiantes de *colleges* permanecieran tranquilos y casi sin participar en las cuestiones sociales mayores. Se trataba, según los expertos, de una "generación silenciosa".

404

Cuando comenzaron los 60, la disposición de la Nación parecía casi eufórica. Se acababa de elegir a un nuevo presidente joven, brillante y carismático. Un fuerte idealismo rondaba en el aire, un sentimiento de compromiso muy diferente en espíritu de la aparente apatía y conformismo característicos de los años 50. Con una "nueva frontera" en la mano, los norteamericanos miraban hacia el futuro con confianza y un optimismo renovado. Unos escasos 3 años después, la explosión entrecortada de un disparo en Dallas llevó el sueño a su fin de manera abrupta. El enérgico optimismo, de repente, se convirtió en duda. Antes de que terminara la década, el sentimiento general se transformó en una profunda desilusión. Pocos hubieran podido prever la serie de traumas en que el país se sumergiría durante los siguientes años y que sacudiría sus cimientos.

---

85. Refiérase a Philip G. Altbach, *Student Politics in America: A Historical Analysis* (Nueva York: McGraw-Hill, 1974); y Seymor M. Lipset, *Rebellion in the University: A History of Student Activism in America* (Londres: Routledge & Kegan Paul, 1972).

El primer temblor sísmico ocurrió cuando los líderes de los 19 millones de personas de color de la Nación dieron a conocer que ya no tolerarían más la humillación y la discriminación que sufrían desde la Emancipación. Privados del derecho a votar por los impuestos de capitación y pruebas de alfabetismo inventadas, consignados a alojamientos segregados y aislados en instituciones que los preparaban, con demasiada frecuencia, solo para empleos poco importantes, las personas de color ahora estaban resueltas a ganarse los derechos civiles básicos que les correspondían de acuerdo a la Constitución y que hacía tanto tiempo que se les negaban. Lo que después evolucionó en una cruzada importante por la justicia social e igualdad de oportunidades, tuvo sus comienzos a principios del mes de febrero de 1960 cuando se les negó el servicio a cuatro estudiantes de color en una cantina Woolworth en Greensboro, North Carolina. Permanecieron sentados por el resto del día. Comenzó una manifestación pacífica.[86] La confrontación provocó una cantidad de incidentes similares en todo el Sur, seguida de piquetes por afinidad en las tiendas pertenecientes a la misma cadena en el Norte. El 17 de febrero, el Congress for Racial Equality [Congreso por la igualdad racial, CORE] presentó su apoyo a las manifestaciones pacíficas. El movimiento continuó ganando fuerzas a partir de un boicot económico exitoso realizado en Montgomery, Alabama. A estas, sucedieron otras muchas protestas. Al principio se trataba de una gran cantidad, después de cientos y, al final, eran miles que se unieron a las marchas y las protestas que comenzaron a esparcirse por todo el país.

En el Norte, los estudiantes de los *colleges* circulaban peticiones, solicitaban fondos y se unían a piquetes. Cientos de personas, negros y blancos por igual, se lanzaron bajo un considerable riesgo personal como "jinetes de la libertad" para apoyar el trabajo de los activistas de los derechos civiles en el sur. Allí se encontraron con agresiones, mangueras de bomberos, perros policías, abucheos y multitudes enfadadas. En una cuestión de meses, la cruzada por los derechos civiles se hacía sentir en los *campus* de los *colleges* de todo el país. Se llevaron a cabo más reuniones y recaudaciones de fondos y protestas. Los estudiantes que una vez fueron silenciosos, al menos muchos de ellos, se levantaron de la indiferencia y tomaron la causa de la igualdad racial.

405

86. El 2 de febrero de 1960 el *New York Times* informaba: "un grupo bien vestido de estudiantes negros de *college* permanecieron hoy en una manifestación pacífica en un local céntrico de Woolworth y declaraban que iban a continuar hasta que se les sirviera a los negros en el comedor". Los estudiantes fueron citados declarando: "creemos que, debido a que compramos libros y papeles en la otra parte del local, nos deberían servir en esta parte". Véase W.H. Cowley y Don Williams, *International and Historical Roots of American Higher Education* (Nueva York: Garland Publishing, 1991), p. 194.

Al mismo tiempo, Estados Unidos se estaba involucrando poco a poco en una guerra civil encarnizada a medio mundo de distancia. Había comenzado como un esfuerzo en pequeña escala para "contener" la agresión comunista en el sudeste asiático y ahora se había expandido hasta un punto en que la participación militar no decisiva amenazaba con una debacle importante. El público norteamericano se encontraba desanimado y cada vez más confundido a medida que el compromiso de la Nación aumentaba, en cada paso hundiendo al país de manera inexorable. Los costos y las bajas alcanzaron una cifra alarmante. Se desataron protestas contra la guerra en diferentes partes del país. El conflicto todavía continuaba y parecía que no tenía propósito o resolución. La idea del fracaso era impensable. No obstante, la victoria militar permaneció tan evasiva como siempre. Una y otra vez, el sector oficial ofrecía garantías insípidas sobre que el final estaba a la vista. Pero, los escépticos creían lo contrario y sus dudas fueron contagiosas. En 1965, las fuerzas norteamericanas comenzaron a bombardear el norte de Vietnam, lo que produjo otra ronda de protestas internas. A fines de los 60, cuando todavía no se había alcanzado la paz, el sentimiento contra la guerra había aumentado sus fuerzas. Las manifestaciones pacíficas, la resistencia pública al llamamiento a filas y el disenso de la juventud cada vez mayor amenazaban con quebrar la Nación.

Una causa social interactuaba con otra en forma sinérgica aumentando el frenesí y en el proceso muchos jóvenes norteamericanos se radicalizaron. Cada vez más los *campus* eran escenarios de una ferviente actividad, los estudiantes marchaban, realizaban protestas, organizaban reuniones y preparaban demandas. En Berkeley, el tema era la libertad de palabra. El 16 de septiembre de 1964, los funcionarios anunciaron que una franja de tierra perteneciente a la universidad que hacía bastante tiempo que era utilizada por grupos políticos ajenos a la universidad como un lugar conveniente para solicitar apoyo y distribuir literatura, ahora se declaraba prohibida. Las protestas se elevaron. Hubo vigilias de toda la noche, marchas y piquetes en la oficina del presidente. Los funcionarios de la universidad no se inmutaron. El 1º de octubre se arrestó a alguien que no era estudiante y que había solicitado fondos para el Congress for Racial Equality (Congreso por la igualdad racial, CORE). Las protestas de los estudiantes se produjeron con mayor vigor y militancia. Durante el curso de los siguientes tres meses, los funcionarios universitarios dudaban entre ofrecer concesiones a las demandas de los estudiantes y emitir las propias. Se imponían penalidades draconianas, luego se las anulaban; se ofrecían concesiones y, luego, se las retiraba con rapidez. El sentimiento de malestar en el *campus* crecía por momentos. Se suspendía a los estudiantes, entre los cuales estaba un joven estudiante de posgrado llamado Mario Savio que había surgido como líder de facto no oficial de lo que ahora se apodaba el Berkeley Free Speech Movement (Movimiento por la libertad de expresión de Berkeley). Se llamó a un paro de los profesores y estudiantes y los manifestantes comenzaron a involucrarse en actos intencionados de desobediencia civil a una escala sin precedentes.[87]

La protesta en Berkeley dio lugar a confrontaciones y manifestaciones análogas sobre la libertad de expresión, así como también sobre otros temas en los *colleges* y la universidades de costa a costa.[88] Un grupo de protesta, el Students for a Democratic Society [Estudiantes para una sociedad democrática] o SDS se expandió con rapidez como una organización nacional poderosa ofreciendo su apoyo y aliento a los estudiantes manifestantes en todas partes.[89] Los jóvenes no confiaban en el sistema político y dudaban si era posible el cambio dentro del marco de políticas y derechos usuales. El asesinato del líder de color Malcolm X, los asesinatos posteriores de Martin Luther King, Jr. y Robert Kennedy, los disturbios de Watts que se desataron en el gran Los Ángeles y el bombardeo en el norte de Vietnam, todos dieron indicio de mayor enfado, confirmando frente a muchos su convicción de que el mundo se encontraba fuera de sí. En forma simultánea, sumándose al caos general, se produjo el surgimiento de un movimiento separatista fuerte entre las personas de color. El poder de las personas de color se simbolizó en la expulsión de los simpatizantes blancos de una organización de derechos civiles y movimiento conducido por Stokely Carmichael y con la elevación al primer plano nacional de ardientes defensores del orgullo y el poder de las personas de raza negra como Huey Newton y Bobby Seale.

407

En abril de 1968, los estudiantes de color tomaron el edificio administrativo de la Universidad de Columbia.[90] La protesta se dirigía en parte en contra de la reubicación propuesta por la universidad de las residencias de las personas de

87. Véanse Nathan Glazer, "'Student Power' in Berkeley", en Daniel Bell y Irving Kristol, *Confrontation: The Student Rebellion and the Universities* (Nueva York: Basic Books, 1969), pp. 3-21; y Alexander W. Astin *et al.*, *The Power of Protest* (San Francisco: Jossey-Bass, 1975), pp. 20-22.

88. Véase, por ejemplo, Nathan Tarcov, "Four Crucial Years at Cornell", en Glazer, *Op. cit.*, pp. 128-144; y "Three Sample Protests", en Astin, *Op. cit.*, pp. 88-144.

89. Sale Kirkpatrick, *SDS* (Nueva York: Random House, 1973).

90. Para una cronología de los acontecimientos y una interpretación, véanse Bell, "Columbia and the New Left", y Roger Starr, "The Case of the Columbia Gym", en Glazer, *Op. cit.*, pp. 67-127.

color de un gueto del que era propietaria cerca del límite del *campus*. La idea era limpiar el lugar para la construcción de un nuevo gimnasio. En el tumulto resultante, muchos quedaron heridos y muchos más detenidos. Se suspendieron las clases. La violencia se desataba en forma repetida entre los estudiantes y los oficiales encargados de hacer cumplir la ley que acudían para sofocar el disturbio. No fue hasta febrero de 1969 que Columbia anunció la suspensión indefinida del plan de construcción.[91]

La Guerra de Vietnam eclipsó todo lo demás y los estudiantes disidentes se tornaron más indisciplinados y combativos que nunca. A medida que avanzaba la década, la violencia en todos los sectores aumentaba, tanto en escala como en frecuencia. Los actos de terrorismo y las amenazas de bombas eran casi un acontecer común. Los separatistas de color y los manifestantes contra la guerra emitieron demandas "no negociables". Los profesores sospechaban que los estudiantes que no apoyaban a los disidentes eran objeto de humillación e intimidación. Los administradores estaban calificados como racistas y traidores cuando se resistían. Ocurrieron graves confrontaciones raciales en la Universidad Estatal de San Francisco, Northwestern y Cornell. Los separatistas de color pedían en voz alta más estudiantes y profesores de color, admisiones especiales para las personas de color y programas de estudios autónomos para ellos.[92] Los objetivos de los estudiantes se expandieron, ahora abarcaban no la guerra, el servicio militar obligatorio o el racismo sino también temas que incluían el gobierno de los estudiantes, contratos de defensa del gobierno y el reclutamiento militar en los *campus*. Algunas veces las controversias encendían los ánimos sobre cuestiones mucho más allá del control de las instituciones académicas; otras veces el debate se ajustaba a los *colleges* y las universidades ya que los supuestos instrumentos sobre los que ahora se rebelaban los estudiantes manifestantes eran parte de un sistema injusto e irremediablemente corrupto.[93]

---

91. Scranton Commission, *Report of the President's Commission on Campus Unrest* (Washington, D.C.: United States Government Printing Office, 1970), p. 36.

92. Por ejemplo, véanse John H. Bunzel, "Black Studies at San Francisco State", en Glazer, pp. 22-44; y "Overview of the Unrest", en Astin, pp. 22-24.

93. La agitación en el campus provocó un asombroso cuerpo de literatura dentro de un período de tiempo muy corto. Véanse Jacquelyn Estrada, ed., *The University Under Siege* (Los Ángeles. Nash Publishing, 1971); Helen Lefkowitz Horowitz, *Campus Life: Undergraduate Cultures From the End of the Eighteenth Century to the Present* (Nueva York: Alfred A. Knopf, 1987), pp. 22-244; Julian Foster y Durward Long, *Protest!: Student Activism in America* (Nueva York: William Morrow, 1970); Donald E. Phillips, *Student Protest, 1960-1969: An Analysis of the Issues and Speeches* (Washington, D.C.: University Press of America, 1980); Jack D. Douglas, *Youth in Turmoil* (Chevy Chase, Md.: National Institute of Mental Health, 1970); ▶

El presidente Edward J. Bloustein de Rutgers en un discurso pronunciado en mayo de 1968 (reimpreso en *La universidad y la contracultura*, 1972), intentó encontrarle el sentido al caos. "Demasiados de nuestros líderes académicos han confundido la verdadera naturaleza de la rebelión estudiantil. Están confundidos porque en momentos diferentes parece que se dirigen a unas u otras facetas diferentes de la vida del *college*, relativamente insignificantes o incluso cuando son significantes, relativamente aisladas. Primero es la libertad de expresión en el *campus*, después las horas de visita en las habitaciones estudiantiles, luego las admisiones y las becas para los estudiantes de color, posteriormente, el reclutamiento de los estudiantes por las industrias bélicas, la construcción de un gimnasio en un barrio pobre urbano, luego la relación contractual entre la universidad y una corporación de investigación de defensa [declaraba Bloustein]". Este análisis relacionaba fenómenos en apariencia dispares que remontaban a un único tema. "La conexión entre estas incursiones aparentemente aisladas es que todas representan una prueba al proceso de decisión académico; todas desafían la legitimidad del aparato constitucional del *college* o la universidad". Su conclusión: "los estudiantes activistas escogieron desafiar [...] sobre cuestiones que van a poner a prueba a la jerarquía académica".[94]

409

A medida que la incidencia y la intensidad de las protestas se extendía desde un pequeño número de instituciones prestigiosas, muy selectivas a otros *colleges* y universidades públicos y privados, a medida que la violencia aumentaba y los disturbios eran cada vez mayores, a medida que la retórica de los estudiantes se tornaba aún más provocadora, la alarma pública y la hostilidad aumentaban. Los relatos muy sensacionalistas de cada nuevo incidente aparecían en los periódicos, en las revistas y en los noticiarios de la noche de la televisión avivando las llamas del descontento. El punto culminante tuvo lugar en el verano de 1968 con una confrontación masiva sangrienta en la

▶Donald L. Rogan, *Campus Apocalypse: The Student Search Today* (Nueva York: Seabury Press, 1969); Donald Jr. Light y John Spiegel, *The Dynamics of University Protest* (Chicago: Nelson-Hall, 1977); John R. Searle, *The Campus War* (Nueva York: World Publishing, 1971); Art Seidenbaum, *Confrontation on Campus: Student Challenge in California* (Los Ángeles: Ward Ritche Press, 1969); Seymour M. Lipset y Philip Altbach, *Students in Revolt* (Boston: Houghton Mifflin, 1969); Glazer, *Remembering the Answers: Essays On the American Studen Revolt* (Nueva York: Basic Books, 1970); William McGill, *The Year of the Monkey: Revolt on Campus, 1968-1969* (Nueva York: McGraw-Hill, 1982; David Westby, *The Student Movement in the United States During 1960s* (Lewisburg, Penn.: Bucknell University Press, 1976).

94. Edward J. Bloustein, *The University and the Counterculture* (New Brunswick, N.J.: Rutgers University Press, 1972), p. 59.

Convención Democrática Nacional en Chicago, donde jóvenes manifestantes de cabellos largos lucharon batallas campales en las calles. Gritando lemas contra la guerra y lanzando insultos a la policía, los revolucionarios con estilo propio atacaron las barricadas todas las veces que pudieron. Para los espectadores, parecía que el mundo se había vuelto loco. Ya no era posible desestimar la protesta de los estudiantes como el producto de la efusividad juvenil: había demasiada violencia. Tampoco ya no era posible culpar de la agitación a un puñado de radicales extremos carentes de grandes bases de apoyo; las calles se encontraban atestadas. Tampoco podía culparse del desajuste y del malestar a unas pocas personas de color descontentas; los disidentes eran miles y venían en todos los colores.

Especialmente desconcertante para muchos fue el surgimiento de una contracultura juvenil en completo desacuerdo con los valores tradicionales de la clase media. La mayoría de los renegados, advertían los observadores, eran productos de la "Norteamérica de clase media" que tanto menospreciaban o, al menos, profesaban rechazar, un mundo de seguridad económica y respeto social. No obstante, por primera vez en la memoria reciente, los estudiantes de los *colleges* —o un segmento ruidoso de ellos, en todo caso— estaban en abierta rebelión contra a la ética tradicional del trabajo duro, el estatus social y la competencia por el éxito material. Rechazaban con burla y desdén todas las verdades establecidas del pasado y optaban, en cambio, por una ética mal definida del individualismo radical y ensimismamiento. Se trataba, temían algunos, de anarquistas y bárbaros sueltos en medio de lo que hasta el momento había sido un orden social tecnocrático bien organizado.[95]

El contagio se transmitió, de *college* a *college*, de universidad a universidad. Los padres apenas reconocían a sus vástagos. Los jóvenes varones usaban el cabello con un largo indecente. Las jóvenes mujeres ostentaban de manera pública su sexualidad o simplemente la ocultaban totalmente. Vestidos con andrajosos trajes de faena, pantalones holgados y faldas hasta los tobillos, se arreglaban con cuentas y pintura luminosa. Algunos eran definitivamente apolíticos. Al igual que muchos otros se involucraban de manera profunda en las protestas. Y se encontraban en todas partes, no solo en sectores marginados al nivel cultural en la East Village de Nueva York o la sección Haight-Ashbury de San Francisco, mecas de larga data de los *hippies* y variados pacifistas. Se hallaban en Madison y Bloomington, en New Haven y Cambridge, en los *campus* de todo el país.

95. Véase Samuel Lubell, "That 'Generation Gap'", en Bell y Kristol, *Op. cit.*, pp. 58-66.

Lo que resultaba incomprensible para muchos era que parecía que los jóvenes radicales habían dado la espalda en forma deliberada a la civilización moderna. Igual de preocupantes eran las prédicas de los gurúes, con sus extraños credos de paz y protesta, de armonía y confrontación, de amor y odio, de tolerancia confesa combinada con la intolerancia más atroz. La música de la contracultura era rock pesado ácido; el arte era psicodélico; la diversión eran drogas y sexo; y la religión era la conformidad al inconformismo. Los estudiantes —o, más bien, la minoría en abierta rebelión— eran un enigma y un desafío frontal directo a casi todo lo que los tradicionalistas apreciaban.

El presidente Bloustein, una vez más, captó perfectamente las aparentes contradicciones de la nueva generación. En un discurso pronunciado en agosto de 1971 en Cleveland advirtió: "Ellos profesan la individualidad, pero ejemplifican la conformidad en su apego a sus propios estilos en los arreglos del cabello y los códigos de vestimenta. Profesan el humanismo, pero tienden a degradar la razón, la cualidad que nos hace humanos [...] Celebran la conciencia, pero la paralizan con drogas. Evitan nuestra tecnología, pero, se deleitan con las motocicletas, la música electrónica, las grabaciones, la televisión y la tecnología vanguardista. Miran por encima del hombro a la riqueza y la propiedad, pero viven [...] de la pensión de los padres. Profesan amar a todos los seres humanos, pero, muchos de ellos roban o se engañan unos a otros y a nosotros. Buscan la paz universal, pero, con frecuencia utilizan o aplauden la violencia al servicio de sus fines. Pretenden ser humildes, pero, se muestran arrogantes y se comportan como fariseos con quienes no están de acuerdo con ellos. Desean la libertad para expresarse, pero, niegan con frecuencia ese derecho a aquéllos a quienes se oponen violentamente".[96] Y, para finalizar, le recordó a la audiencia que se trataba de sus propios hijos.

El 30 de abril de 1970, la administración Nixon anunció la invasión norteamericana a Camboya. En pocas horas, se desataron protestas esporádicas y huelgas de estudiantes en una docena o más de *colleges* y universidades, entre ellas en la Universidad Estatal de Kent en Ohio. Los acontecimientos consiguientes presagiaron que se preparaba una tragedia. Hasta ese momento, el *campus* de Kent State había estado relativamente libre de disturbios o trastornos importantes. Al anuncio del presidente realizado el jueves le siguió al día siguiente una reunión pacífica contra la guerra. Durante la tarde del viernes y el fin de semana, no obstante, bandas errantes de estudiantes rompieron las

411

96. Bloustein, *Op. cit.*, p. 95

vidrieras de locales comerciales y se involucraron en actos de vandalismo al azar. El sábado, incendiaron el edificio del Reserve Officers' Training Corps [Cuerpo de Entrenamiento de Oficiales de Reserva, ROTC] de la universidad. El alcalde de la ciudad declaró un estado de emergencia civil; y el domingo, el gobernador del Estado respondió enviando contingentes de la Guardia Nacional.

Poco después del mediodía del lunes 4 de mayo, los hombres de la guardia recibieron abucheos, obscenidades, piedras lanzados por una gran multitud de estudiantes furiosos reunidos cerca de un sector abierto en el medio del *campus*. Los informes de los testigos presenciales y los relatos oficiales difieren en lo que sucedió después. Parece que los guardias, temiendo por su seguridad, soltaron un total de al menos 61 disparos. Cuatro estudiantes murieron y otros quedaron heridos. El país se encontraba en estado de *shock*.[97] Una vez más, 10 días después, en la Jackson State con mayoría de personas de color, multitudes errantes de estudiantes arrojaron piedras, incendiaron basureros y confrontaron con enfado a los oficiales encargados de hacer cumplir la ley que habían sido enviados a restablecer el orden. En la tarde del 14 de mayo, una descarga de cerca de 150 disparos se esparció sobre la fachada del Alexander Hall, una residencia de mujeres. El resultado fue dos estudiantes muertas y una docena de otras heridas. Más tarde, ese mismo verano, la violencia fatal surgió otra vez, esta vez fue en el *campus* de la Universidad de Wisconsin, donde destrozaron con una bomba un edificio que supuestamente albergaba investigación relacionada con la defensa. Una persona murió, cuatro resultaron heridas.[98]

Buscando a tientas las explicaciones a la violencia, diferentes comisiones y paneles de búsqueda de la verdad comenzaron a elaborar informes. Una "Comisión sobre las Causas y Prevención de la Violencia" dedicó todo un capítulo a la política del malestar y disenso de los estudiantes. La Comisión Presidencial de 1970 sobre el Malestar en el *Campus*, dirigida por el ex gobernador William Scranton de Pennsylvania, presentó sus propias opiniones y recomendaciones. Con una actitud menos conciliadora que la que demostró la comisión que había designado para investigar, el presidente Nixon desestimó a los radicales del *campus* como "holgazanes". El vicepresidente, Spiro

---

97. Richard E. Peterson y John A. Bilorusky, *May, 1970: The Campus Aftermath of Cambodia and Kent State* (Berkeley: Carnegie Commission on Higher Education, 1971); y Scott Bills, ed., *Kent State, May 4: Echoes through a Decade* (Kenti, Ohio: Kent State University Press, 1982).

98. Astin, *Op. cit.*, pp. 34-35.

Agnew, fue aún menos benévolo, ridiculizando a los estudiantes activistas como "un conjunto de cuerpos débiles de insolentes *snobs*". Pero, si la violencia en los *campus* no terminaba pronto y si la respuesta a ella era poco estricta o demasiado severa o indiscriminada, afirmaban algunos editorialistas, existía el peligro de que la gran mayoría de los estudiantes moderados pudieran verse arrojados a los brazos de los revolucionarios resueltos a destruir la fábrica de la educación superior. Un editorial del 8 de junio de 1969 del *New York Times* expresó: "si se quiere evitar un daño duradero a la independencia de las universidades, si se debe redirigir la atención de la sociedad a los problemas más grandes y más serios, la violencia tiene que cesar y tiene que regresar la tranquilidad a los *campus*".

Las predicciones apocalípticas abundaban. Algunos imaginaban que si el malestar en el *campus* continuaba, el profesorado podía tener la tentación de retirarse al exilio y abandonar los *colleges* y las universidades por institutos de investigación u otras carreras. Los estudiantes emularían a sus maestros y partirían a "contra universidades" improvisadas, dirigidas por estudiantes, "libres" o independientes. Por otra parte, algunos críticos advertían acerca de la sobreactuación, declarando que las tácticas de la "policía estatal" por parte del sector oficial podían servir para avivar las pasiones. La confusión reinaba en todas partes.

413

Del sector de la izquierda radical provenían demandas para el desmantelamiento total del "Sistema" y la corriente principal de la cultura burguesa. La retórica radical alcanzó proporciones impresionantes. Los llamados eran para nuevas formas de educación, para alternativas a las costumbres tradicionales, para una enseñanza más relevante a escala social. Los promotores de la reforma adquirieron prominencia nacional bastante rápido por su denuncia militante de las universidades como instrumentos de represión y alienación. Los mismos temas se reciclaban en forma repetida. Protestando contra el materialismo norteamericano, el racismo, la injusticia social y económica, las desigualdades, el favoritismo de clase, contra la deshumanización y la opresión cultural, los estudiantes críticos de la educación y sus profesores aliados buscaban mayor diversidad, pluralismo y libertad individual. La enseñanza liberal, si es que se la mencionaba, era denunciada como elitista, antidemocrática, asociada con la clase y desigual. La "relevancia" social ahora era el único criterio por el cual se debía juzgar a la enseñanza; es decir, la educación capaz de suministrar el poder para resolver las necesidades más inmediatas de la sociedad.

Desconcertados, preocupados, algunas veces, enfadados, con frecuencia, traumatizados por los jóvenes llevados por sus emociones, los funcionarios de los *colleges* y las universidades no se sentían seguros de cómo responder. ¿Se trataba de jóvenes precursores revolucionarios de una nueva era que se aproximaba? O, ¿se trataba simplemente de estudiantes con problemas sin tener a nadie a quien culpar? Numerosos observadores se encontraban desconcertados, en especial cuando simpatizaban con los objetivos reformistas de los estudiantes sin compartir necesariamente sus demandas curriculares específicas. Las reacciones oficiales reflejaban esa ambivalencia. Más de un comentarista, más tarde, concluyó en tono de remordimiento que la eliminación de los requerimientos de distribución y los cursos que con frecuencia se efectuaba fue mecánica y promulgada sin demasiada consideración a las posibles consecuencias. Robert Blackburn y sus adjuntos, en una investigación de las reformas educativas patrocinada por el Carnegie Council, entre 1967 y 1974, citaron el caso de una institución donde la prolongada tensión del profesorado (exacerbada por el descubrimiento de una agente del FBI que agitaba a los estudiantes para que quemaran el edificio de ROTC) se alivió con una reunión del profesorado no planificada, surgida al calor del momento, en la cual se eliminaron al instante todos los requisitos curriculares. Blackburn y sus colegas concluyeron que el cambio curricular importante rara vez se encontraba acompañado por una consideración del profesorado sobre los grandes fines de la educación de los *colleges* o juicios sobre cuáles eran los conocimientos que más valía la pena poseer. En cambio, con demasiada frecuencia, los cambios se enmarcaban por las exigencias del momento y por la actuación política inmediata.[99]

414

Las pesadillas del genocidio académico comenzaron a desvanecerse, casi sin esperarlo, a medida que transcurrían los 70. En 1971, se estimó que hubo mil incidentes de diferentes magnitudes en los *campus* de los *colleges*. Doce meses más tarde, la frecuencia de las protestas y disturbios en los *campus* disminuyó a la mitad. A mediados de la década, el malestar había cesado virtualmente.[100] Algunos comentaristas hallaron la tranquilidad repentina nada menos que "espeluznante".[101] La guerra que se apagaba, el final de los llamamientos a las filas, un descenso económico grave [...] es probable que

99. El texto completo del informe se ofrece en Blackburn.

100. Véase Horowitz, *Op. cit.*, pp. 245-262.

101. Astin, *Op. cit.*, p. 35.

cada uno haya contribuido a su manera para retornar a la "normalidad". Cualesquiera que fueran los factores responsables, en comparación con lo que sucedió antes, una tranquilidad casi funeral descendió sobre los *campus*. Los estudiantes se comportaban casi como si nada hubiera sucedido. Una vez más los *colleges* y las universidades se encontraban atestados de estudiantes más interesados en trabajar hasta muy entrada la noche que en las cartillas militares, los sujetadores, o los edificios. Se trataba de una nueva generación de estudiantes, una vez más, un grupo cuyos miembros se encontraban más interesados en las notas que en las manifestaciones, ahora concentrados en los empleos después de la graduación o de obtener la admisión en una institución de posgrado. Por un tiempo, por lo menos, la era de la confrontación y la protesta, del disenso de los estudiantes y la obstrucción del *campus* había terminado. De alguna manera inexplicable la paz había retornado y se mantendría durante bastante tiempo.

415

problemas y desafíos contemporáneos

CAPÍTULO OCHO

Otra temporada de descontento: las críticas

La reconsideración de la educación general

Una vez que se vio con claridad que la confusión de la década del 60 había terminado y que la tranquilidad relativa había retornado a los *campus* de los *colleges* y las universidades de la nación, a comienzos de la década del 70 se empezaron a ver signos de que la comunidad académica norteamericana estaba dispuesta a echar una nueva mirada a la educación general. Una vez más, resurgió el entusiasmo oficial por la enseñanza liberal. Una vez más, se planteó un debate nacional seguido de una efusión de libros y artículos sobre el tema, un brote de experimentos curriculares y algunas nuevas propuestas que, en la opinión pública, personificaron al movimiento.

En el período que siguió a la Guerra de Vietnam y con el aislamiento que se extendió por el país, muchos expertos comenzaron a solicitar el desarrollo de un plan de estudios cuyo diseño fuera capaz de fomentar una perspectiva más global, una concepción más amplia de mundo. Se instaba a la creación de un nuevo aprendizaje en una época en que se hacía cada vez más evidente que el destino de la nación se encontraba ligado de manera inexorable al destino de las demás pueblos del mundo. Otros, a la luz del escándalo de Watergate de la administración de Nixon en Washington, pedían una mayor atención a la instrucción moral y la educación ética. La educación sobre el medio ambiente cobró una nueva importancia. Sobre todo, se solicitaba una especie de educación general como un antídoto al ensimismamiento narcisista supuestamente característico de la generación de estudiantes de *colleges* de los años 70. Asimismo, la enseñanza liberal era considerada como un paliativo contra el profesionalismo desenfrenado en la educación superior. En repetidas ocasiones se hicieron llamados a la enseñanza común para contrarrestar la eliminación de los requisitos generales efectuada cerca de una década antes en los años 60.[1]

Willis D. Weatherford, presidente de la Commission on Liberal Learning of the American Association of American Colleges [Comisión sobre la Enseñanza Liberal de la Asociación Norteamericana de *Colleges* Norteamericanos] de 1971 declaró: "la educación liberal contemporánea parece irrelevante a la mayoría de la población de grado y, en especial, a la clase media norteamericana. El concepto de intelecto no se ha democratizado; las humanidades están moribundas, no están relacionadas con el interés de los estudiantes y parecen encaminadas al estancamiento. La educación vocacional cerrada ha conquistado la porción mayor del interés político". Weatherford culpaba por igual al profesorado, a los estudiantes y a los funcionarios públicos. "El *college* de humanidades [declaraba], se encuentra cautivo de los miembros del profesorado que fueron educados de manera no liberal que negocian con las horas-crédito[2] y con pactos de no agresión entre sus feudos y baronías. Políticos educados en forma no liberal, que quieren un producto nacional bruto mayor sin tener en cuenta si la mentalidad y la vida de las personas que lo producen tienen o no el carácter de brutos, hacen su propia contribución negativa, al igual que la hacen los estudiantes educados de forma no liberal."[3] Como si fuera para confirmar la crítica de Weatherford, media docena de años después el Carnegie Council

---

1. Véanse B. Frank Brown, ed., *Education for Responsible Citizenship: The Report of the National Task Force on Citizenship Education* (Nueva York: McGraw-Hill, 1977); Robert A. Dahl, *After the Revolution?: Authority in a Good Society* (New Haven, Conn.: Yale University Press, 1970); Edwin O. Reischauer, *Toward the 21st Century: Education for a Changing World* (Nueva York: Vintage, 1973); National Assembly on Foreign Languages and International Studies, en *Toward Education with a Global Perspective* (Washington, D.C.: Association of American Colleges, 1981); Council on Learning, en *Task Force Statement on Education and Worldview* (Nueva York: Council on Learning, 1981); Working Group on the Successor Generation, en *The Successor Generation: Its Challenges and Responsibilities* (Washington, D.C.: Atlantic Council of the United States, 1981).

2. Una hora crédito representa por lo general una hora de clase por semana en un semestre.

3. Willis D. Weatherford, "Commission on Liberal Learning", en *Liberal Education, 57* (marzo de 1971), p. 37.

on Policy Studies in Higher Education (Consejo de Carnegie sobre Estudios de Políticas en Educación Superior) informó que entre 1967 y 1974 los requisitos de educación general, como porcentaje de los planes de estudio de grado, habían descendido en forma dramática. El consejo determinó: "en la actualidad existe muy poco consenso sobre lo que constituye una educación liberal y, a falta de opciones, se ha dejado la elección a los estudiantes". La educación general, aseguraba el informe, "ahora es un área de desastre. Ha estado a la defensiva y perdiendo terreno durante más de 100 años".[4]

Los intentos por analizar las causas del "desastre" hacían aumentar cada vez más el volumen de la literatura sobre el tema. En la década comprendida entre mediados de los años 70 y 80, la cantidad total de libros y artículos publicados que trataban estos temas registró un tremendo aumento, más del doble de la cantidad de la década anterior de 1965 a 1975. La misma tendencia continuó hasta mediados de los años 90. En todo el tiempo, sin embargo, existió una notable unidad de opinión sobre cuáles eran las fuerzas que amenazaban con destruir la sustancia de la educación general y liberal, dejando tal vez la caparazón retórica vacía. Los comentaristas coincidían en que la profesionalización de la educación en la enseñanza superior había sido un importante factor para su fragmentación y especialización. Un segundo factor desfavorable a la causa de las humanidades, fue la tendencia moderna a considerar el conocimiento como un producto, algo que podía "usarse" o "consumirse". Para finalizar, la misma organización estructural de la universidad se identificaba como uno de los culpables. Dichos alegatos se oyeron antes, por supuesto. Pero, se les otorgaba una nueva claridad y fuerza en el análisis del evidente declive de los valores educativos liberales.

419

Clark Kerr, ex presidente de la Universidad de California en Berkeley, sostuvo a principios de los años 60 que la universidad norteamericana se había convertido en una "*multiversity*" ["multiversidad"] bajo la presión de sus muchos públicos.[5] Frente a la explosión del conocimiento y las demandas cada vez mayores que sirven a las necesidades del comercio, el gobierno, la fuerza militar y otros grupos y causas, el carácter de la universidad se había transformado. Demasiado acosados como para dirigir, los administradores de las universidades se habían convertido en mediadores entre los intereses en

---

4. Carnegie Foundation for the Advancement of Teaching, en *Missions of the College Curriculum* (San Francisco: Jossey-Bass, 1977), p. 11.

5. Clark Kerr, *Uses of the University* (Nueva York: Harper and Row, 1972).

juego, tratando de equilibrar las demandas contradictorias, tratando a los estudiantes como consumidores, al conocimiento como un producto de fábrica y a la oferta de cursos como mercancías de supermercado. En la confusión, la enseñanza general iba a pasarse por alto. Para Kerr, el surgimiento de la *multiversidad* fue el resultado de la democratización radical de la educación superior y la incapacidad de los *colleges* para resistir a las presiones sociales, comerciales y gubernamentales.

El crítico Robert Paul Wolff en *The Ideal of the University* publicado en 1969, Brand Blanchard en *The Uses of a Liberal Education* de 1973 y Christopher Jencks y David Riesman en *The Academic Revolution* de 1977, coincidían en ofrecer el mismo diagnóstico. Según ellos, las universidades se habían tornado autocomplacientes, menos reflexivas sobre sus propias prácticas.[6] Privadas de cualquier visión intelectual guía, la mayoría de las instituciones de enseñanza superior se habían conformado con una mezcolanza de plan de estudios, despreciado por los estudiantes pensantes al cual apodaban "irrelevancia obligatoria". Corrompidas por el populismo, el profesionalismo y el ejercicio académico como cadena de montaje, las universidades presuntamente se habían dedicado a dirigir a los estudiantes hacia carreras profesionales especializadas lo más rápidamente posible. Dichas instituciones, que habían abandonado su integridad al flujo del mercado, perdieron la voluntad de insistir en cualquier coherencia intelectual o unidad en sus amplias ofertas de asignaturas. Muchos consideraban que las universidades se habían convertido en fábricas de conocimiento. Eran los principales fabricantes y vendedoras minoristas del conocimiento como producto. Los compradores incluían a los estudiantes que buscaban credenciales para garantizarse un próspero futuro, las industrias en busca de las destrezas y los productos de la investigación y los organismos gubernamentales que necesitaban una cantidad de servicios especializados. En la búsqueda por la ventaja y el prestigio competitivo, los críticos se lamentaban, las instituciones académicas "se habían vendido" al mejor postor.[7]

En ausencia de un esquema de valores que dirigiera la aprobación general dentro de la sociedad, se decía, las disciplinas académicas buscaron ser libres de valores, cada una imitando el discurso neutral de las denominadas ciencias

6. Robert Paul Wolff, *The Ideal of the University* (Boston: Beacon Press, 1969); Brand Blanchard, *The Uses of a Liberal Education* (La Salle, Ill.: Open Court, 1973); Christopher Jencks y David Riesman, *The Academic Revolution* (Chicago: University of Chicago Press, 1968, 1977).

7. Veáse Robert H. Chambers, "Educating for Perspective-A Proposal", en *Change*, 13 (septiembre de 1981), p. 46.

"exactas". El resultado, según un ingenioso anónimo, fue el descubrimiento que las ciencias sociales no eran muy "sociales" y que las humanidades no eran muy "humanas". La universidad norteamericana se comprometió con todo lo que era objetivo, contable, preciso y comprobable. Su centro, una vez más, fue sobre el conocimiento como un producto, envuelto para el consumo en pequeños paquetes denominados unidades-crédito, horas y cursos.[8] Además, considerando la suposición arraigada de que los grandes interrogantes sobre el significado, el objetivo o la importancia del ser humano no tenía respuesta y, por lo tanto, no valía la pena examinarlos de manera seria, las universidades cedieron a la creencia popular de que las preguntas sobre los fines últimos no son intelectuales, son subjetivas y no son aptas para el debate o el análisis razonable.[9] La prueba, o según así se decía, como Herbert I. London, decano de la Univerdidad de New York, lo expresó, era el grado en el que el denominado culto a la neutralidad prevalecía en el ambiente universitario. Combinando las inclinaciones conductistas, reduccionistas y positivistas, según London, se instauró la mentalidad que "había creado una Ley de Gresham del diseño del plan de estudios: lo que es medible desplazará del plan de estudios a lo que no es medible". London temía que los minimalistas, si no se oponían a ellos, con el tiempo destruirían lo que quedaba de las tradiciones humanísticas en la educación superior y harían que la enseñanza general fuera imposible.[10]

421

El historiador Page Smith, preboste y fundador de la Universidad de California en Santa Cruz, más tarde se refirió al mismo fenómeno como una especie de reduccionismo mecánico. Se trataba de una especie de "fundamentalismo académico" que funcionaba en el mercado de las ideas, donde se consideraba que todas las ideas eran iguales y no se admitían o consideraban juicios de valor que valiera la pena examinar. El resultado, según el análisis de Smith, fue un profundo empobrecimiento del espíritu humano dentro del ámbito universitario, exacerbado por la desmoralización general de todas las disciplinas no científicas y una fragmentación del conocimiento, al punto que ya no tenía sentido hablar de una "comunidad de aprendizaje". Lo que quedó, Smith sostenía, fue una agrupación de especialistas que casi no podían

8. Barry O'Connell, "Where Does Harvard Lead Us?", en *Change*, 10 (septiembre de 1978), p. 38.

9. Edward Joseph, Jr. Shoben, "The Liberal Arts and Contemporary Society: the 1970s", en *Liberal Education*, 56 (marzo de 1970), pp. 28-38; y Frank R. Harrison, "The Pervasive Peanut", en *Modern Age*, 23 (invierno de 1979), p. 78.

10. Herbert I. London, "The Politics of the Core Curriculum", en *Change*, 10 (septiembre de 1978), p. 11.

comunicarse unos con otros, mucho menos con el público exterior.[11]

Herbert London, en la revista *Change* en 1978, escribió que no era optimista sobre las perspectivas de la educación general y liberal en el *college* o universidad modernos. Los esfuerzos para hallar un punto de vista en común para las experiencias apropiadas para el grado, en su opinión, reflejaban un compromiso entre las facciones del profesorado no un consenso. La cuestión de un posible "plan de estudios central", por ejemplo, se había convertido en algo particularmente delicado en un momento en que numerosos departamentos académicos se preocupaban por sobrevivir más que por los principios. Detrás de la retórica de algún enfoque holístico, los especialistas presionaban por una mayor cantidad de cursos especializados. Y en la intensa competencia por el espacio, el tiempo y los recursos, "una votación para determinar el aspecto de un plan de estudios es con frecuencia simplemente una oferta clientelista". Con la ansiedad que tenían los profesores por preservar sus empleos y reforzar las matrículas, un departamento votaba por la selección de cursos preferidos por otro, a cambio de apoyo a su propio curso obligatorio en el programa de la educación general. "¿Qué valor tiene el debate sobre las cuestiones académicas en este clima de intercambio de favores académicos? London se cuestionaba en forma retórica.[12]

Los críticos de la educación superior norteamericana de fines de los años 70 hasta los 90, advertían el malestar que afectaba a los *colleges* y las universidades en todo el país, pero, con menor frecuencia se ponían de acuerdo sobre su significado o importancia. Se decía que ese malestar había llegado por las dificultades económicas, por el cambio de las matrículas de los estudiantes, por desacuerdos sobre los planes de estudio y, en un sentido más amplio, por el escepticismo público sobre el sentido práctico de cualquier educación general. En un artículo en la revista *Change*, en 1978, Barry O'Connell consideraba que no resultaría fácil sacar a los estudiantes de los *colleges* de la idea persistente de que la enseñanza general no estaba relacionada con la preparación para una carrera. Pero, se inclinó por ofrecer una interpretación más generosa de los deseos y expectativas de los estudiantes. Según opinaba, al interpretar las indicaciones de sus mayores, los estudiantes se sentían obligados a escoger los cursos más directamente relacionados con las carreras seleccionadas. Debido a la superproducción

11. Page Smith, *Killing the Spirit Higher Education in America* (Nueva York: Viking Penguin, 1990), pp. 1, 5-6, 77-78, 143, 282, 294, 297.

12. London, p. 11 y ss.

de graduados que competían por unos pocos empleos deseables, era comprensible que se sientan obligados a mantener todo lo demás en suspenso mientras se preparaban para el empleo. "Este proceso no conduce a mucho respeto de uno mismo en la generación estudiantil actual [O'Connell comentaba]. Habiendo perdido la fe, ahora deben aguantar los vituperios de sus profesores y de los medios por estar completamente obsesionados con las carreras y si uno cree en la mayoría de los informes curriculares, por ser incapaces de escribir correctamente, incompetentes en matemática y bárbaros morales."[13] Sin duda, los estudiantes necesitaban una educación general amplia, argumentaba O'Connell, pero, su aversión a buscarla era completamente comprensible.

Durante las últimas dos décadas del siglo XX, con casi una monótona regularidad se realizaron estudios lamentando el estado de la educación general en los planes de estudio de los *colleges*.[14] En todos los casos, los temas recurrentes incluían peticiones por estándares académicos más estrictos, demandas de que se prestara mayor atención a la enseñanza de los valores éticos, la reiteración de la necesidad de restaurar la educación para la ciudadanía a un lugar de primacía y argumentos en defensa de una enseñanza común capaz de suministrar un propósito y una estructura unificadores más coherentes para el plan de estudios de grado.[15]

423

La controversia sobre lo "políticamente correcto" y el multiculturalismo

Si no hubiera sido por el hecho de que la denominada controversia sobre lo políticamente correcto a fines de los 80 y principios de los años 90 recibió tanta atención de los medios de comunicación, hubiera sido tentador

13. O'Connell, pp. 30-31 y ss.

14. Los ejemplos específicos incluyen a Ernest L. Boyer y Arthur Levine, *A Quest for Common Learning* (Nueva York: Carnegie Foundation for the Advancement of Teaching, 1981); William J. Bennett, *To Redaim a Legacy: A Report on the Humanities in Higher Education* (Washington, D.C.: National Endowment for the Humanities, 1984); Association of American Colleges, *Integrity in the College Curriculum: A Report to the Academic Community* (Washington, D.C.: Association of American Colleges, 1985); E.D.Jr. Hirsch, *Cultural Literacy* (Nueva York: Random House, 1987); y Allan Bloom, *The Closing of the American Mind* (Nueva York: Simon and Schuster, 1987).

15. Para ejemplos, refiérase a Sidney Hook *et al.*, eds., *The Idea of a Modern University* (Buffalo: Prometheus, 1974); C. Wegener, *Liberal Education and the Modern University* (Chicago: University of Chicago Press, 1978); Michael Simpson, "The Case for the Liberal Arts", en *Liberal Education*, 66 (otoño de 1980), pp. 315-319; y David G. Winter *et al.*, *A New Case for the Liberal Arts* (San Francisco: Jossey-Bass, 1981).

descartar el tema como otro episodio más, de corta vida aunque curioso, en la historia de la educación superior norteamericana. Pero, los debates en los *campus* sobre la acción afirmativa, el intento de prohibir el llamado "lenguaje del odio" y la "canonicidad" curricular apuntaban a una gran cantidad de temas fundamentales, que tenían que ver, entre otras cosas, con la sociología del conocimiento, con la equidad y políticas académicas, la libertad de expresión, el multiculturalismo, la separación étnica y el activismo feminista, la crítica textual en las humanidades, el papel de la educación general en la enseñanza superior y, en un sentido aún más amplio, con la verdadera naturaleza del papel de los *colleges* y las universidades dentro del orden social. Para algunos observadores, las diferentes controversias y debates sobre la "corrección política" carecían de mucho sentido o esencia y representaba poco más que una tormenta intelectual en un vaso de agua académico, un ejercicio en una retórica pretenciosa que pronto se olvidaría. Para otros, el escándalo simbolizaba una protesta atrasada contra el radicalismo de los profesores subversivos, el igualitarismo inapropiado y el quiebre moral de las instituciones académicas que se supone provino de una politización al por mayor de la educación superior. Mientras que para otros con creencias diferentes, el conflicto representaba nada menos que un esfuerzo necesario para exponer de una vez y por todas la eterna "mistificación" del papel de la universidad en la reproducción de la desigualdad social, económica y cultural y la injusticia en la sociedad norteamericana.[16]

El debate nacional sobre la corrección política comenzó en el otoño de 1990, con la aparición de un extenso artículo en el *New York Review of Books* (6 de diciembre de 1990) escrito por John Searle, un profesor de filosofía de Berkeley. Una nueva generación posmoderna de profesores moldeados por el radicalismo de los 60, finalmente, ha llegado al poder en el ámbito universitario norteamericano, informaba Searle y los resultados prometen ser devastadores para el mundo de la educación convencional. La nueva raza de radicales, como los representaba Searle, incluía a las feministas radicales, los homosexuales y las lesbianas, los ideólogos marxistas, un surtido variado de construccionistas, estructuralistas, posestructuralistas, críticos literarios enfocados en los lectores, nuevos historiadores y una cantidad desconcertante de otros más. Lo que estos profesores radicales poseían en común, según Searle y otros, era el deseo de denunciar la fachada de imparcialidad crítica y objetividad

---

16. Véase Paul Berman, ed., *Debating P.C.: The Controversy Over Political Correctness on College Campuses* (Nueva York: Dell/Bantam Doubleday, 1992).

reivindicadas por el pensamiento burgués tradicional y un sistemático desprecio por todos los estándares de juicio (intelectual, moral y estético), con la excepción de sus propios imperativos ideológicos, que supuestamente, estaban exentos de toda crítica. Sus preceptos, según esta crítica, incluían la negación de cualquier diferencia objetiva entre la verdad y la falsedad o entre la investigación desinteresada y el proselitismo parcial. Estos nuevos mandarines académicos, o así se los consideraba, se distinguían por un desprecio a la racionalidad burguesa y por su antipatía hacia la justicia ciega al color y el progreso basado en el mérito en vez de en el género, la raza o la etnia.[17]

Los radicales de los *campus*, habiendo llegado a posiciones de influencia y autoridad en el ámbito académico, según afirmaban Searle y otros, ahora se encontraban comprometidos en la promoción de una ideología basada en la convicción de que toda la civilización occidental era totalmente opresiva y reaccionaria. Se decía que su creencia era que los estudios generales habían sido dominados en forma exclusiva por el estudio de los logros de los "europeos blancos del sexo masculino ya muertos" con la exclusión virtual de todos los demás, que todo el "canon" histórico, literario y cultural era "eurocéntrico" y "elitista".

Debido a que los cursos de la educación general tradicional eran racistas, sexistas y homofóbicos, era necesario reemplazar el estudio de las obras clásicas de la civilización occidental con cursos dedicados a las culturas del Tercer Mundo y las víctimas de la opresión. El multiculturalismo como una iniciativa de reforma del plan de estudios, por lo tanto, implicaba una recuperación del capital cultural de la minoría de la marginalidad a la que históricamente había sido relegada. Pero, en el proceso, según se sostiene, los radicales posmodernos habían generado una atmósfera de temor y represión. En nombre de la sensibilidad hacia los demás, bajo la pena de ser denunciados como sexistas o racistas, los radicales forzaban a todos a adherirse a sus propios códigos de discurso y comportamiento políticamente correctos.[18]

425

Una controversia tan esotérica podría no haber atraído la atención pública más allá de los recintos de las torres de marfil de la nación, si no hubiera sido por la aparición en 1991 de la obra titulada *Illiberal Education: The Politics of Race and Sex on Campus* de Dinesh D'Souza, ex editor del periódico de derecha del Dartmouth College, gerente de una publicación trimestral de política pública conservadora y un socio del American Enterprise Institute. Su libro,

17. John Searle, "The Storm Over the University", en Berman, pp. 85-123.

18. Irving Howe, "The Value of the Canon", en Berman, pp. 153-171.

más que cualquier otra obra individual, sirvió para focalizar y popularizar el debate sobre la corrección política en la primera parte de la década del 90.[19] En el origen de las controversias divisivas, con frecuencia encarnizadas, sobre la raza y el género a punto de estallar en los *campus* de los *colleges* de todos el país, D'Souza, afirmaba que yacían los estándares en conflicto sobre la excelencia y la justicia. El problema, desde su punto de vista, comenzó con el trato preferencial a las minorías étnicas. Aunque los administradores de la universidad traten de disfrazar la verdad sobre los planes de acción afirmativa con una agilidad verbal evasiva, según D'Souza, la verdad es que el "doble discurso" de Orwell no podía enmascarar la injusticia inherente en las cuotas para las minorías raciales y los estándares dobles, por loable que fuera el deseo de dar más oportunidad a los estudiantes de grupos minoritarios o reparar desigualdades históricas. Si bien las personas tenían el derecho a sus propias opiniones sobre el jugueteo con los estándares, declaró D'Souza, no tenían derecho a hacerlo con la propia realidad: "sin duda, el caso es que los programas de acción afirmativa implican desplazar y disminuir los estándares académicos para promover una representación proporcional de los grupos raciales".[20]

426

Precisamente, debido a que el programa de acción afirmativa dependía de medios injustos para alcanzar su objetivo, exacerbaba la tensión racial y hacía que el pluralismo racial auténtico fuera muy poco probable. cuando se repudiaran de manera decisiva las medidas que exaltan la igualdad de grupo por sobre la justicia individual, a juzgar por D'Souza, el conflicto interracial se apaciguaría. La censura administrativa contra el discurso despectivo, el mandato de códigos de expresión y los seminarios de protocolo nunca iban a ser suficientes para eliminar las tensiones raciales en el *campus*. Tampoco serviría acceder a las demandas de los grupos especiales que buscaban proteger su propia identidad étnica o racial en el *campus* mediante instituciones o medidas separatistas. Observaba que: "ninguna comunidad se puede formar sobre la base del trato preferencial y los estándares dobles y su existencia contradice la retórica misma de la universidad sobre la igualdad". Advertía: "si se replicara en todo el país el modelo de la universidad, lejos de favorecer la armonía étnica, reproducirá y magnificará el fanatismo escabroso, la intolerancia y la balcanización de la vida del *campus* en la cultura mayoritaria".[21]

19. Dinesh D'Souza, *Illiberal Education: The Politics of Race and Sex on Campus* (Nueva York: Free Press, 1991).

20. *Ibídem*, p. 220. La cita es de la edición clásica de 1992.

21. *Ibídem*, p. 230.

D'Souza atacaba lo que consideraba que era una tendencia escalofriante por parte de los radicales y algunos liberales del *campus* a circunscribir el debate a la raza y la etnia, a insistir sobre un léxico especial de palabras en referencia a las mujeres y las minorías y a insistir en que todos los demás se adhirieran a su código, en pocas palabras, que todos fueran "políticamente correctos" en el discurso y la conducta. Peor aún, D'Souza y otros críticos semejantes sostenían que existía algo muy falso sobre la forma en que los radicales de izquierda ofuscaban u ocultaban sus propios motivos al negar que su intención era intimidar o acosar a cualquiera, o que no existía algo semejante a la llamada "corrección política".

Quienes a su vez eran acusados de intimidación, respondían desde la izquierda con críticas propias, burlándose de lo que caracterizaban como la postura "alarmista" de un grupo unido de adustos reaccionarios políticos y conservadores del ala derecha. El verdadero problema era que los conservadores habían tergiversado de manera intencional su intento de ampliar los planes de estudio para que reflejasen las diferentes necesidades y estándares de los grupos marginales, que antes no se encontraban representados de manera adecuada dentro de la academia. Criticar el plan de estudios dominante como "eurocéntrico", por ejemplo, era solo destacar lo obvio: que la enseñanza circunscrita a la cultura y la historia de Europa y América del Norte era limitante y ya no era funcional en una comunidad global.[22] Catherine R. Stimpson, decana de la escuela de posgrado de la Universidad de Rutgers, expresó en la conferencia presidencial de 1990, ante la Modern Languages Association [Asociación de Lenguas Modernas]: "el multiculturalismo promete ofrecer dignidad a los desposeídos y empoderamiento a los que no tienen poder, recuperar los textos y las tradiciones de los grupos ignorados, ampliar la historia cultural". Expresaba que no comprendía por qué dicho movimiento desataba una oposición tan estridente. Declaró: "estoy perpleja, ¿por qué no podemos ser estudiantes de la cultura occidental y del multiculturalismo al mismo tiempo? ¿Por qué no podemos mostrar las relaciones históricas y del día de hoy entre las diferentes culturas?"[23]

Dinesh D'Souza, por mencionar a uno, no parecía convencido. Los cursos de multiculturalismo, comentaba en una entrevista televisiva en junio de 1991, se "habían degenerado en una especie de animador étnico, un romanticismo

427

22. Véase, Henry Louis Jr. Gates, "Whose Canon Is it, Anyway?", en Berman, pp. 190-200.

23. Catharine R. Stimpson, "On Differences: Modern Language Association Presidential Address", en Berman, p. 45.

primitivo sobre el Tercer Mundo, combinado con la denuncia sistemática de Occidente".[24] Roger Kimball, autor de la obra tan leída titulada *Tenured Radicals: How Politics Has Corrupted our Higher Education* (1990), tomó casi la misma posición. Los ideólogos multiculturalistas, sostenía él, se encontraban involucrados en una "politización agresiva" de los estudios académicos. Deploró lo que observaba como "una hostilidad dominante en contra de los logros y valores de la cultura occidental" y la "subyugación" de la enseñanza y la educación a los imperativos políticos. Celebrar la "diversidad" no sería objetable, Kimball afirmaba, si no fuera por el hecho de que el concepto o tema general se había convertido en una ortodoxia multiculturalista rígida, cualquier desviación de la misma probablemente conduciría al ostracismo social y a expresiones de desdén.[25]

Estudiar la civilización occidental como el centro apropiado para la enseñanza común y general, los defensores sostenían, estaba justificado por el hecho inevitable de que la sociedad norteamericana contemporánea *era* el producto de la tradición cultural e intelectual occidental, que se extendía desde la Antigüedad clásica a los tiempos modernos. Si se lo estimaba demasiado excluyente, entonces el remedio era una mayor inclusión [...] una mejor representación de los logros y las obras de las figuras no europeas, no masculinas, no blancas. Algunos opositores sostuvieron que sus objeciones fueron mal interpretadas.[26] Los defensores del canon occidental estaban abogando por un agregado estrecho y específico de capital cultural y sosteniéndolo como un referente normativo para todos. La apertura del canon no era suficiente, siempre y cuando una casta pequeña y poderosa fuera capaz de reclamarlo como propio. Tampoco era una cuestión de propiedad. La historia interna de la civilización occidental, los críticos de izquierda sostenían, es una crónica de la opresión de las mujeres y las minorías. En su parte externa, es una historia de imperialismo y colonialismo. Por consiguiente, según los radicales, el debate específico sobre lo que es o no es hegemónico, patriarcal o excluyente resultaba ser en vano. La solución para un club cerrado, privilegiado, no era abrirlo a nuevos miembros sino abolir al "club" mismo. Asimismo, el pluralismo curricular y cultural auténtico no podía alcanzarse hasta que las antiguas estructuras hubieran sido demolidas y se hubieran erigido nuevas configuraciones de enseñanza

428

24. Véase Dinesh D'Souza y Robert MacNeil, "The Big Chill? Interview with Dinesh D'Souza", en Berman, p. 31.

25. Roger Kimball, *Tenured Radicals: How Politics Has Corrupted Our Higher Education* (Nueva York: Harper Collins, 1990).

26. D'Souza, *Illiberal Education*, pp. 60-65 y ss.

en su lugar. La respuesta al problema de la exclusión, desde el punto de vista de los críticos izquierdistas, era el desarrollo de un orden completamente diferente, una nueva construcción bastante alejada de cualquier cosa ya conocida en la educación superior norteamericana.[27]

El teórico de los planes de estudio, Michael Apple de la Universidad de Wisconsin, ofreció una perspectiva de izquierda sobre la canonicidad. En pocas palabras, su argumento venía a ser una negación categórica de que pudiera existir una autoridad textual, una serie de "hechos" definitivos divorciados del contexto de las relaciones de poder. Una "cultura común", se esforzaba por mostrar, nunca podría ser una extensión para todos de lo que quiere decir y cree una minoría. En cambio, y de manera crucial, una cultura compartida auténtica requeriría no la estipulación y la incorporación de listas y conceptos dentro de los libros de texto que hacen que todos tengan "conocimientos culturales", sino la creación de "las condiciones necesarias para que todas las personas participen en la creación y recreación de significados y valores". Apple concluía que un proceso democrático en el que todas las personas (no solo aquellos que se ven a sí mismos como guardianes intelectuales de la "tradición occidental") pueden participar en la deliberación de lo que es importante.[28]

429

De manera inevitable, la visibilidad creciente de las voces de los profesores y los grupos de izquierda también ocasionó la generación de organizaciones de derecha, la más notable, la National Association of Scholars [Asociación Nacional de Académicos, NAS], un grupo dedicado a la oposición de lo que consideraban la agenda política radical del ala izquierda de los *campus*. En el año 1983, la organización de 8 años de antigüedad había crecido a cerca de 3.000 miembros y aseguraba que poseía grupos afiliados en 29 estados diferentes. William Pruit, un profesor de literatura del City College de San Francisco, fue citado en *Chronicle of Higher Education*, el 28 de abril de 1993 explicando el rápido crecimiento de la organización como un contragolpe a las críticas de las que fue objeto la NAS. Opinaba: "muchos de estos jóvenes se encontraban ocultos en los gabinetes de estudio esperando que el material multicultural se esfumara. Ahora están saliendo porque creen que la democracia norteamericana está en peligro".[29]

---

27. Adviértase la discusión en Edward W. Said, "The Politics of Knowledge", en Berman, pp. 172-189.

28. Michael Apple, *Official Knowledge: Democratic Education in a Conservative Age* (Nueva York: Routledge, Chapman and Hall, 1993).

29. Citado en Courtney Leatherman, "Conservative Scholars' Group Draws Increasingly Diverse Voices to Its Cause", en *Chronicle of Higher Education* (28 de abril de 1993), pp. A15-16.

En los años 90, el ámbito universitario permaneció muy polarizado entre los programas de acción afirmativa, los códigos de expresión, el movimiento hacia un plan de estudios más multicultural y el trato hacia las mujeres y los miembros de los grupos minoritarios. No obstante, a medida que Estados Unidos se acercaba al final del milenio, algunos observadores detectaron un cierto silenciamiento de la retórica provocadora, una mayor buena voluntad de ambos lados para ofrecer concesiones, una disminución del extremismo. Los activistas de izquierda se volvieron más cautelosos sobre las políticas con el objetivo de restringir el discurso ofensivo. Los académicos de la derecha parecían tener la mente más abierta para revisar los planes de estudio para incluir las perspectivas de las minorías. Se estaba llevando a cabo una experimentación con prudencia en muchos *colleges* y universidades, concibiendo nuevos cursos que incorporaban una perspectiva cultural más pluralista.

Gerald Graff, un profesor de inglés de la Universidad de Chicago y fundador de Teachers for a Democratic Culture [Docentes para una Cultura Democrática], un grupo profesional formado para combatir los cargos de que los *campus* se encontraban dominados por lo "políticamente correcto", no previó ninguna resolución dramática o inmediata de las cuestiones que surgieron con la controversia de la corrección política. Pero, Graff como fue citado el 23 de abril de 1993 en *Chronicle of Higher Education* anticipaba una mayor cortesía en las discusiones futuras. Destacaba: "todavía no hemos construido canales regulares para la resolución del conflicto y ni siquiera reconocemos la necesidad de ellos. Vengo afirmando que el sitio para realizarlo es en el plan de estudios".[30] Sin más, los protagonistas de ambos lados parecían encontrarse más dispuestos que los anteriores a explorar los interrogantes de nuevo. En ese sentido, en el ámbito histórico, se mantuvieron en gran medida en la tradición de la revisión curricular constante que había caracterizado a la educación superior norteamericana desde sus comienzos.

El diagnóstico del malestar

A pesar de ser en apariencia robusta, algunos observadores de la educación superior norteamericana, en los últimos años del siglo XX, confesaron detectar una especie de "dolencia" penetrante que afectaba al ámbito universitario, lo

430

30. Citado *Ibídem*, p. A16.

que más de un crítico denominó un malestar espiritual y otros lo bautizaron como un "abatimiento" peculiar. George H. Douglas, un profesor de inglés en la Universidad de Illinois, escribió en *Education Without Impact* (1992), que estaba de acuerdo en que algo andaba mal en los *colleges* y las universidades de la nación, aunque descartaba las afirmaciones, de que se encontraban en un estado de "crisis". Le parecía histriónico, incluso alarmista, proclamar una crisis en la educación superior una vez más, puesto que las crisis habían sido la norma durante décadas.[31]

Con el advenimiento del Sputnik en 1957, cuando el liderazgo tecnológico del país parecía peligrar, sonó la alarma proclamando un estado de crisis en la educación en todos los niveles, incluida la educación superior. Hacia fines del 60, cuando los *colleges* y las universidades se encontraban asediados por los jóvenes estudiantes radicales y disidentes y se atacaba a toda clase de autoridad como ilegítima, los expertos proclamaron otra crisis de proporciones considerables. Diez años más tarde, se vislumbraba una crisis más, en medio de las afirmaciones de que los estándares académicos desde el jardín de infantes hasta los posgrados habían sido corroídos de manera seria, que se había desintegrado el canon curricular tradicional y que el multiculturalismo obligatorio y la histeria fabricada por los medios sobre la "corrección política" había transformado, en apariencia, a todos y cada uno de los debates pedagógicos en un conflicto ideológico de vida o muerte, una protesta que amenazaba con dividir en dos la estructura de la cultura intelectual norteamericana y, con ella, las instituciones académicas de educación superior.

431

Pero, las crisis por definición no pueden ser crónicas, como observaba Benjamin R. Barber, un profesor de ciencias políticas en Rutgers, en la obra *An Aristocracy of Everyone: The Politics of Education and the Future of America* (1992). Expresó: "al oírlo por décima vez, el sonido del despertador inspira desesperación en vez de acción. Agotados por las crisis repetidas, damos vuelta en la cama".[32] Para Douglas, el estado que afectaba al ámbito universitario norteamericano podría haberse comparado mejor con una fiebre de pocos grados en vez de con una enfermedad terminal. A su juicio, los *colleges* y las universidades norteamericanas padecían "una especie de letargo, monotonía,

---

31. George H. Douglas, *Education Without Impact: How Our Universities Fail the Young* (Nueva York: Birch Lane/ Carol Publishing Group, 1992).

32. Benjamin R. Barber, *An Aristocracy of Everyone: The Politics of Education and the Future of America* (Nueva York: Ballantine Books, 1992), p. 9.

enfermedad de edad madura de algún tipo; algo similar a la artritis, podríamos mencionar o cualquier enfermedad de flujo y reflujo".[33]

Las interpretaciones sobre qué precisamente estaba mal diferían. Los críticos no coincidían en las causas del malestar académico y mucho menos en las prescripciones para la cura. Sin embargo, existía una notable unanimidad sobre los síntomas más obvios. El historiador Page Smith, en su obra de 1990 *Killing the Spirit: Higher Education in America* declaraba que la escena actual académica se asemejaba a algo así como a un amplio "desierto" metafórico. Haciendo un esbozo histórico de lo que percibía que había fracasado, citó como causas principales un escape del quehacer de la enseñanza por parte del profesorado, el flagrante abandono de la educación de grado, el carácter extravagante y falsamente atractivo de la mayoría de las investigaciones académicas y la alianza de las universidades con organismos gubernamentales y corporativos. Cada uno, a su manera, había contribuido a "matar el espíritu" de la educación superior norteamericana, dejando tras de sí algo que para todas las apariencias externas podía aparecer tan vibrante como nunca, pero que estaba vacío y muerto por dentro.[34]

Una diatriba, semejante en los objetivos, pero, mucho menos mesurada en el tono, fue la desencadenada por Charles J. Sykes, autor de una obra sensacionalista y ampliamente leída, titulada *Profscam: Professors and the Demise of Higher Education* (1988) y de la obra que le siguió *The Hollow Men: Politics and Corruption in Higher Education* (1990). Según su visión, los profesores eran los principales culpables de los malestares que afectaban al ámbito académico y, según su opinión, tenían mucho que responder. "excesivamente remunerados" y "grotescamente holgazanes", presidían una escandalosa satrapía de ineficiencia y desperdicio. Como clase profesional, los docentes de *colleges* y universidades eran negligentes en sus deberes docentes, "inalcanzables, poco comunicativos y nunca disponibles" para atender a sus estudiantes grado, obsesionados con la investigación y dispuestos a cargar sus obligaciones docentes al proletariado marginal mal pagado y sobrecargado de trabajo (los asistentes graduados) cuando lo consideraban conveniente.

Peor aún, como Sykes los retrataba, los profesores eran culpables de imponer en el mundo miles de artículos y libros inútiles, escritos en "una jerga pasmosa e impenetrable" que servía solo para enmascarar la naturaleza trivial y el

33. Douglas, p. XII.

34. Smith, pp. 1-2.

vacío de su contenido. En su deseo por realizarse en las carreras profesionales, los profesores se ocupaban afanosamente en colmar las bibliotecas con "masas de escritos no leídos, no leíbles y carentes de valor literario o intelectual". Las universidades norteamericanas se habían degenerado hasta tal punto que ahora eran meras fábricas de "pensamiento basura", sus habitantes se dedicaban a teorizar en forma trivial, desenfocada y sin ningún valor concebible para nadie. La ubicuidad de los aburridos pedantes barriendo las montañas de polvo de la enseñanza, administradores de pequeños paquetes de enseñanza abstrusa, declaraba Sykes, yacía en el centro de casi todo lo que se encontraba mal en la enseñanza superior norteamericana.[35]

El afán desmedido por lograr el éxito profesional y la universidad empresarial

Con frecuencia se cita a la alianza profana con los negocios, la industria y el gobierno como la influencia corruptora del ámbito académico. Page Smith recreó la historia conocida del surgimiento de la universidad corporativa y el vínculo histórico con las empresas y el sistema industrial militar. "Uno debe preguntar si la universidad puede, con el tiempo, preservar su libertad para seguir adelante [...] en vistas de [...] la venta desvergonzada. El cliente manda. No hay razón para creer que la universidad es inmune a la regla [observaba Smith]".[36] La obra *An Aristocracy of Everyone* de Benjamin Barber llegó aún más lejos: "podemos moralizar sobre las virtudes de la educación, pero, la educación superior se ha convertido en la educación en alquiler; la universidad, cada vez más, se encuentra a la venta para las corporaciones u organismos estatales que desean comprar las instalaciones de investigación y, con la concesión de fondos apropiados, adquirir la legitimidad de su profesorado". Remarcaba: "no me refiero a que la universidad al servicio de los sectores privados y públicos; me refiero a la universidad en servidumbre para los sectores privados y públicos. No me refiero a una colaboración sino a una 'absorción corporativa' de la universidad".[37]

433

35. Charles Sykes, *Profscam: Professors and the Demise of Higher Education* (Washington, D.C.: Regnery Gateway, 1988); y Sykes, *The Hollow Men: Politics and Corruption in Higher Education* (Washington, D.C.: Regnery Gateway, 1990).

36. Smith, pp. 12-13.

37. Barber, p. 197.

Barber juzgaba que a principios de los 90, la hegemonía de los mercados en la vida académica había llegado a ser virtualmente absoluta. La investigación libre en muchos campos se había subordinado a la investigación con guía, es decir, subvencionada. Hacía mucho tiempo que los estándares pedagógicos autónomos habían sido desplazados por las presiones del mercado tanto de los consumidores inmediatos (los estudiantes) como de los consumidores a largo plazo (los sectores públicos y privados). Predijo que si las tendencias establecidas continuaban, los *colleges* y las universidades terminarían convirtiéndose en algo más que títeres de los gustos, valores y objetivos de toda la sociedad, si es que ya no lo habían hecho.[38] Los profesores que accedían al sistema continuarían compartiendo los botines; aquéllos que no lo hicieran, se encontrarían en pistas de carreras de segunda línea o incluso sin trabajo. Lo que contaba eran las investigaciones, las publicaciones y los contratos y subvenciones externas. Y, donde el comercio había invadido la educación superior de manera descarada, no se debía cuestionar el hecho de que los profesores cada vez más pensaran como capitalistas o, de forma más modesta, como proletarios.

434

El análisis de Barber sobre los problemas de la educación superior norteamericana se articula en parte sobre dos modelos contrastantes de la universidad, cada uno una imagen refleja del otro, ninguno de los dos, según su parecer, completamente adecuado o satisfactorio. El primero, el denominado modelo purista, como Barber lo representaba, llamaba siempre restaurar la *"torre de marfil"* y reforzar su aislamiento monástico del mundo. El otro, el "vocacional", imita al mercado e insta a demoler la torre, superando el aislamiento aceptando la servidumbre a los caprichos y modas del mercado, los cuales, *mirabili dictu* (admirable de decir), luego, se transforman en los propósitos y objetivos. El modelo purista, en esencia un embellecimiento de la universidad medieval como la describen los académicos nostálgicos, busca aislar a la universidad de la sociedad en general. La preocupación principal es la persecución abstracta del conocimiento especulativo por el conocimiento mismo. El aprendizaje es por el aprendizaje mismo, no por el poder, o la felicidad, o la carrera, sino por sí mismo como bien intrínseco. Para el purista, el conocimiento "se encuentra divorciado en forma radical del tiempo y la cultura, del poder y del interés [...], [y] sobre todo, se abstiene de la utilidad".[39] El ideal

---

38. *Ibídem*, pp. 196-209.

39. *Ibídem*, p. 203.

purista de la universidad "sabe que existe un contexto social, pero, cree que la tarea de la universidad es ofrecer un refugio lejos de ese contexto".

Barber advertía que el modelo purista en un sentido era el antiguo modelo liberal del ámbito académico como un dominio neutral en donde las mentes libres "se dedican a un diálogo abierto a una distancia cósmica del poder y del interés y de otras distracciones del mundo real". Si bien no se refirió de manera específica a Robert Maynard Hutchins, el Plan Chicago de los años 30 puede haber venido a su mente como el ejemplo principal de ese tipo de modelo o ideal prominente en la historia de la educación superior norteamericana del siglo XX.

El modelo vocacional, en contraposición, abjura de la tradición de una manera no menos decisiva que el modelo purista abjura de la actualidad. En efecto, responde en gran medida a las demandas de la sociedad en general, que este modelo considera que son a las que la educación debe atender. El vocacionalista, según Barber, desea ver a la universidad postrada ante los nuevos dioses de la modernidad. "El servicio al mercado, la capacitación de sus profesionales y la investigación en nombre de sus productos son los puntos destacados de la nueva universidad de servicio completo, que desea nada más que ser considerada como una más entre las grandes corporaciones de la Nación, un productor equivalente de prosperidad y felicidad material." El modelo vocacionalista aprueba la imagen de la universidad forjando alianzas con compañías de investigación y con el gobierno, acosando a las corporaciones por programas de financiación y acechando al sector público en busca de las "necesidades" públicas que pueden satisfacer de manera ganancial. "En cada uno de estos casos [escribió Barber], le solicita a la sociedad que le muestre el camino y lo sigue de manera obediente."[40]

Una vez más, Barber no alega un antecedente histórico específico para ilustrar el segundo modelo. Si hubiera escogido hacerlo, hubiera hallado un abundante suministro de ilustraciones, por ejemplo, en la retórica de los promotores de la universidad moderna de investigación después de la Guerra Civil a fines de 1800 y nuevamente en las declaraciones públicas sobre la función y la misión de la universidad norteamericana a fines de 1950 y comienzos de 1960.

Barber consideraba que si el modelo purista ignoraba las cuestiones de poder e influencia, el modelo vocacionalista ignoraba la influencia corruptora de la orientación hacia la investigación adaptada a las necesidades de la sociedad.

435

40. *Ibídem*, pp. 204-205.

Los defensores de la "universidad empresarial" eran insensibles a los peligros. Estaban completamente dispuestos a considerar la enseñanza como parte de la investigación y la investigación misma como una ingeniería orientada a la producción. Mostraban poca preocupación por el afán desmedido por lograr el éxito dentro del ambiente académico. Barber expresaba: "si se pide que la educación tome el aspecto de la capacitación vocacional o profesional y que la universidad se convierta en el jardín de infantes de la sociedad corporativa donde en el nombre de la competencia económica se sociabiliza, intimida y se lava el cerebro a los jóvenes para utilidad del mercado, entonces se debe redefinir el plan de estudios con el vocabulario del oportunismo, el afán desmedido por lograr el éxito y el profesionalismo; en una palabra, el comercio. Cada curso se encuentra prefijado con un 'pre' (como pre-medicina, pre-derecho, pre-comercio y pre-profesional). Los departamentos académicos rodean las vidas intelectuales de los estudiantes con una bandada de requisitos técnicos, que no dejan espacio para la educación general o liberal y que asumen que la educación para vivir es, de hecho, educación para ganarse la vida [...] Donde una vez el filósofo decía que toda la vida era una preparación para la muerte, este enfoque ahora contemplaba que toda la vida es una preparación para los negocios; o, tal vez, de manera más franca, que la vida es comercio".[41]

Muchas críticas a la educación superior norteamericana en los años 90, al igual que la de Barber, eran reminiscencias de manera asombrosa de la crítica de Thorstein Veblen en la obra *The Higher Learning in America* (La educación superior en Norteamérica, 1918), que apareció tres cuartos de siglo antes. Se recordará que la queja de Veblen era que los capitanes de la industria (entre ellos, Johns Hopkins, Daniel Drew, Leland Stanford y James B. Duke) habían cautivado a los pequeños *colleges* dormidos de la nación con las promesas de agrandarlos y convertirlos —algunos de ellos por lo menos— en monumentos de piedra, granito y mármol. Veblen se quejaba de que habían impuesto en el ámbito académico una cierta mentalidad, un carácter utilitario crudo, una expectativa de que las universidades se volvieran más productivas y más atentas al producto, a la manera de los negocios mediante los cuales, como magnates industriales, habían edificado sus propias fortunas. Bajo el modelo establecido por la ideología comercial, la universidad se fue transformado en un sitio cuyo estilo y modo de funcionamiento estaba formado por el espíritu de la administración de los negocios, es decir, por la insistencia en el arte de

41. *Ibídem*, p. 205.

vender, la promoción, la burocracia, las medidas de control de costos y las relaciones públicas, con la constante búsqueda de la ventaja competitiva dentro del mercado académico. Se estableció un tono de actividad, vértigo e intriga.

Veblen se esforzó en demostrar que el medio ambiente institucional que se creó, en consecuencia, fue propicio a que los profesores quedaran reducidos a simples mercenarios, limitados por prácticas profesionales rígidas y dictados gremiales, dispuestos a abrirse camino a toda costa hacia el ascenso profesional en una forma que no difería demasiado de lo que prevalecía en la industria y los negocios. La caracterización hasta cierto punto desproporcionada de Veblen de los profesores como prisioneros de un sistema inhumano y debilitante, en resumidas cuentas, anticipaba completamente la igualmente arrolladora afirmación de Barber a principios de 1990 de que "a la amplia masa apática de profesores [...] les deja sin cuidado lo que ocurre [en el aula]".[42] Demasiados profesores en demasiados *campus*, sostuvo Barber, "o no les importa o no pueden darse el lujo de hacerlo. Sin duda, los administradores de la universidad no les proporcionan ni una razón ni un incentivo. Se han convertido en 'empleados' de gerentes corporativos [...] El estatus menospreciado de los docentes en la universidad moderna deja a los académicos pocos medios para medir el progreso de la carrera que no sea por la prontitud con que obtiene el tenure, el monto de su salario y cuántas horas de permanencia en el aula se pueden ahorrar".[43]

437

La especialización y la fragmentación

Robert Bellah, un profesor de sociología de la Universidad de California en Berkeley, quien junto con algunos colaboradores fue el autor del análisis ampliamente discutido sobre la cultura norteamericana titulado *Habits of the Heart: Individualism and Commitment in American Life* (*Hábitos del corazón: el individualismo y el compromiso en la vida norteamericana*, 1985) vinculó la transformación del *college* norteamericano del siglo XIX en la universidad corporativa del siglo XX a un conjunto análogo de otros cambios sociales y culturales, ninguno de ellos saludable necesariamente para la universidad moderna.[44]

42. *Ibídem*, p. 196.

43. *Ibídem*, p. 197.

44. Robert N. Bellah *et al.*, *Habits of the Heart Individualism and Commitment in American Life* (Berkeley: University of California Press, 1985).

Señaló que antes de la Guerra Civil, los *colleges* de humanidades eran demasiado pequeños como para ser divididos en departamentos. (En 1872, la clase de primer año en Harvard tenía 200 estudiantes; Yale tenía 131; Princeton, 110; Dartmouth, 74; y Williams, 49.) En 1869, existían no más de dos docenas de profesores en Harvard y la mayoría enseñaba las materias tradicionales de los idiomas clásicos y la matemática. El *college* prebélico se organizó bajo la presunción de que la educación superior constituía una sola cultura unificada y se consideraba que la literatura, las artes y las ciencias eran ramas de ese todo. Era tarea de la filosofía moral, una asignatura obligatoria en el último año que, por lo general la enseñaba el mismo presidente del *college*, no solo integrar los diferentes campos de aprendizaje, incluyendo la ciencia y la religión, sino más importante aún, elaborar las implicaciones para vivir una buena vida en el ámbito individual y social. Bellah advirtió que las ciencias sociales, en la medida en que se enseñaran, se encontraban incluidas en la filosofía moral.

Durante la segunda mitad del siglo XIX, la universidad de investigación comenzó a suplantar al *college* como modelo de educación superior, mientras surgía al mismo tiempo la corporación comercial. Las dos instituciones eran manifestaciones de las mismas fuerzas sociales. "La educación de posgrado, la investigación y la especialización, que conducían a departamentos autónomos, eran los sellos de las nuevas universidades [Bellah y sus colegas advertían]. El prestigio de las ciencias naturales como modelo de todo el conocimiento metódico y de las demás disciplinas científicas y la creencia de que el progreso de la ciencia originaría inevitablemente en su despertar un florecimiento social, oscurecían parcialmente el hecho de que se estaba perdiendo el significado ético y la unidad de la educación superior."[45]

En última instancia, Bellah consideraba que hubo "grandes logros positivos" en aquella transformación de la educación superior. El nuevo sistema académico se encontraba mejor adaptado para preparar a una gran cantidad de personas para el empleo en una sociedad industrial y, además, incluía como estudiantes a aquellos que, debido a la clase, sexo o raza, habían sido excluidos antes. Es innegable que la universidad de investigación y sus cuantiosos derivados en el siglo XX facilitaron la democratización. Aunque toda la promesa no comenzó a cumplirse sino hasta después de la Segunda Guerra Mundial, desde el comienzo existía la idea de las instituciones abiertas a un espectro mucho mayor de la sociedad que lo que alguna vez lo fueron los *colleges*. Y, la

438

45. Bellah, pp. 298-299.

nueva universidad, en vez de ofrecer el toque final a una clase social elevada ya establecida, sería ella misma un camino para el progreso en el mundo. Francis H. Snow de la Universidad de Kansas, en su discurso inaugural de 1890 expresó: "que en todas partes se sepa que en la universidad del Estado, cada hijo e hija del estado puede recibir la capacitación especial que forma químicos, naturalistas, entomólogos, electricistas, ingenieros, abogados, músicos, farmacéuticos y artistas o la cultura más amplia y simétrica que prepara a aquellos que la reciben para la eficiencia general y acabada que hace que un hombre educado tenga éxito en cualquier línea de actividad intelectual".[46]

Pero, también había un costo. Parte del precio por el surgimiento de la universidad moderna de investigación y su especialización y profesionalismo fue, como Bellah lo señaló, "el empobrecimiento de la esfera pública". Los nuevos expertos en ciencias, en particular, intercambiaban la ciudadanía general en la sociedad por la pertenencia a una comunidad de expertos más pequeña y más especializada. Dentro del campo de la pericia, las opiniones de los especialistas serían juzgadas, por consiguiente, no tanto por el público letrado en general como por sus compañeros y colegas profesionales y se convertirían en menos inteligibles para los lectores profanos. Los especialistas académicos de la actualidad, observaba Bellah, escribían dentro de una serie de postulados y con un vocabulario compartido solo por otros expertos. La especialización era inevitable. Lo que *no* resultaba inevitable, según el parecer de Bellah, era que el discurso tuviera la tendencia a confinarse dentro de los límites cerrados de las subcomunidades de especialistas sin dirigirse nunca a una audiencia mayor o informar la discusión pública más allá de aquellas subcomunidades. No es necesario agregar que había desaparecido cualquier sentido de integración, cualquier dimensión moral en el ámbito académico.[47]

439

En una obra posterior titulada *The Good Society* (1991), Bellah y sus colegas citaron una consecuencia aún más preocupante de la entronización del conocimiento científico como paradigma cultural de la universidad moderna de investigación. "A menos de dos décadas de su fundación, el esfuerzo por crear una educación superior democrática e integrada degeneró en una primitiva forma de lo que se conoció como la cafetería multiversidad [destacaban Bellah y sus colaboradores]. La universidad de investigación, la catedral del

---

46. Citado en Daniel Callahan y Sisseia Bok, eds., *Ethics Training in Higher Education* (Nueva York: Plenum Press, 1980), p. 4.

47. Bellah, pp. 299-301.

aprendizaje, en vez de interpretar e integrar a la sociedad en general, la reflejaba cada vez más y más. Lejos de convertirse en una nueva comunidad que aportaría coherencia al caos, se convirtió, en cambio, en una acumulación de profesores y estudiantes, cada uno persiguiendo sus propios fines, integrados no por una visión compartida sino por los procedimientos burocráticos de la 'administración'."[48] (Como una vez se oyó declarar a un presidente de universidad: "la universidad es una constelación desorganizada de unidades académicas y administrativas que apenas comparten algo más que la calefacción central".)

A lo que Bellah se refería como la "cafetería multiversidad" y Barber, la universidad "de servicio completo", George Douglas lo denominaba el modelo de "bazar gigante". "Desde el fin del siglo XIX [comentaba Douglas], nosotros, los norteamericanos, hemos gravitado hacia la idea de que la universidad es como una tienda gigante, un emporio, una especie de bazar, un lugar donde las personas acuden a comprar cosas. Las personas vienen a la universidad para comprar bienes que se encuentran ya empaquetados o que se encuentran hechos por encargo. Los estudiantes, por ejemplo, desean obtener títulos de manera que puedan introducirse en el complejo mundo tecnológico que requiere el conocimiento especializado. Pagan por los títulos y esperan recibirlos a tiempo y con el precio justo, al igual que una persona que compra un rollo de tela en una tienda textil." No obstante, Douglas advertía, al igual que algunas veces se estafa o se les da menor vuelto a los compradores, puede ser que los estudiantes actuales no reciban el valor justo de su inversión. Además, debe haber algo fundamentalmente erróneo en el hecho de alentarlos a pensar en el conocimiento como un producto de consumo o en la educación como algo que puede comprarse de un estante. Consideraba que esa actitud puede ser la responsable por la tendencia de muchos estudiantes de *colleges* a considerar la educación como algo que simplemente deben soportar, o atravesar o superar, "como un gato que sacude su pata para sacarse de encima unas gotas de agua sobre las que, por desgracia, tuvo que pararse".[49]

También, parte del problema, como muchos críticos lo han argumentado, fue el grado en el que el "credencialismo" había llegado a dominar las actitudes de los estudiantes hacia la educación superior. El título del *college*, advirtieron Pierre Bourdieu y Jean-Claude Passeron [*Reproduction in Education, Society and Culture* (*Reproducción en la educación, la sociedad y la cultura*), 1979], puede no funcionar en forma directa como una garantía o declaración jurada

440

---

48. Bellah *et al.*, *The Good Society* (Nueva York: Vintage, 1992).

49. Douglas, pp. 4, 34, 58, 165-167.

de la competencia laboral en un campo determinado, pero, la adquisición del mismo significaba la adquisición de un cierto "capital cultural" reconocido por los empleadores y la sociedad en general como símbolo de un rito de iniciación a la ocupación y, por consiguiente, se exigía a los que aspiraban a ocupar un cierto estatus laboral. El sistema académico, en otras palabras, en el grado en que había reemplazado a los gremios y la capacitación del aprendiz, ahora se había convertido en el medio para controlar el acceso al empleo.[50] Por lo tanto, no es de sorprenderse que las consideraciones del mercado laboral cobraran tanta importancia en las interpretaciones de los estudiantes del significado y el objetivo de su educación en el *college*.

El síndrome de "publicar o perecer"

El análisis de Bellah no trató de manera explícita la universidad de investigación ni la analizó como un fenómeno social. Si lo hubiera hecho, hubiera explicado fácilmente la importancia que se da a la investigación en muchas instituciones de educación superior; de cómo el modelo de extensión acumulativa del conocimiento como producto de la investigación científica ganó relevancia histórica, y vino a generar imperativos separados para "hacer investigación" en las ciencias sociales y las humanidades, como se hace en las ciencias biológicas y físicas y en la matemática; hubiera explicado también cómo el ideal de investigación alemán, tal como se adaptó de manera peculiar al entorno cultural norteamericano, tuvo en última instancia el resultado no intencionado de fomentar la mentalidad de "publicar o perecer" en el profesorado; y hubiera podido explicar las importantes consecuencias, algunas veces mezcladas, del énfasis de la investigación sobre la educación de grado.

441

De cualquier modo, muchos críticos de la educación superior norteamericana en los años 80 y 90 se fijaron en la investigación como otro problema más en el ámbito académico. "Si existe algo que el público general haya oído sobre los profesores de los *colleges* [observaba Douglas], es que se encuentran, de alguna manera, abrumados por la necesidad de publicar los resultados de sus investigaciones."[51] Continuó explicando que en muchos *colleges* pequeños

---

50. Véase Pierre Bourdieu y Jean-Claude Passeron, *Reproduction in Education, Society and Culture* (Los Ángeles: Sage, 1979).

51. Douglas, p. 90.

el énfasis en la investigación era mucho menos apremiante y, en algunos lugares, casi no existía. La falta de exigencia para publicar en algunas instituciones pequeñas era, algunas veces, advertido como una señal de la mediocridad o inferioridad por parte de quienes tenían posiciones en instituciones más prestigiosas, actitud que pudo haber existido o no. Pero, a la inversa, las afirmaciones de que los que trabajaban en los *colleges* humanísticos o en otras instituciones más pequeñas, por su parte daban mayor importancia a la buena enseñanza en vez de a las publicaciones también es algo que pudo haber sido expresado o no. De cualquier modo, todos los observadores coincidían en que la productividad en la investigación se convirtió en la condición sine qua non de la universidad corporativa activista. La cuestión en juego era cómo evaluar el significado y la importancia de aquel énfasis sobre la investigación y la publicación tanto en sus propios términos, como en términos de control del progreso académico.

442

El profesor de economía Henry Rosovsky, un ex decano de Harvard, ofreció una típica defensa de la investigación universitaria.[52] Consideraba que la enseñanza en el nivel universitario resultaba difícil sin las nuevas ideas y la inspiración suministradas por la investigación. Los estudiantes tienden a interpretar un interés en la investigación como un síntoma de la falta de interés en la enseñanza y se les alienta a creer que la enseñanza y la investigación es un juego de suma cero, es decir, donde más investigación conduce al abandono de la enseñanza y viceversa. Según su razonamiento, lo que no lograban comprender es que para los profesores que se encuentran a gusto trabajando en las instituciones de investigación, es ideal la combinación de ésta con la enseñanza. El profesor universitario no es un profesor del que se espera que se limite a la transmisión del conocimiento recibido a las nuevas generaciones de estudiantes, siguiendo la forma de actuar del maestro del antiguo *college* prebélico. Se supone más bien que sea a su vez generador de nuevos conocimientos.

Rosovsky admite que la promoción, el tenure, el salario y la estima profesional estaban muy relacionados con la investigación y el ejercicio académico y que las presiones para publicar, en algunos casos, podían tener consecuencias adversas. Pero, consideraba que en síntesis los investigadores tendían a ser "más interesantes y mejores profesores".[53] Su razonamiento era familiar, por supuesto: que los mejores profesores son obviamente los líderes en cualquier

---

52. Henry Rosovsky, *La Universidad: Manual del propietario* (Buenos Aires: Universidad de Palermo, 2010).

53. Ibídem, p. 93.

campo de emprendimiento académico y que las personas que se encuentran a la vanguardia de la investigación es más probable que sean también profesores creativos. Además, debido a que la investigación publicada está sujeta al examen de los colegas, sirve como un "control de calidad" útil de la solidez académica que respalda la instrucción en el aula.

Fue precisamente ese artículo de fe el que vino a sufrir el ataque cada vez mayor por parte de los críticos de la educación superior durante los años 80 y 90. Según el punto de vista de Page Smith, se llegó a contemplar a la investigación académica de una forma medio perversa como su propia justificación, sin ningún referente en el mundo real, produciendo un corpus de literatura "tan amplio como el mar, pero, tan superficial como un estanque". La gran mayoría de la investigación surgida de la universidad moderna carece de valor en su esencia, no tiene ningún beneficio mesurable para nada o para nadie, no altera las fronteras del conocimiento que se invoca con tanta confianza y frecuencia y no contribuye con nada significativo para el pueblo en general o algún segmento del mismo [...] con la posible excepción de aquellos organismos externos que algunas veces subvencionan los costos. Hasta el momento, en lo que respecta a Smith, se trataba de "mucho trabajo en una amplia escala casi incomprensible". La lástima fue que se forzó a muchos profesores a convertirse en cómplices poco dispuestos de un sistema que los obligaba a escribir cuando, resultaba por desagracia evidente, que no tenían nada importante que decir.[54]

Para Charles Sykes, la investigación era un desperdicio de tiempo absurdamente inflado, una empresa de dudoso valor para llevar adelante con frecuencia a expensas de los recursos públicos sin ninguna utilidad real, cultural o de cualquier tipo. En cuanto al razonamiento de Rosovsky y otros como él, de que la investigación y la enseñanza son interdependientes y que se refuerzan de manera mutua, Barber destacaba que la sinergia supuesta de las dos representaba una proposición muy sospechosa que carecía de evidencia que la sustentara. Hablar de un equilibrio entre la investigación y la enseñanza era un ejercicio de ilusiones que para bien o para mal era una mentira. Barber observaba: "El desagradable pequeño secreto a voces de la educación superior norteamericana para todos los miembros del profesorado que se las arreglan para obtener el tenure es: a nadie se le otorgó un cargo titular en una universidad o *college* importante sobre la base de una gran capacidad de enseñar solamente; y nunca a nadie con grandes antecedentes de investigación y publicación se le negó un

443

54. Smith, pp. 7, 20, 179, 197-198.

cargo debido a un antecedente pobre en la enseñanza. La enseñanza es el acompañamiento, pero, la investigación es la comida principal".[55]

Gran parte de la crítica a la investigación académica se aferraba al carácter o la calidad de lo que se estaba produciendo. Algunos sostenían que el sistema forzaba a los profesores a especializarse todavía más de lo que requerían sus respectivas disciplinas, debido a la expectativa académica según la cual el ejercicio académico "serio" trataba los pequeños problemas, cuestiones o temas cerrados y debía analizar con detenimiento las materias de proporciones microscópicas y fronteras muy delimitadas. Las grandes teorías generales se habían convertido en sospechosas; apartarse del propio campo de especialización en el que uno estaba acreditado, era considerado cada vez más reprobable, como lo expresó un comentarista, el mensaje era que los profesores solo se encontraban a salvo sí se convertían en pintores de miniaturas académicas e intelectuales. Otros críticos, como Bellah, atacaban el aislamiento de la mayor parte del mundo académico de las cuestiones de interés general públicas, el aparente aislamiento de la principal corriente cultural, la abdicación de su responsabilidad de forjar vínculos con la sociedad como un todo.

444

Otros más criticaban a los académicos por su supuesta preocupación por el método y la técnica y la deliberada afición por escribir en lenguajes especializados inaccesibles que eran inteligibles para otros especialistas. "Se dan un banquete [según George Douglas] de gachas de abstracciones muertas condimentadas en ocasiones con pomposidades ocultas."[56] Barber, por su parte, consideraba que las críticas a la educación académica estaban más que justificadas y que se aplicaban especialmente a los nuevos campeones de la educación democrática no menos que a los demás. La característica más extraña de la educación radical sobre la raza, la etnia y el feminismo, por ejemplo, "era lo inaccesible que resultaba aún para los mismos grupos a los que iba dirigida. Por lo menos, el *Manifesto* de Marx era una lectura adecuada y popular [...] Pero, una buena parte de la crítica posmodernista es inteligible solo para los iniciados [...] y, atrapada en su propia jerga metacrítica, no resulta menos elitista que el canon que desafía".[57]

Los detractores de la investigación y educación académicas repartían la culpa por partes iguales. Los investigadores de las ciencias naturales se habían

55. Barber, p. 196.

56. Douglas, pp. 68-70, 85-89, 93, 95, 100-101.

57. Barber, p. 200 y ss.

encerrado en sus respectivas especializaciones, cada uno sellado y cerrado herméticamente, apartado uno del otro. Los científicos sociales habían levantado con la misma terquedad barricadas fijas alrededor de sus propias disciplinas. Invadidos de sentimientos de inferioridad frente a los colegas de las ciencias físicas colocaron un manto de tecnicidad casi impenetrable sobre su tarea y, en un vano intento de imitar las convenciones de las ciencias "exactas", se comprometieron en vestir a las investigaciones con un argot voluminoso y una cuantificación falsa. Los humanistas (profesores de literatura, lengua, historia y filosofía), según Douglas, se dieron el gusto de una nueva forma mortal de escolasticismo distinguido principalmente por el oscurantismo, la prosa rimbombante y el solipsismo introspectivo. Consideraba que dominaron las variadas "perversidades" del estructuralismo, postestructuralismo, de construccionismo y otras "posturas oscuras" en el análisis literario e histórico. El escolasticismo de las humanidades, Barber convenía, quedaba bien ilustrado por su tendencia a tomar la cultura misma, que es su supuesto objeto de estudio, y convertirla en el estudio del estudio de la cultura. Por lo tanto, observaba Barber, uno ya no lee o interpreta libros, uno estudia lo que significa leer libros; uno no interpreta teorías, pero, desarrolla teorías de interpretación.[58] En un panorama general, la muletilla constante de la avalancha de libros que comentaban sobre el estado de la educación norteamericana en los 90, era que ésta parecía haber sucumbido a una escalofriante forma de "mandarismo o gobierno de las elites burocráticas", que se había convertido en algo completamente remoto y apartado de las preocupaciones vitales con las que alguna vez se había comprometido la investigación académica. Se decía que la torre de marfil se había convertido en una torre de parloteo.

445

La pérdida de la comunidad

La pérdida del sentido de comunidad figuraba como un tema recurrente en varios análisis de la educación superior norteamericana de fines del siglo XX. Una vez más, aunque hubo muchos otros estudios del mismo género que hacían suficiente hincapié sobre los mismos motivos, la obra de George Douglas, *Education Without Impact*, aportó un buen ejemplo incisivo. Consideraba que los norteamericanos hacía mucho tiempo que pedían a los *colleges*

---

58. Véase *Ibídem*, Capítulo 4, "Radical Excesses and Post-Modernism", pp. 107-150.

y a las universidades, lo "inapropiado" y las instituciones de educación habían respondido desarrollando un estilo educativo adaptado a la satisfacción de las necesidades comerciales y técnicas de la sociedad, pero, no necesariamente a las necesidades de los individuos como seres humanos y, sin duda, no las necesidades cívicas fundamentales de la república. A su parecer, las universidades no estaban proporcionado el tipo de ambiente humano en el que una educación digna de ese nombre, pudiera prosperar. Eran demasiado grandes, demasiado llenas de actividades, demasiado ocupadas como para ser sitios de aprendizaje auténtico. En cambio se habían convertido en meras fábricas de producción de habilidades especializadas o para impartir información, y en ambos casos, lo hacían en forma rutinaria y carente de imaginación.[59]

Con todo su primitivismo, aislamiento social, estancamiento e indiferencia, su limitado plan de estudios y su paternalismo autocrático, Douglas confesaba, los *colleges* de estilo antiguo que habían tenido su asidero en la época colonial eran comunidades de aprendices más auténticas. Ofrecían poco en lo que respecta a la utilidad directa o práctica; preparaban para una muy limitada gama de carreras y estaban obligados a subsistir con una pizca de apoyo financiero o de cualquier otra clase. Sin embargo, a pesar de todos sus defectos y limitaciones, en su mejor esfuerzo suministraban un medio ambiente o una atmósfera en el cual era posible la educación genuina. Ofrecían tiempo y espacio para las transacciones intelectuales entre los profesores y los estudiantes, oportunidades para que los jóvenes formularan interrogantes fundamentales, situaciones para deliberar, analizar y discutir temas de interés común. Tomaron con seriedad el desafío de formar y construir el carácter y de vincular interrogantes de juicio y estándares normativos. Su tamaño reducido conducía a un tipo de cohesión y unidad personal que más tarde se perdió. Eran comunidades de aprendizaje. Sobre todo, incluso cuando las autoridades del *colleges* acusaban a los estudiantes de ser personas indisciplinadas cuya conducta había que controlar y regular en cada situación posible, los tomaban en serio como aprendices.[60]

Douglas y otros críticos semejantes deben haber invocado como un ejemplo del ideal conductor del *college* de estilo antiguo, al discurso de William Johnson Cory *Eton Reform* (*Reforma de Eton*), 1861] a un grupo de jóvenes a punto de embarcarse en la siguiente fase de la carrera académica. "Su tarea no

59. Douglas, pp. XIII-XIV.

60. *Ibídem*, pp. 9-18.

es tanto la de adquirir conocimientos como la de realizar esfuerzos mentales guiados por la crítica [les dijo]. Pueden adquirir, en efecto, una cierta cantidad de conocimiento con los profesores promedio hasta el punto de retener algo de él; no es necesario que lamenten las horas que emplearon en lo que se olvida, ya que la sombra del conocimiento perdido por lo menos los protege de muchas ilusiones. Pero, asisten a una gran institución no tanto por el conocimiento sino por los hábitos y las artes; por el hábito de la atención, por el arte de la expresión, por el arte de asumir en un instante una nueva postura intelectual, por el arte de ingresar con rapidez en los pensamientos de otra persona, por el hábito de someterse a la censura y la refutación, por el arte de indicar la aprobación o el disenso desde el punto de vista de una persona graduada, por el hábito de tomar en cuenta los más mínimos grados de exactitud por el hábito de resolver lo que es posible en un tiempo determinado, por el gusto, por la capacidad de discriminar, por el coraje mental y la serenidad mental." Cory concluía: "sobre todo, asisten a una gran institución por el autoconocimiento".[61]

Algo de aquel ambiente campestre de intimidad y lánguida contemplación perduraba a medida que los antiguos *colleges* y universidades rurales crecían y se transformaban en algo nuevo. "Incluso cuando surgieron las grandes instituciones en los años inmediatamente anteriores al final de nuestro siglo [según Douglas], se realizaron esfuerzos persistentes para mantener algo de la esencia del pequeño *college* cubierto de hiedra, pues de lo contrario, no hubiéramos erigido universidades con edificios de estilo Georgiano o "gótico", con patios y caminos con sombra. Hubiéramos parado de plantar hiedra."[62] (Resulta interesante, en otro contexto, que el historiador Daniel Boorstin también haya discernido un significado simbólico especial, aunque diferente, en la arquitectura de los *colleges*. Si iba a existir una nueva "religión de la educación", las universidades servirían como catedrales, al igual que las escuelas secundarias servirían como parroquias. Consideraba que no fue accidental que las universidades norteamericanas hubieran adoptado la arquitectura de la gran época de la construcción de catedrales europeas. En pocas palabras, para las instituciones que podían darse el lujo de hacerlo, el "*college* gótico" se convirtió naturalmente en el estándar.)[63]

447

---

61. William Johnson Cory, *Eton Reform* (Londres: Longman, Green, Longman, & Roberts, 1861), pp. 6-7.

62. Douglas, p. 12.

63. Adviértase la discución interesante en relación con esto en John R. Thelin, *Higher Education And Its Useful Past* (Cambridge, Mass.: Schenkman, 1982), pp. 157-160.

En última instancia, los críticos de la educación superior norteamericana de los años 90 no parecían demasiado optimistas sobre las perspectivas de recrear el espíritu de una auténtica comunidad de aprendizaje en el ámbito académico. El gigantismo —el simple tamaño y complejidad de la universidad moderna— parecía militar en contra de volver a alcanzar la proximidad y la intimidad que se decía eran características de la educación superior en tiempos pasados. La probabilidad de que las megauniversidades se volvieran más pequeñas en cualquier grado apreciable (incluso si estimaba que un tamaño menor era deseable o necesario) parecía remota. Se señaló que otro factor en juego era el aumento impresionante del porcentaje de estudiantes de medio tiempo en los *colleges* y las universidades. Sin el deseo o sin la capacidad de invertir en una instrucción de tiempo completo, hacía tiempo que muchos estudiantes habían abandonado el cronograma tradicional de 4 años para completar los requisitos exigidos para obtener el título de licenciado. Ahora los *campus* se encontraban atestados de estudiantes mayores tanto graduados como no graduados que regresaban, estudiantes no tradicionales de mediana edad, hombres y mujeres cuyas carreras y responsabilidades familiares competían con sus estudios académicos en tiempo y energía. Incluso entre el cohorte tradicional de la franja etaria de 18 a 22 años, las presiones económicas demandaban que muchos tuvieran empleos de medio tiempo o tiempo completo mientras asistían a clases. En estas circunstancias, se observaba, las oportunidades de revivir el ambiente relajado del *college* de otros tiempos como una comunidad estrechamente vinculada, parecían nulas.[64]

Los estándares académicos

Los alegatos de que los estándares académicos habían decaído en forma precipitada era una muletilla conocida entre los observadores de la escena de los *colleges* norteamericanos en los años 80 y 90. Muchas veces antes se habían oído quejas similares, por supuesto y a duras penas podían considerarse originales, pero, aparecían con mayor frecuencia y con mayor fuerza que antes. Parte del problema, según una línea de análisis, era que Estados Unidos como sociedad

---

64. Otros factores de carácter más fundamental también se hacen referencia en Bruce Wilshire, *The Moral Collapse of the University, Professionalism, Purity, and Alienation* (Albany: State University of New York Press, 1990), pp. 72-83, 171-174.

democrática se había propuesto la meta de que la mayor cantidad posible de jóvenes se graduasen de las escuelas secundarias y continuaran en el *college*. A diferencia de los modelos europeos tradicionales en los que las escuelas, por tradición, realizaban una función de "reducción", separando y seleccionando a los estudiantes y aprobando a aquéllos de talento académico profesional para el siguiente escalón superior, el enfoque norteamericano era más igualitario.

No se debía ahorrar ningún esfuerzo para lograr que todos completaran la educación secundaria y, más adelante, que se le diera la oportunidad a prácticamente cualquiera que quisiera acceder a la educación superior en busca de un título de *college*. No obstante, en la ausencia de estándares nacionales de logros académicos, sin dejar de mencionar el predominio de las políticas de admisión abiertas, o así se decía, los *colleges* y las universidades podían dar por sentado muy poco en cuanto a habilidades y logros entre los estudiantes ingresantes. La presencia en los *campus* de cantidades cada vez mayores de estudiantes de capacidad mediocre o poco distinguida, muchos de ellos graduados con notas en el percentil más bajo de las escuelas secundarias, iba a afectar el rigor de la educación en los *colleges*.

Lo que resultaba indisputable, de cualquier modo, era la tendencia hacia la no selección en las admisiones. Mientras que en 1955 más de la mitad de los *colleges* y las universidades de la nación tenían algún tipo de política de admisión selectiva, tres décadas más tarde en 1985, según la *Selective Guide to Colleges* (*Guía selectiva de colleges*) del *New York Times*, de casi 3.000 instituciones investigadas, menos de 175 instituciones se clasificaron como "selectivas". Lo que constituía el carácter "selectivo" siempre estuvo abierto al debate, pero en el punto extremo, las diferencias eran lo suficientemente obvias. En 1985, por ejemplo, la Universidad de Stanford aceptó a no más del 15% de los aspirantes; en el mismo año la Universidad de Arkansas aceptó al 99% de ellos.[65]

Una confusión considerable continuó rodeando los debates sobre el significado y las implicaciones de las políticas y prácticas igualitarias de admisión. Algunos sostenían un enfoque "elitista" sin avergonzarse por ello, basado en el concepto de la "aristocracia del mérito" académica e intelectual que permitiera el acceso solo a los "mejores y más brillantes". Algunas veces se adicionaba

449

---

65. Edward B. Fiske, *Selective Guide to Colleges* (Nueva York: New York Times Books, 1985), p. XIII; citado en Rosovsky, p. 60. Para un antecedente histórico, consúltese "Mostly Stable: College and University Enrollments: 1985-91", en *Chronicle of Higher Education* (25 de noviembre de 1987): A29; Kenneth Young, *Access to Higher Education: A History* (Washington, D.C.: American Association of State Colleges and Universities, 1971); y Richard I. Ferrin, *A Decade of Change in Free Access to Higher Education* (Nueva York: College Entrance Examination Board, 1971).

la condición de que se realizarían esfuerzos especiales, en la jerga deportiva popular de los 90, para "nivelar el campo de juego"; es decir, para igualar las oportunidades, para que todos pudieran demostrar su potencial para beneficiarse de la educación superior, en especial, aquéllos que provenían de ambientes marginales. Pero, se debía preservar el principio de que la educación superior no era para todos. Otros sostenían que abrir las puertas del ámbito universitario a cualquiera que buscara el ingreso era algo inofensivo e inocuo por completo, siempre y cuando se dejara claro que el principio de la "oportunidad" no significaba "derecho"; es decir, que todos merecían la oportunidad de tener éxito, pero, debían responder a ciertos estándares institucionales de logro académico como una condición para mantenerse.

En respuesta, los opositores sostenían que era una broma pesada y cruel mantener la esperanza del éxito admitiendo a masas de estudiantes que, según los estándares de predicción, era poco probable que tuvieran éxito. Asimismo, algunos comentaristas continuaron reclamando que la falta de estándares de admisión estrictos amenazaba con socavar la integridad de toda la empresa académica. Para finalizar, algunos igualitarios radicales, es posible que un grupo muy reducido, llegaran tan lejos como para instar el abandono de cualquier estándar de competencia; en cuyo caso, las preocupaciones sobre el fracaso se tornarían debatibles. Todos podían tener éxito de alguna manera, en algún nivel de rendimiento.

El igualitarismo fuera de lugar contribuyó al problema de la confusión sobre los estándares. Algunos críticos conservadores, no obstante, consideraban que una causa más importante de la aparente erosión o pérdida del rigor académico en los *colleges* y las universidades se podía rastrear en el período del malestar en los *campus* de los años 60 y principios de los 70. En una época en donde se sospechaba de la autoridad, donde se atacaban a todos los estándares y restricciones y se atacaba a todo lo tradicional como elitista y no democrático, los administradores académicos y el profesorado estaban ansiosos por eludir las confrontaciones con el enojo estudiantil. Frente a la presión inexorable de relajar los requisitos, los profesores capitularon, finalmente.[66] Debido a que carecían de fuertes convicciones propias sobre qué estándares eran defendibles, los profesores se rindieron al permitir a los estudiantes que tomaran las decisiones. En otras palabras, accedieron a sustituir las asignaturas más difíci-

---

66. Rosovsky cita un ejemplo llamativo en Harvard en 1968, p. 23. Capitulaciones similares se llevaron a cabo en muchos otros *colleges* y universidades en la Nación. Véase Douglas, pp. 105-114 y ss.

les, por cursos más sencillos y menos exigentes. Se crearon nuevas elecciones y alternativas adicionales, incluso cuando disminuyeron las expectativas y las cargas de trabajo. Se redujeron o eliminaron los requisitos de idiomas extranjeros, matemáticas y ciencias. Se les permitía a los estudiantes una mayor libertad para dar forma a sus planes de estudio. El plan de estudios general se tornó más liviano, más flexible. Resultaba más sencillo retirarse de los cursos y se introdujeron nuevas opciones para aprobar y reprobar que permitirían a los estudiantes proteger los promedios de las calificaciones académicas.

La aceptación tácita de un "modelo de mercado" para la educación superior exacerbaba la tendencia a relajar los estándares. Si los estudiantes eran "consumidores" y la educación era un "producto" disponible para la compra, según la lógica, los estudiantes tenían derecho a escoger y seleccionar lo que les complaciera. Y si no se les podían negar buenas calificaciones a los estudiantes que pagaban las clases, de manera más o menos independiente de los logros reales, el resultado inevitable sería la inflación de las calificaciones, lo cual, según los críticos se apresuraron a destacar, fue exactamente lo que ocurrió en los 70. En los años 20, en Harvard, por ejemplo, no más de uno de cada cinco estudiantes formaba parte de la lista de honor. En 1976, lo hacían más de tres cuartos (76%). En los años 50 la letra promedio para calificar a los estudiantes de grado era C. En los 80, tres décadas más tarde, los estudios revelaron que entre una sección representativa nacional de *colleges* y universidades públicos de diversos tamaños investigados, la calificación promedio otorgada había ascendido a B.[67] Debido a que los estudiantes eran los beneficiarios de la nueva distribución, eran los que menos se quejaban, incluso cuando la inflación implicaba una cierta devaluación en el valor de sus credenciales.

451

Las revelaciones de los estándares de calificación poco estrictos continuaron con una regularidad depresiva bien entrados los 90.[68] En Harvard, en 1992, por ejemplo, el 91% de todas las calificaciones de grado eran B o superiores. En Stanford, no más de cerca del 6% de todas las calificaciones informadas eran C. En Princeton, la calificación A aumentó del 33% de todas las calificaciones al 40% en 4 años.[69] El instructor de Harvard, William Cole,

67. Douglas, p. 114.

68. Véanse, por ejemplo, Christopher Shea, "Grade Inflation's Consequences", en *Chronicle of Higher Education*, 40 (5 de enero de 1994), pp. A45-A46; y Arthur Levine, "To Deflate Grade Inflation, Simplify the System", en *Chronicle of Higher Education*, 40 (19 de enero de 1994): B3.

69. John Leo, "A for Effort. Or for Showing Up", en *US News & World Report*, 115 (18 de octubre de 1993), p. 22.

diagnosticó la causa del problema como una pérdida del coraje. "El relativismo es la palabra clave hoy en día [defendía Cole]. Existe la concepción general en el mundo académico literario que mantener todo en estándares elevados (como la lógica, el razonamiento, poseer una tesis interesante) es patriarcal, conservador y euro céntrico. Si uno dice: 'esta presentación no es buena porque no puede sostener su razonamiento', eso es casi como ser racista o sexista."[70] La explicación ofrecida en 1994 por Stephan Cahn, ex director y vicedirector del centro de graduados de la Universidad de la ciudad de Nueva York, tuvo un tono similar. El la aversión general de los académicos a otorgar calificaciones bajas, afirmaba Cahn, reflejaba el espíritu de la época a rechazar por completo el concepto de mérito comparativo. Arribó a la conclusión de que los resultados eran evidentes para todos: expectativas menores, igualitarismo equivocado, abandono de los estándares de calidad y, para finalizar, lo que caracterizaba como un "eclipse de la excelencia".[71]

Mientras tanto, los estudiantes parecían imperturbables ante los debates sobre la calidad de su educación. Para la mayoría de los consumidores de la capacitación en los *colleges*, la estancia en el *campus* se consideraba como un derecho y un rito de paso, casi implacable en su inevitabilidad, algo que casi todos tenían permitido o estaban obligados a atravesar con destino a algo más [...] tal vez, la escuela de posgrado o un empleo, u otro peldaño en la carrera. En los años 90, la idea de que la educación en el *college* debía ser apreciada como una aventura intelectual para saborear y gozar, en vez de ser algo que se soporta como una salida a algún destino posterior, debe haber sido para muchos estudiantes algo literalmente incomprensible.

La desatención a la educación de grado

Tal como algunos críticos evaluaron la situación, la universidad moderna, pública o privada, con demasiada frecuencia, había perdido de vista las condiciones necesarias para promover una educación genuina. Se sostenía que por tradición los líderes académicos concebían la tarea como una simple forma de

---

70. Citado en Leo, p. 22. Consúltese William Cole, "By Rewarding Mediocrity, We Discourage Excellence", en *Chronicle of Higher Education*, 39 (6 de enero de 1993): B1-B2.

71. Steven M. Cahn, *Saints and Scamps: Ethics in Academia*, ed. rev. (Lanham, Md.: Rowman & Littlefield, 1994), pp. 30-33.

"impartir información", preferiblemente de la manera más expedita posible. Pero, los estudiantes que ingresaban al *college* no buscaban y no necesitaban otra experiencia de información "impartida", ya habían tenido mucho de eso en los niveles inferiores. Si se daban cuenta en forma consciente o no, no necesitaban la transmisión de información impersonal o superficial que se recibía con mayor frecuencia en las grandes salas de conferencias, dictadas por ayudantes de posgrado con relativamente poca experiencia o por miembros del profesorado, con frecuencia a regañadientes y solo bajo presión, que tuvieron la poca suerte de que se les asignara la supervisión de cursos de niveles inferiores. Tampoco se ayudó a la causa de la educación de grado de alta calidad con la promoción de cursos introductorios como antesalas intelectuales a la especialización profesional, como dispositivos para reclutar directores departamentales para alguna disciplina en particular.

Los estudiantes no necesitaban que se les hablara "a ellos" sino que conversaran "con ellos", preferiblemente en pequeños seminarios o coloquios, reconociendo que el aprendizaje significativo es de "labor intensiva" en forma inherente y no puede llevarse a cabo a gran escala como si fuera una cadena de montaje. Algunos sostenían que los estudiantes de grado no necesitaban pruebas de competencia y evaluaciones de resultados y exámenes estandarizados con puntaje computarizado o cualquier otro accesorio mecánico de corporación académica. No se beneficiarían de las innovaciones tecnológicas empleadas de una forma tal que convirtieran la enseñanza en algo menos significativo y más impersonal. Los estudiantes, declaraban los críticos (tal vez, de manera injusta) merecían algo mejor que el permiso de pasar como piedras por el tracto intestinal de los *colleges* y universidades de la nación, para salir tan poco ilustrados, tan fundamentalmente poco cultos como lo eran al ingresar.

453

Se decía que lo que los estudiantes necesitaban para ser verdaderamente educados eran oportunidades de extender sus mentes, ser provocados y desafiados, elaborar interrogantes fundamentales, evaluar respuestas alternativas, integrar y sintetizar y aplicar lo que habían aprendido. Era poco probable que pudieran recibir todo lo anterior, a menos que, o hasta que se dejara de abandonar o menospreciar la educación de grado como solo una empresa complementaria de la capacitación profesional y de posgrado. El verdadero imperativo para cualquier institución de educación superior que se respetase, era consagrar la educación de grado una vez más como la verdadera razón de ser del *college* o la universidad. En la mayoría de las discusiones de los años 90 se dejó sin abordar un análisis detallado de lo que sería necesario en términos de cambio de prioridades, de cambios en el sistema de recompensas del profesorado y de transformación de la cultura académica para efectuar la restauración propuesta de la educación de grado a una posición central.

William D. Schaefer, un ex vicecanciller (ex vicepresidente) de la Universidad de California en Los Ángeles, se encontraba entre aquéllos que intentaron ofrecer un diagnóstico del problema.[72] Desde su punto de vista, las instituciones de educación superior durante años habían "mezclado en forma mecánica los cursos académicos y vocacionales sin una continuidad o coherencia o cualquier cosa que se acerque a un consenso sobre qué es lo que debe constituir en realidad la educación". Para él, éste era el quid de la cuestión algo que necesitaría tratarse con el pensamiento y la deliberación, no con dólares estadounidenses. Destacaba: "Creo que debemos estar [...] profundamente preocupados por esta confusión de propósitos; una confusión que ha conducido a los *colleges* y las universidades a hacer afirmaciones fraudulentas sobre sus objetivos y misiones mientras empaquetaban una mezcolanza de cursos no relacionados y requisitos incoherentes".[73]

Schaefer tomó nota de la cantidad de estudios e informes nacionales sobre la educación de grado que aparecieron durante los años 80. Las críticas al título de bachiller habían alcanzado el estatus de un pasatiempo nacional en medio de los alegatos de que la educación general era una "zona de desastre", que los *colleges* ofrecían un bufé de cursos de los cuales se les permitía a los estudiantes escoger y seleccionar el camino para la graduación, que los estándares de los títulos de licenciado habían llegado a variar en semejante magnitud que nadie podía decir qué se suponía que representaba el título, que la educación universitaria se había hundido hasta el punto en el que existía más confianza sobre la longitud de la educación en el *college* que en su propósito o su esencia y así sucesivamente.[74] Schaefer se preguntaba: ¿qué sería lo *mínimo* que un *college* o una universidad deberían esperar que lograsen sus estudiantes de grado en cuanto a conocimientos y habilidades analíticas? Lo mínimo que proponía para asegurar que los estudiantes recibieran una educación general significativa incluía lo siguiente: 1) la expectativa de que los estudiantes pudieran leer, escribir y conversar en inglés en un nivel suficiente

454

72. Véase William D. Schaefer, *Education Without Compromise, From Chaos to Coherence in Higher Education* (San Francisco: Jossey-Bass, 1990, *pássim*).

73. *Ibídem*, p. XII.

74. *Ibídem*, p. 18 y ss.

para el discurso académico serio; 2) la capacidad de leer y conversar en por lo menos un idioma extranjero y comprender en general cómo se sistematiza un idioma; 3) una comprensión básica del estudio y las artes escénicas (orígenes, desarrollo histórico, teoría y demás); 4) una comprensión similar del mundo de las letras, incluyendo una crítica literaria suficiente para permitir que uno lea literatura, incluyendo obras importantes en los campos de la filosofía, la religión y las ciencias sociales; 5) conocimiento del desarrollo histórico de la universidad, sus raíces, sus tradiciones y sus logros y sus civilizaciones: tanto la de occidente como la de oriente; 6) una comprensión sólida del enfoque científico del conocimiento, un conocimiento más que superficial de las ciencias físicas y una comprensión de las matemáticas; y, para finalizar; 7) una comprensión similar del cuerpo humano y del funcionamiento de la mente humana. Reconociendo que se pueden sostener otras metas y prioridades diferentes, Schaefer insistía que "hasta que no se identifiquen y se esté de acuerdo sobre dichas metas no se puede hablar de manera inteligente sobre los cursos y los programas de educación general que se necesitan".[75]

Schaefer concluía con una petición: "es necesario un compromiso por parte de cada institución —sin calificación, sin reserva, sin compromiso— que mediante un programa de instrucción coherente organizado de manera cuidadosa compartirá con los estudiantes lo que en la actualidad se estima que es lo mejor que se ha conocido y pensado a través del tiempo y del espacio, en este nuestro mundo". Una educación de *college* viable en el siglo XXI, agregó, demandaba un "volver a pensar por completo" lo que una persona educada podría y debería saber.[76]

455

La integración del plan de estudios

En 1959 el académico inglés C.P. Snow publicó una conferencia pronunciada en Cambridge titulada *The Two Cultures*.[77] Su juicio en ese momento era que la universidad se había dividido en dos campos que consistían en científicos analfabetos en el ámbito cultural, por un lado, y humanistas analfabetos en el ámbito científico, por el otro. Entre los dos, Snow sostenía, se había formado un "abismo de comprensión mutua [...] de hostilidad y

75. *Ibídem*, pp. 23-25.

76. *Ibídem*, pp. 123-124.

77. C.P. Snow, *The Two Cultures and The Scientific Revolution* (Cambridge: Cambridge University Press, 1959).

de desacuerdo, pero, lo más importante es la carencia de entendimiento". Los científicos, como Snow los retrataba, demostraban poco interés en las dimensiones sociales, morales o psicológicas de la existencia humana y tendían a ser indiferentes a las cuestiones que se extendían más allá del campo de la ciencia empírica. Consideraba que los humanistas eran incluso más indiferentes e ignorantes sobre los principios científicos más básicos. Pero, en cuanto a la enseñanza general, el juicio de Snow era que los científicos y los tecnólogos tenían la responsabilidad mayor por haber fracasado en la formulación de interrogantes sobre cómo integrar el plan de estudios del *college*. Mientras tanto, se concluyó más tarde, los estudiantes del *college* trataron de salvar la distancia de las "dos culturas" con indiferencia y poca profundidad general. Igualmente ignorantes tanto de las letras como de los números, se unieron para crear, lo que un ingenioso denominó como "una espléndida igualdad de ignorancia".

Treinta años después del análisis de Snow, Allan Bloom en la obra *The Closing of the American Mind* (1989) retornó a los mismos temas.[78] El profesorado había abandonado la enseñanza liberal porque era demasiado difícil para conceptualizar o administrar. Debido a que arrojaron a la basura el plan de estudios tradicional sin poseer nada coherente para reemplazarlo, los profesorados de todas partes se entregaron a la tendencia de las modas pasajeras intelectuales o se retiraron hacia el interior de sus especialidades. Se olvidó la idea de una cultura general compartida y se dejaba que los estudiantes de grado hicieran lo que desearan. Las universidades, observaba Bloom con sarcasmo, pueden realizar todo, pero, "no pueden generar un programa modesto de educación general para los estudiantes de grado".

La crítica de Bloom aparentemente tocó algún tipo de nervio. La búsqueda de un recurso o "centro" para la enseñanza liberal de grado eclipsaba a casi todos los otros temas de la educación superior norteamericana hacia el final del siglo. La mayor parte del debate a escala nacional había comenzado media docena de años antes con la publicación, en 1983, de un ensayo en la *American Scholar* titulado "Alfabetización cultural" escrito por E.D. Hirsch, Jr., un profesor de inglés en la Universidad de Virginia. En el ensayo y en el libro que publicó después con el mismo título, Hirsch afirmaba que en la ausencia de un plan de estudios común, la sociedad norteamericana estaba cambiando, de manera peligrosa, aproximándose a perder "su coherencia como cultura".[79]

78. Allan Bloom, *The Closing of the American Mind* (Nueva York: Simon and Schuster, 1987).

79. Hirsch, pp. 2-18 y ss.

"Necesitamos conectar más a nuestros estudiantes con nuestra historia, nuestra cultura y aquellas ideas que nos mantienen unidos [sostenía Hirsch]." De un tono similar fue la declaración del filósofo Mortimer Adler y sus colaboradores, en 1982, en la obra titulada *The Paideia Proposal* (*La propuesta de la paideia*): "para una comprensión mutua y un debate responsable entre los ciudadanos de una comunidad democrática y para que se revelen y se resuelvan las diferencias de opinión, los ciudadanos deben poder comunicarse unos con otros en una lengua común".[80]

Para responder a las calumnias acumuladas sobre su sugerencia de que el plan de estudios académico debe compartir elementos comunes, Hirsch tomó la ofensiva. En contra de aquellos que sostenían que celebrar la diversidad multicultural dentro de la sociedad norteamericana era mucho más importante que imponer el "monoculturalismo" y que éste último equivalía a una forma de "imperialismo cultural", Hirsch declaró: "la cultura letrada norteamericana ha asimilado por sí misma muchos de los materiales de aquellos que se encuentran a favor del multiculturalismo desean incluir". Para aquellos que lo acusaban de un elitismo étnico escribió en *NEA Today* en 1988: "es verdad que muchos de los norteamericanos más ricos y mejor educados del siglo XIX y comienzos del siglo XX eran blancos, anglosajones y protestantes; y es verdad que la cultura erudita que poseen todavía goza de una presencia dominante en la cultura erudita norteamericana. Pero, pensar que la cultura erudita es de blancos anglosajones y protestantes y elitista porque las personas educadas que lo poseen son así, significa razonar *post hoc ergo propter hoc* [la sucesión temporal implica una relación de causa y efecto], algo que un experto en pensamiento crítico identificará con rapidez como una falacia lógica".[81]

457

El enfoque de Hirsch estaba dirigido en primer lugar hacia el plan de estudios de la escuela secundaria. Pero, los términos básicos de su razonamiento se aplicaban también en los ámbitos del *college*. Alcanzó un crescendo, en 1988, en una batalla campal entre el entonces Secretario de educación William Bennett y sus críticos sobre una decisión del profesorado de la Universidad de Stanford de reemplazar un curso obligatorio de primer año: "Cultura Occidental" con un curso denominado: "Culturas, ideas y valores". En la edición revisada, el curso reducía la importancia de quince textos "clásicos" y obligaba la inclusión de escritos de "mujeres, minorías y personas de color". La acusación

80. Mortimer Adler, *The Paideia Proposal* (Nueva York: Macmillan, 1982), pp. 42-43.

81. E.D.Jr. Hirsch, "Cultural Literacy: Let's Get Specific", en *NEA Today*, 6 (enero de 1988), pp. 15-21.

de Bennett de que la acción del profesorado podría convertir en "triviales" los planes de estudio de la universidad desató una tormenta de protestas en las revistas y las páginas de opinión de los periódicos de la nación.

Los críticos del llamado "monoculturalismo" ridiculizaban la idea de Hirsch de que uno debería poder identificar una lista de temas, nombres e ideas que todos debían compartir. Otros sostenían que en el intento de preservar un pasado de exclusión, parece que Bennett y sus discípulos hubieran sido víctimas de un cierto espíritu malintencionado que en el origen era tan antidemocrático como intelectualmente elitista. Algunos teóricos se sentían especialmente ofendidos ante la idea de un canon curricular común. Sostenían que nunca podía haber un contenido fijo en el centro de la enseñanza liberal: se lo debía revisar en forma constante, reformular, reinventar y, luego, la comunidad de aprendizaje lo debía readquirir como una función de intereses equilibrados y de valores sociales que cambian, donde todo es dinámico en vez de estático y siempre se encuentra en movimiento.

El problema práctico, como la mayoría de los observadores lo vieron en los años 90, era hallar formas nuevas y más creativas para reconciliar las demandas legítimas de diversidad con la necesidad igualmente urgente de hallar un centro unificador, si no un núcleo común, entonces un fondo de experiencias que diera vida una vez más al ideal de la enseñanza liberal o general. Howard Lee Nostrand caracterizó a la educación general medio siglo antes en la introducción a la obra *Misión de la universidad* (1946) de José Ortega y Gasset: "la educación general significa el desarrollo completo de un individuo aparte de su capacitación en la ocupación. Incluye la civilización de sus propósitos de vida, el refinamiento de sus reacciones emocionales y la madurez de su comprensión sobre la naturaleza de las cosas según el mejor conocimiento de nuestros tiempos". Hacia fines del siglo XX, poco indicaba que había mucho consenso sobre cómo alcanzar ese objetivo venerable del desarrollo holístico. Algunos abandonaron la tarea por considerarla imposible. Otros *colleges* y universidades todavía se encontraban envueltos en experimentos para preservar el espíritu de la enseñanza general en una época de especialización y fragmentación intelectual desenfrenada.

La conversión de lo académico en un producto

Las controversias sobre educación superior en los últimos años del siglo XX estuvieron en su mayoría relacionadas con la diversidad cultural, el multiculturalismo, el gobierno y la financiación, la contabilidad y los límites de la libertad académica, entre otros temas. En la década siguiente, los expertos comenzaron a centrarse en temas bastante diferentes, en particular, en el costo cada vez más elevado de la educación en el *college* mismo. Al mismo tiempo, una cantidad cada vez mayor de críticos se preocupaba por una filosofía abarcadora, mucho más amplia que comenzó a fusionarse en el ámbito académico, una manera de pensar que prometía poner de relieve las diferentes tendencias inquietantes del *campus*: la aparente pérdida de la comunidad del *college*, la incoherencia cada vez mayor del plan de estudios, el eclipse virtual de las humanidades, un presunto abandono de la educación de grado y un afán desmedido por lograr el éxito en una profesión entre una nueva generación de estudiantes de *colleges* decididamente no tradicionales.

Un "viento nauseabundo" había soplado sobre los *campus* de las instituciones de educación superior de nuestra nación, advirtió la periodista independiente Jennifer Washburn en una obra de 2005 titulada *University Inc., The Corporate Corruption of American Higher Education* (*La universidad Inc., La corrupción corporativa de la educación superior norteamericana*). El origen, según la periodista, era el papel cada vez mayor de los valores puramente comerciales en la vida académica: "la intrusión de la ideología de mercado en el corazón de la vida académica".[82] Del mismo modo el historiador Jackson Lears de Rutgers habló de la "amenaza" cada vez mayor de la influencia administrativa conducida por el mercado en los *colleges* y las universidades: "el impulso de subordinar las universidades a los estándares de eficiencia cuantitativos y de productividad, de convertir al conocimiento en un producto, de transformar los sitios abiertos de investigación en laboratorios de investigación corporativos y centros de capacitación de empleos".[83]

Lears rastrea el síndrome hasta los comienzos del siglo XX, cuando el ideal prusiano de la educación productiva dentro de la universidad se comenzó a unir con el antiintelectualismo y el vocacionalismo norteamericanos: el amor hacia lo práctico, la demanda por el valor al contado y la utilidad a corto plazo. (De hecho, podría haber extendido el análisis hacia el movimiento de los Land-Grant *colleges* de 1850 e incluso antes.) Cualesquiera que sean sus orígenes, el resultado histórico subraya una tensión perdurable entre dos misiones institucionales disímiles. La primera se definía por la búsqueda

82. Jennifer Washburn, *University, Inc. The Corporate Corruption of American Higher Education* (Nueva York: Basic Books, 2005), pp. IX, X.

83. Jackson Lears, "The Radicalism of the Liberal Arts Tradition", en *Academe*, 89 (enero-febrero de 2003), p. 23.

desinteresada de la verdad y el conocimiento como fines intrínsecamente valiosos. La otra estaba formada por el negocio práctico de suministrar la pericia técnica para los negocios corporativos y el gobierno.

Medio siglo después, con el advenimiento de la Guerra Fría, consideraciones de seguridad nacional prestaron una urgencia renovada a las demandas por una mano de obra hábil y altamente capacitada. Las presiones estatales y federales por la enseñanza relacionada con las carreras y los programas, junto con la demanda de los gigantes corporativos de que la educación superior se administre más "como un negocio" realizaron una combinación potente, casi irresistible. Aseguraba de manera virtual que la educación superior en la época de la posguerra estaría marcada por una estrecha orientación tecnocrática. No sin una buena razón el presidente Clark Kerr de la UC Berkeley en el discurso de la ceremonia de graduación caracterizó a la universidad moderna norteamericana como una "fábrica de conocimiento".

Las instituciones de educación superior, por tradición, han intentado contrapesar el estrecho afán desmedido por lograr el éxito en una profesión fomentado por los estudiantes y algunos miembros de la comunidad, insistiendo en que también se reserve el suficiente tiempo y espacio para un régimen académico más desinteresado, constituido por las artes y las humanidades, todo ello calculado para estimular el desarrollo de personas bien formadas en vez de técnicos con una capacitación estrecha. El mayor problema actual, Washburn sostenía, era que esas fuerzas encontradas se habían desgastado hasta el punto de que por razones prácticas, ya ni siquiera existían.

Para Lears, la inclinación entre los líderes educativos de invocar la presión del mercado como una fuerza irresistible y un absoluto moral, demostraba la misma tendencia. Invocar el poder abrumador del mercado como una razón para no desafiar su intrusión en el ámbito universitario (*solo damos al público lo que desea*), evaluaba Lears, era equivalente al quiebre ético, una forma de racionalización que confería al "mercado", una posición semejante a la que se daba a Dios en la teología medieval: "el Primer Movimiento, la Causa Primera, el Motor Inmóvil".[84] De la misma opinión era Washburn, en ausencia de valores capaces de establecer cómo funcionaban los mercados no regulados cuando se les dejaba obrar a su antojo, insistía ella, las universidades se estaban convirtiendo con rapidez en un poco más que en apéndices de la industria y los

84. *Ibídem*, p. 25.

negocios corporativos, sus líderes, deliberadamente ciegos frente a los efectos perjudiciales del comercialismo.[85]

En la educación superior actual, proclamaban las denuncias, las humanidades sufren por su presunta inutilidad y, por consiguiente, por su incapacidad de retener "participación en el mercado". Hoy en día, los profesores, por su parte, son reconocidos más por cosechar dinero de las investigaciones y generar publicaciones, que por la enseñanza o la formación de estudiantes. Los cursos introductorios importantes en las humanidades los enseñan, principalmente, los ayudantes graduados, no los académicos experimentados con un compromiso genuino con la tarea de formar y estimular las mentes de los jóvenes. Mientras tanto, la investigación académica (donde resulta más notable es en las tecnologías y las ciencias aplicadas) se lleva a cabo con el objetivo de la autorización y el desarrollo a corto plazo de productos y procesos industriales lucrativos. Los críticos como Washburn y Lears se cuestionaban: ¿Financiarían las universidades investigaciones que no tienen una aplicación práctica inmediata, pero, podrían ofrecer recompensas en un futuro a largo plazo? Del mismo modo se cuestionaba: ¿puede sostenerse la investigación desinteresada en un ambiente institucional que alienta a los profesores a comportarse como emprendedores o vendedores agresivos?[86]

461

A principios del 2000, no resultaba difícil detectar los indicadores de que el proceso de conversión de lo académico en un producto comercial ya se encontraba bien avanzado. El discurso mecánico que cada vez propugnaban más los administradores de los *colleges* y los académicos mismos revelaban un claro signo: un parlamento que describía a la enseñanza como un producto; la información como un "producto" empaquetado y comercializado; el conocimiento atado en créditos y "entregado" vía un "sistema" de instrucción; los estudiantes como "consumidores" o "recursos" o "capital humano" esperando el procesamiento por lotes y demás.

Para Lears, el ejemplo más flagrante de la educación como producto era la preocupación de la educación superior con el aula virtual y el esfuerzo por sustituir con la tecnología cibernética la interacción directa entre el maestro y el estudiante. "Cualquier uso de las computadoras que socave el contacto cara a cara es potencialmente destructivo para la educación [insistía Lears]. La educación a distancia es a la educación como el sexo telefónico es al sexo:

85. Washburn, pp. XVIII, 227.

86. Lears, p. 26.

puede ser mejor que no recibir educación alguna, pero, no desearía confundirla con la realidad".[87] En síntesis, Lears declaraba:

> La buena educación es una inversión en las mentes de los jóvenes con un resultado tan oculto, tan remoto de la prueba inmediata como plantar una semilla de castaño. Pero, hemos llegado a preferir fines que sean completamente previsibles, aunque eso requiera que acortemos nuestra visión. La educación se va a convertir no en una inversión a largo plazo en las mentes de los jóvenes y en la vida de la comunidad, sino una inversión a corto plazo en la economía. Deseamos ser capaces de decir cuánto dinero vale una educación y cuán pronto comenzará a ser rentable.[88]

Tal vez, no haya nada que sirva mejor para confirmar las ideas de Lears que la presencia cada vez mayor en la educación superior norteamericana de un tipo de institución postsecundaria bastante diferente: el *college* y la universidad con fines de lucro. Richard Ruch, autor de *Higher Ed. Inc.* (*La educación superior Inc.*, 2001), ex administrador en una institución con fines de lucro, sostuvo: "Han destilado el negocio de la educación superior hasta convertirla en la esencia sin lujos. Tomaron un enfoque simple y directo para el negocio de la educación y aplicaron prácticas comerciales verdaderas y comprobadas para satisfacer las necesidades de un nicho de mercado. Lo están realizando con un "considerable éxito en función un número cada vez más alto de inscripciones, una retención mejorada y niveles impresionantes de posicionamiento de los graduados, sin olvidar mencionar la elevada ganancia y los muy buenos retornos de inversión de capital [...]". Debido a que se alinearon con la parte de la economía norteamericana con crecimiento más rápido, "el sector del conocimiento de la industria de servicios", Ruch confiaba en que su éxito continuo estaba virtualmente asegurado.[89]

Explicaba que las instituciones con fines de lucro no buscaban nutrir con alfabetización cívica y buena ciudadanía. No intentaban infundir una apreciación por la cultura elevada ni un amor por las artes. La misión exclusiva era ofrecer una ruta eficiente, rentable hacia un título y, en consecuencia, la

---

87. *Ibídem*, p. 26.

88. *Ibídem*, p. 27.

89. Richard S. Ruch, *Higher Ed, Inc., The Rise of the For-Profit University* (Baltimore, M.D.: The Johns Hopkins University Press, 2001), p. 68.

ubicación en un empleo en un campo muy demandado con un buen salario. En esencia esto es lo que realizan (además de enriquecer a sus accionistas). Y su fenomenal crecimiento sin precedentes daba cuenta del hecho de que se encontraban satisfaciendo una demanda popular por una educación postsecundaria ligada a una carrera que conduce al empleo.[90]

En 1991, por ejemplo, existía una institución con fines de lucro acreditada que otorgaba títulos de bachiller dentro de la bolsa de valores: DeVry, Inc., que se convirtió en una compañía pública ese año. Durante el transcurso de los siguientes 10 años, la cantidad de instituciones comercializadas en el ámbito público más que se cuadruplicó, llegando a cerca de 40 y atrayendo a más de 4,8 mil millones en inversiones de capital privado. En 1996, existían funcionando 669 centros con fines de lucro que otorgaban títulos, con una matrícula combinada de cerca de 305.000 estudiantes. Entre los participante más importantes alrededor del año 2005 se encontraban: la Universidad de Phoenix, Argosy Education Group, DeVry Institutes of Technology, Corinthian Colleges, Strayer Education, Education Management Corporation y Quest Education, cada uno con múltiples *campus* o sitios de instrucción.

Al final del siglo, la cantidad de *campus* con fines de lucro registró una tasa de crecimiento del 112% sobre el período anterior de 10 años, aumentando de 350 sitios a más de 750 en el año 2001.[91] Si el sector con fines de lucro continuaba con una tasa de crecimiento semejante a la anterior, parece razonable esperar que a comienzos de 2000 dentro de un futuro previsible, *uno de cada cuatro o cinco estudiantes que asisten a un college se encontrarán inscritos en una institución con fines de lucro.*

En un interesante artículo del *New Yorker*, titulado "Drive-Thru U" ["A través de usted"], James Traub escribió que "la universidad tradicional norteamericana ocupa un espacio que es tan pastoral como limitado; un espacio que habla de los orígenes monásticos y un compromiso con la sencillez". Haciendo una comparación de las universidades sin fines de lucro con las de la competencia con fines de lucro, Traub ofrecía un juicio: "la institución que se considera a sí misma como la guardiana de la cultura intelectual se está haciendo cada vez más marginal, mientras que las demás corren por acomodar al nuevo estudiante".[92]

463

90. *Ibídem*, p. 136.
91. *Ibídem*, pp. 4, 63.
92. James Traub, "Drive Thru U, Higher Education for People Who Mean Business", en *New Yorker* (octubre de 1977), pp. 20, 27.

Ruch, al igual que muchos otros, coincidía con esta afirmación. Y al igual que otros promotores de la educación vocacional declaraban que el valor agregado de una educación de *college* es inherente a la capacidad de ayudar a lanzar la carrera de una persona. La medida que se aplica, en última instancia, es el mayor poder de ganancia que confiere un título de *college*. Por lo tanto, la consideración más importante para la toma de decisión de un estudiante para asistir a un *college* resulta simplemente ser (o debería ser) una ecuación de retorno económico.

Una vez expresado su punto, Ruch agregó, no obstante, una salvedad. Admitió: "aquellas ideas honorables y loables: la vida de la mente, el aprender por el beneficio de aprender, algunas veces se me aparece en los sueños como una amante secreta. Algo muy en lo profundo de mi corazón se resiste a la noción de que la eficiencia y la practicidad deben definir el mayor bien. En este cambio de valores hay pérdidas reales y sospecho que todos nosotros en el ámbito universitario, sin importar la institución a la que pertenecemos, las hemos sentido en algún grado".[93]

464

Resultaba difícil discernir, desde la posición ventajosa de comienzos del siglo XXI, lo que ese desplazamiento, que se ciñe a la ideología del mercado libre, podría presagiar a largo plazo para la educación superior norteamericana. Pero, era evidente que muchos factores se encontraban trabajando juntos para hacer que las nociones tradicionales de educación superior parecieran cada vez más y más obsoletas. Parecía difícil predecir qué programas académicos podían beneficiarse de un ambiente corporativo cada vez más inflexible, o cuáles podrían atrofiarse o incluso desaparecer por completo. La llegada continua de más y más estudiantes "no tradicionales" prometía una especie de transformación dentro del ámbito universitario. También era un factor la dependencia cada vez mayor en la tecnología informática para suministrar instrucción a los estudiantes lejos del *campus* físico. Con el advenimiento de los cursos basados en Internet y la enseñanza asíncrona como norma pedagógica, las imágenes bucólicas de las arboledas del ámbito universitario como una vez existieron, ahora parecían cada vez más anacrónicas y pasadas de moda. Todo lo que podría decirse con absoluta seguridad sobre el estado de la educación superior en Estados Unidos sería que importantes cambios en una escala sin precedentes estaban ya en camino. Lo que puede deparar el futuro, como siempre, aguarda su propia revelación.

93. Ruch, p. 23.

epílogo

Retrospectiva histórica

Diálogos con el pasado

Cuando uno reflexiona sobre la larga y brillante historia de la educación superior norteamericana, tiene la fuerte tentación de concluir realizando paralelos entre el pasado y el presente, entre lo que una vez fue y lo que es ahora. El impulso es intentar enlazar los acontecimientos separados unos de otros en el tiempo, esbozar conexiones temáticas definidas de manera amplia, ubicar las continuidades y los modelos básicos en el fluir de los acontecimientos. Admitiendo que resulta problemática, la empresa es peligrosa si se la lleva demasiado lejos. Abusar de los precedentes, por ejemplo, conduce con facilidad a la distorsión, como lo hace cualquier tipo de estilo o método didáctico en la investigación histórica. El peligro de sucumbir al historicismo barato del peor tipo es bastante real. Respetar la autonomía histórica de los acontecimientos pasados, tratar su única identidad contingente en sus propios términos, por así decirlo, es una obligación que siempre se debe tener presente.

No obstante, se ha dicho con propiedad que en la educación existe solo una serie de interrogantes perdurables, una cantidad finita de cuestiones verdaderamente fundamentales o básicas: el papel de la institución educativa en la sociedad y si su contribución es para servir a la sociedad o para desafiarla; la posibilidad de la objetividad y la imparcialidad en el conocimiento; el equilibrio adecuado entre el plan de estudios común o la integración y diversificación y especialización; cuestiones de inclusión y exclusión; y así sucesivamente. Dependiendo del tiempo y el lugar en cuestión, las formas como se han enmarcado y respondido las cuestiones de políticas tanto filosóficas como prácticas admiten transformaciones y variaciones en detalle casi de manera infinita. En un sentido profundo, los interrogantes mismos y las respuestas divergentes que provocaron son perennes. Asimismo, puede suceder que el abanico de posibilidades abiertas para conducir la educación superior sea finito, en cuyo caso uno espera descubrir que ciertas características de la empresa académica son recurrentes en el tiempo. Por lo tanto, puede resultar instructivo, a los fines de ejemplificar, mencionar, aunque sea de manera breve, las continuidades temáticas más obvias para advertir algunas de las similitudes y contrastes específicos más interesantes que parecen aflorar en la historia de la educación superior.

466

La educación desinteresada

Contemplando el espectáculo del afán desmedido por lograr el éxito profesional y del profesionalismo cerrado común entre tantos estudiantes de *colleges* actuales, algunos puristas tienden a convertirse en nostálgicos, invocando algún pasado idílico cuando las motivaciones eran más elevadas y los estudiantes se reunían con admiración a los pies de sus profesores para beber de la fuente del conocimiento. ¿Alguna vez existió esa época o lugar? ¿Se dio alguna vez el caso de que los estudiantes animados por un amor intrínseco hacia el aprendizaje, y en su mayor parte indiferentes a las consideraciones de aplicación práctica o de utilidad, buscaran el aprendizaje solo o principalmente para la formación de sus almas y mentes?

La evidencia se encuentra mezclada. Abunda el material anecdótico que da muestra de la influencia de los profesores inspirados en creencias liberadoras. Por un lado, existen innumerables historias de estudiantes que poseían un amor genuino por el aprendizaje, aquéllos que, reflexionando sobre los días en el *college*, estaban convencidos de haber sido engrandecidos espiritualmente, estimulados intelectualmente y enriquecidos de innumerables maneras que escasamente tenían relación directa con las consideraciones utilitarias. Por otro lado, considerando la mezcla de motivos que llevaban a los estudiantes a la educación superior, resulta difícil imaginar una época en la cual un gran número de estudiantes buscaba la instrucción con un espíritu completamente desinteresado. Los jóvenes de la Atenas del siglo V a.C. acudían en gran número a estudiar con los sofistas, pero, según el testimonio de Platón, los impulsaba principalmente el deseo de la distinción y la obtención de ventajas, porque veían la necesidad de adquirir destrezas útiles en el mercado. El atractivo de las escuelas de retórica y de los escribas en la Antigüedad era, sin duda, la practicidad y quienes las frecuentaban parecían haber sido provocados, por lo menos, tanto por los intereses pecuniarios como por la absorción en el intelecto.

Asimismo, aunque con frecuencia fue idealizada como una comunidad de investigación incorpórea, el hecho es que la *universitas* medieval en su origen era más que nada un sitio de capacitación profesional. Su misión principal era capacitar a los clérigos, médicos, especialistas en derecho civil o canónico y (algunas veces casi en forma predeterminada) a los maestros de los niveles inferiores. Aunque es verdad que la universidad suministraba un refugio seguro para la educación pura y la investigación sin restricciones, difícil de encontrar en cualquier otro lugar con excepción tal vez de los claustros monásticos, aunque la sustancia del plan de estudios humanista era abstracta en extremo y tenía poca conexión obvia o inmediata con las exigencias prácticas de la vida, y aunque la universidad vigilaba celosamente su autonomía intelectual frente a los intentos de usurpación de los funcionarios eclesiásticos y civiles, la universidad existía, en primer lugar, para preparar a los jóvenes para carreras específicas.

467

Una vez más, en los tiempos modernos, en el caso del *college* prebélico norteamericano, con toda su veneración por la antigüedad clásica, es importante recordar que su función práctica más que nada fue preparar a los clérigos para las obligaciones pastorales (sin olvidar mencionar otros profesionales, como los médicos y los abogados y demás). El dominio del plan de estudios podía conducir y conducía al empleo. El surgimiento de una institución estatal con donación de tierras (Land-Grant University) y de la universidad moderna en Estados Unidos, para citar otros ejemplos, se produjo bajo la presunción de que debía mantenerse una conexión integral entre la educación y la vida social, que debía haber un vínculo entre la instrucción y su aplicación. El asombroso crecimiento de las matrículas universitarias desde fines de 1860 en adelante, por ejemplo, no puede representar un amplio incremento del interés popular en el aprendizaje como un fin en sí mismo.

También es históricamente cierto, por supuesto, que la educación superior se construyó como una cuestión de adorno y refinamiento personal, desconectada en cualquier sentido de las ocupaciones o las carreras. No resulta difícil, por ejemplo, advertir la tendencia en juego entre los hijos de las clases privilegiadas que buscaban adquirir de los retóricos de los últimos períodos helenistas ciertas gracias sociales y una pátina superficial de aprendizaje. Los consumidores de educación de los siglos XV y XVI que aspiraban a convertirse en "cortesanos" bajo la forma esbozada por Castiglione o, más tarde, por Elyot puede que no hayan estado inspirados ni por motivos académicos ni por adquirir una carrera. A juzgar por los relatos de la manera poco metódica como seguían sus estudios, sus intereses y aspiraciones intelectuales deben haber sido modestos en el mejor de los casos. Sucedió casi la misma situación en los siglos XVII y XVIII. La crítica de Benjamín Franklin a Harvard como una institución de refinamiento para los ricos desocupados, las quejas en el período prebélico sobre los estudiantes de quienes se decía que no tomaban sus estudios con la seriedad suficiente, las críticas a los estudiantes de *colleges* norteamericanos entre 1890 y fines de 1920, como adolescentes sobreprotegidos interesados en pasar "un buen momento" durante su permanencia en el *campus*, todo esto perjudicaba gravemente al estereotipo de los intelectuales en ciernes que poblaban las alamedas del ámbito académico con el objetivo de avanzar en el aprendizaje. Tal vez, lo que podría decirse sin faltar a la verdad es que los estudiantes de todos los tiempos han buscado la educación superior por una gran variedad de razones, que los motivos fueron mezclas y no algo puro y según la ocasión, cuando tenían suerte, obtenían de la experiencia mucho más de lo que creían o se imaginaban.

El gobierno y el poder del profesorado

Los partidarios del poder del profesorado dentro de los *colleges* y las universidades son propensos a reforzar sus argumentos con evocaciones del pasado. Hubo una época, algunas veces se sostiene, donde el profesorado tenía el control, donde se respetaban y se hacían cumplir las prerrogativas legítimas del profesorado de ejercer autoridad sobre el aprendizaje y la enseñanza. Desde aquel entonces, cuenta la historia, se registra una erosión más o menos firme del poder del profesorado y una usurpación correspondiente de su autoridad por parte de los administradores y las autoridades externas. Si es verdad, resulta difícil saber con precisión cuando prevaleció ese estado de cosas. Una vez más, se tiende a invocar con mayor frecuencia a los gremios académicos de la Edad Media como ejemplos de una época en la que los maestros supuestamente controlaban su propio destino y el destino colectivo, cuando todas las decisiones se encontraban en las manos de los representantes del profesorado electo y los diferentes funcionarios administrativos existían solo para cumplir sus órdenes.

Dejando de lado por el momento, las diferencias significativas entre las instituciones modernas de educación superior y las universidades medievales o sus sucesores inmediatos, nunca existió el caso en que los profesorados gozaran de una responsabilidad o autoridad sin desafíos, incluso dentro de la institución. Con la posible excepción de un período extraordinariamente breve a finales del siglo XIII y comienzos del XIV, y en ese entonces parcialmente y en casos aislados, sería difícil identificar circunstancias donde podría decirse que el profesorado realmente manejó los asuntos operacionales de la institución. Además, la lucha de las universidades por la autonomía frente a las fuerzas exteriores fue solo eso: una lucha constante por el control contra los espolios de los Papas, los monarcas y las autoridades locales civiles, sin olvidar mencionar el caso de los *studia* del sur de Italia, un juego de maniobras internas por el poder entre los gremios de maestros o asociación de profesores y las naciones de estudiantes dominantes, en las que por lo general, el profesorado competía con una clara desventaja. El impacto de las autoridades locales municipales o los factótums papales o los representantes de la corona designados por la Corte en los *studia* de la época medieval, por ejemplo, se aproximan más al de los regentes o juntas estatales (en el caso de la educación superior pública); los diferentes y diversos esfuerzos de los legisladores para entrometerse y definir las condiciones sobre las que se llevaban a cabo la enseñanza y el aprendizaje, o, incluso en sentido limitado, el impacto de los organismos de acreditación externos sobre el ámbito universitario.

469

Era típico que el gobierno del *college* colonial y prebélico norteamericano fuera cuestión del mandato de un solo hombre, por lo general, paternalista y algunas veces autocrático. El presidente estaba a cargo de todo, y a su vez, se encontraba vigilado de cerca por un consejo de fideicomisarios o gobernadores externos. Los profesores servían según el parecer del presidente y podían ser despedidos a su gusto. La situación cambió poco al final del siglo XIX cuando las universidades se hicieron más independientes. Aunque el profesorado era sujeto a estricta supervisión en los *colleges* de humanidades y en las escuelas confesionales, los que enseñaban en las universidades de fin de siglo gozaban de algunos privilegios e inmunidades. Pocos de los presidentes de esa época (Charles W. Eliot, Nicholas Murray Butler, Davis Starr Jordan, William Harper Rainey y otros) soportaban grandes oposiciones o toleraban el disenso significativo de los profesores.

El nacimiento de la American Association of University Professors [Asociación norteamericana de Profesores Universitarios], en 1915, fue provocado por la necesidad de defender la libertad académica, fomentar el tenure y los procedimientos de amparo frente al despido arbitrario del profesorado errante, cuando incurría en el error de causar disgusto a los ricos o poderosos, incluyendo los administradores internos y los patrocinadores externos a los que algunas veces se sentían obligados. Sin duda, es cierto que las burocracias administrativas actuales con frecuencia ejercen un poder en formas que el profesorado tiende a considerar como antitéticas a la educación, la enseñanza y el aprendizaje, además, haciéndolo a expensas de la influencia del profesorado sobre el plan de estudios o las asignaciones de recursos importantes. No obstante, el precedente histórico proporciona un escaso apoyo para el razonamiento de que los profesores alguna vez tomaron de verdad el mando y, entre otras cosas, deben ahora "reclamar" el papel que les corresponde en el gobierno de los *colleges* y las universidades. La situación del gobierno del profesorado, en otras palabras, no tiene muchos ejemplos en la historia, excepto, tal vez y en el sentido negativo, los ejemplos vivos de otras épocas en que el profesorado carecía hasta del mínimo poder de influencia modesta y circunscrita del que goza en la actualidad.

La libertad y la autonomía académica

La imagen o modelo del *college* o la universidad como una especie de monasterio laico es un aspecto perdurable de la mitología académica. La imagen tradicional, algunas veces esbozada con gran convicción, es la de un enclave protegido en el que monjes letrados siguen su misión académica, preservando la sabiduría y las tecnologías acumuladas de la cultura, transmitiéndolas a las sucesivas generaciones de estudiantes y empujando siempre hacia fuera las fronteras de la ignorancia y la oscuridad. Debido a que el ámbito universitario es un lugar protegido, la razón y la investigación sin restricciones reinan de manera suprema, protegidas por las paredes de los claustros frente a la influencia indiscreta de las preocupaciones mundanas de dominio, privilegio, riqueza o poder. Como una representación de lo académico, el cuadro se presta fácilmente a la caricatura y al ridículo, incluso si abarca ciertas verdades parciales o incompletas. Pero, aparte de cualquier otro defecto que pueda *encontrarse*, el tema del libre aprendizaje aislado es menos persuasivo cuando se le invoca en conexión con la libertad académica.

En la época colonial, por ejemplo, cualquier cosa que se asemejara a la libertad académica en el sentido moderno o no existía o su alcance era muy limitado. A pesar de la necesidad práctica de ejercer la tolerancia donde el pluralismo religioso lo exigía, la adherencia al ideal de la rectitud teológica y la solidez doctrinal eran los principales criterios de idoneidad para enseñar en un *college* a los cuales había que adherirse cuando fuera y donde fuera posible. Vale la pena recordar que el primer presidente de Harvard fue expulsado de su puesto por haber aceptado el punto de vista bautista del bautismo de los infantes. Un indicador del pensamiento popular hacia fines del período colonial fue la observación bastante sorprendente del presidente Clapp de Yale que declaró: "aunque todos los hombres tienen el derecho a examinar y juzgar por sí mismos según la verdad, no obstante, ningún hombre tiene derecho a equivocarse en su juicio". Si bien es cierto que la supresión de la herejía religiosa fue casi imposible en las colonias, nunca se debe suponer que fue por falta de intentarlo o debido a que la tolerancia se consideraba como una lamentable necesidad práctica.

471

A comienzos del período nacional, los defensores de la libertad religiosa con el tiempo obtuvieron éxito al eliminar las sanciones legales para quienes profesaban creencias religiosas no ortodoxas. La aceptación de una gama limitada de heterodoxia era sencilla, por supuesto, si uno era cristiano protestante creyente en la Trinidad; la abolición de la discriminación legal contra los judíos, los católicos, los unitarios, los deístas y los ateos llevó más tiempo. Durante la primera mitad del siglo XIX, se debe agregar, pocos *colleges* y universidades ofrecían lugares de trabajo agradables para los académicos lo suficientemente imprudentes como para declarar abiertamente ciertos puntos de vista políticos, sociales o religiosos visiblemente en desacuerdo con las normas locales prevalecientes. También vale la pena recordar que antes de la Guerra Civil, muchos habitantes del Este se encontraban muy reacios a extender apoyo y asistencia a las instituciones de educación superior fronterizas nuevas que se estaban estableciendo, porque se las percibía en general como caldos de cultivo del radicalismo económico y social.

Es probable que la esclavitud haya sido la cuestión más divisiva en la sociedad norteamericana de comienzos del siglo XIX. Los académicos del Sur que se oponían a la esclavitud fueron muchas veces removidos de sus cargos, entre ellos el presidente del Mississippi College y un miembro del profesorado en el Centre College quien se atrevió a cuestionar públicamente la falta de congruencia moral que representa el mantener a nuestros prójimos en la esclavitud. En la Universidad de Carolina del Norte, un tal profesor Hedrick fue expulsado por su apoyo confeso a una organización subversiva: el Partido Republicano. Hubo un momento en que hasta los *colleges* del Norte suprimieron cualquier crítica a la institución de la esclavitud. La Universidad de Miami, Kenyon College y Lane Theological Seminary fueron tres de entre un gran número de instituciones donde se prohibieron como subversivas las sociedades estudiantiles en contra de la esclavitud. En Lane y en Harvard, los profesores que se oponían a la esclavitud perdían el empleo por su punto de vista. Cuando el distinguido ex alumno de Harvard Ralph Waldo Emerson pronunció un discurso abolicionista, los estudiantes le arrojaron huevos podridos. Por otra parte, el asunto podía funcionar de dos maneras, como lo descubrió un presidente del Franklin College cuando fue obligado a retirarse por sus puntos de vista a favor de la esclavitud. Durante La Guerra Civil, en Bowdoin y Dartmouth, se expulsaron a los presidentes por defender a la esclavitud y los derechos de secesión de los estados. Si a los debates sobre la esclavitud se le agregan la cantidad de controversias alrededor de la doctrina de la evolución y las dificultades que los profesores afrontaban por atreverse a cuestionar el exagerado realismo bíblico (en el Baptist Seminary en Louisville, en Vanderbilt en Tennessee y en el Presbyterian Seminary en South Carolina, entre muchos otros lugares), cualquier idea de que la libertad académica se encontraba bien afianzada en la Norteamérica del siglo XIX comienza a parecer una suposición muy dudosa.

Como ha sido señalado, al comienzo del siglo XX hubo más de unos cuantos casos donde los profesores se encontraron en problemas por expresar algo que, según los estándares de la época, era juzgado como un punto de vista social o económico radical. El destino del economista de Chicago que se atrevió a criticar las prácticas de la Pullman Company, cuyo fundador era uno de los ciudadanos líderes de Chicago, ofrece un ejemplo instructivo. Si John Dewey hubiera examinado la situación un poco más de cerca, resulta dudoso que hubiera emitido en 1902 la opinión de que existía poco peligro para la libertad académica en Estados Unidos. Existían demasiados ejemplos de buena fe de profesores que enfrentaban la amenaza de la pérdida del empleo cuando expresaban sus opiniones demasiado abiertamente.

Una vez más, durante la Primera Guerra Mundial y en el período inmediatamente posterior, resulta difícil declarar que los profesores tuvieron muchas oportunidades de ejercer sus prerrogativas tradicionales de *Lehrfreiheit* sin sufrir consecuencias adversas. En 1915, por ejemplo, Scott Nearing, un profesor socialista de economía, perdió su posición por oponerse en forma pública al uso del trabajo infantil en las minas de carbón. Con un propietario de minas de carbón influyente en el consejo de fideicomisarios de la institución donde se encontraba empleado Nearing, el presidente de la institución no dudó mucho en solicitar la renuncia del profesor ofensor.

La tendencia de los académicos de neutralizar sus puntos de vistas o de abstenerse de hablar en forma abierta se encontraba ampliamente justificada, considerando la ola de represión nacionalista que envolvió al país durante la guerra. Tampoco se podía confiar siempre en la AAUP para intervenir a favor de un profesor. Una vez más se reafirmó la tendencia histórica de volver a trazar los límites del comportamiento profesional aceptable durante un período de crisis nacional de manera que reflejara el consenso político predominante. El distinguido psicólogo James McKeen Cattell, por ejemplo, fue imprudente al peticionar al Congreso la aprobación de una ley que exceptuaba a los reclutas renuentes en época de guerra a ser obligados a luchar en Europa si tenían objeciones para ello. Como resultado directo, perdió su empleo en Columbia. Nadie intervino.

473

El presidente de Columbia, Nicholas Murray Butler, sin duda, hablaba para la mayoría de sus colegas académicos cuando, ante los graduandos de 1917, hizo hincapié en la importancia de ser prudente: "lo que antes se toleraba, ahora resulta intolerable. Lo que era insensato, ahora es traición [...] No hay y no habrá lugar en la Universidad de Columbia [...] para [...] cualquiera de entre nosotros que no se encuentre comprometido con todo el corazón, mente y fuerza para luchar con nosotros para hacer al mundo seguro para la democracia".

Después de la guerra, en medio de uno de los habituales pánicos anarquistas y comunistas del país, A. Mitchell Palmer como procurador general condujo una campaña nacional para suprimir el disenso y marcar toda opinión no ortodoxa como desleal y radical, se imponían abiertamente los juramentos de lealtad dentro de muchos *colleges* y universidades de la nación. Las mismas tendencias de gran alcance continuaron durante los años veinte y treinta, al menos hasta el punto de que cuando cualquier académico se apartaba demasiado de los límites del disenso aceptable, le sobrevenía el castigo con toda seguridad. La triste historia de lo que ocurrió en la educación superior entre

1940 y mediados de los años cincuenta bajo el dominio del macartismo, ofrece otro relato cautelar sobre la fragilidad de la libertad académica en la vida norteamericana. Aunque es cierto que hubo numerosas ocasiones donde se opuso resistencia, en la mayoría de los casos, cuando se presionaba al ámbito universitario para limpiarse de los disidentes sospechosos, los *colleges* y las universidades accedían con facilidad.

Las formas clásicas de libertad académica, el tipo de libertad civil que se relaciona con el trabajo específico del profesor —libertad para enseñar, para llevar a cabo investigaciones, para publicar sin interferencia; y libertad para los profesores de los *colleges* para ejercer los mismos derechos civiles y políticos que los otros ciudadanos sin comprometer su estatus académico— son asuntos que dominaron la historia de la libertad académica en Estados Unidos hasta fines de los años 60 y comienzos de los 70. Hasta ese momento, excepto en un sentido muy limitado, la libertad correlativa la *lernfreiheit*, es decir, la libertad de los estudiantes para aprender, recibió muy poca atención. Esta última forma de libertad académica pasó a la primera plana en medio de las discusiones de si el ejercicio de la libertad del estudiante significaba una amenaza directa a la libertad de los profesores. Cuando los radicales y otros disidentes mantuvieron como rehenes a los administradores en las oficinas de la universidad para obligarles a ceder a sus demandas, llamaron a la huelga para evitar que se dictaran las clases, obligaron a cambios curriculares importantes, cerraron universidades o demandaron nuevos programas, el interrogante que se formulaba no era simplemente sobre la legitimidad de lo que los estudiantes deseaban, sino cómo esas demandas invadían la libertad de enseñanza. A riesgo de caer en una excesiva simplificación, se registró, durante el punto máximo del período de los disturbios en los *campus*, la apreciación de la interdependencia recíproca de los dos tipos de libertad académica. De allí en adelante, resultó sencillo discernir en la teoría y en la práctica cómo las libertades de los profesores podían invadir la libertad de los estudiantes de aprender. Ahora se deba vuelta la tortilla: resultó dolorosamente obvio que las demandas desenfrenadas por la libertad de los estudiantes invadían también la libertad de los profesores.

Asimismo, existe otro tipo de libertad académica que fue discutido con menor frecuencia: la que se encuentra vinculada con la autonomía corporativa de la institución misma, una prerrogativa que refleja más la construcción de origen medieval de la libertad académica. Históricamente, las mayores amenazas a la libertad académica de las instituciones de educación superior provinieron de los expolios de la Iglesia o el Estado. Podría decirse que en las décadas recientes, la gran amenaza deriva de la influencia económica en vez de las políticas gubernamentales e industriales. El informe *The Control of the Campus* publicado en 1982 por la Carnegie Foundation for the Advancement of Teaching [Fundación Carnegie para el Fomento de la Enseñanza] sintetiza el tema: "la conexión entre la educación superior y las corporaciones importantes [...] pone en peligro a los *colleges* y las universidades de la misma manera en que la Iglesia y el Estado amenazaron la integridad de la universidad en el pasado. Y la preocupación por parte del mundo universitario por las prioridades de los negocios y la industria puede significar que [...] se pondrán en peligro [...] grandes preceptos sociales".

Las instituciones contemporáneas de educación superior dependen de tres fuentes principales de financiamiento: las donaciones privadas, las subvenciones y contratos de investigación y los pagos de las clases; en otras palabras, dependen de benefactores externos, del gobierno o de los negocios y del mercado. La dependencia, como siempre se ha sostenido, significa ser vulnerable a la influencia. Aquéllos de cuyo dinero dependen los *colleges* y las universidades influyen sobre cómo la institución cumple su misión, qué programas se ofrecen y qué políticas se persiguen. De manera inevitable, los *colleges* intentan realizar todas sus actividades de tal forma que se aseguren la continuidad de dicho apoyo. Por lo tanto, la cuestión se ha convertido en determinar si las instituciones de educación superior pueden protegerse de las influencias externas corruptas, y cómo pueden lograrlo, mientras preservan para sí mismas la autonomía necesaria para la búsqueda del aprendizaje. Por la misma razón, el interrogante también es sobre el equilibrio entre la independencia institucional y la sensibilidad ante las necesidades sociales.

475

El conservadurismo en los planes de estudio

Las quejas que se oyen en la actualidad de que los *colleges* y las universidades no responden de manera suficiente a los cambios sociales, que la enseñanza general debe ser más diversa en su contenido, que los *colleges* y las universidades han sido demasiados lentos en la apertura del canon curricular (si existe algo semejante) para que refleje de manera más auténtica los intereses y las contribuciones culturales de las minorías hasta ahora confinadas a la "invisibilidad" o marginalidad, tienen sus precedentes. Los cursos de instrucción de los *colleges* siempre exhibieron una cierta inercia, evolucionando primero a través de un proceso de acomodo en la periferia y solo después en el centro y luego, casi siempre, solo como un resultado de la fuerte presión impuesta desde afuera. Hasta donde se puede determinar, siempre ha sido así, difiriendo de caso en caso solo en el grado en el que se realizó el acomodo y la rapidez con que ocurrió.

Los romanos se oponían considerablemente a la introducción de la enseñanza helenística en el siglo II a.C. y llegaron a aprobar prohibiciones oficiales en contra de que ésta se enseñara en las escuelas, aunque no sirvió de nada. Juvenal y Tácito protestaron en contra del aparente estancamiento y deterioro de lo que se enseñaba en las escuelas de retórica y oratoria, una vez más sin mucho efecto. La tendencia de las escuelas de preservar y transmitir el conocimiento que ya no tenía origen en las condiciones sociales que una vez lo hicieron vital e importante también se observa en la predominancia de la educación retórica en la última parte del período helenístico, mucho tiempo después de que el gobierno republicano era un recuerdo y las oportunidades para aplicar lo que se aprendía se encontraban muy restringidas.

476

Las humanidades (artes liberales) en su sentido original, se debe observar, no designaban campos de estudio fijos ni se referían a actividades o técnicas; cada una se concebía, hablando en forma estricta, como una forma de *hacer* algo, como en el "arte" de comprometerse en el análisis retórico, lógico, gramatical o literario. En consecuencia, a medida que la *enkylios paideia* o la cultura general "recurrente", como enseñanza grecorromana, llegaba al mundo medieval, los planes de estudio se estructuraban alrededor de lo que se convirtió en una enumeración estandarizada de sus elementos primarios: el *trivium* (la gramática, la lógica y la retórica) y la música, la geometría, la aritmética y la astronomía o, alternativamente, la filosofía (el *quadrivium*). Se formalizaron y fijaron juntos (algunos pueden decir, se osificaron) como la base de toda la instrucción preparatoria para la capacitación profesional en la universidad medieval. Durante siglos la enseñanza liberal se definió de manera rígida dentro de los confines de los siete elementos liberales. La tendencia de las instituciones académicas a resistir al cambio, a adaptarse de manera lenta a las presiones para la sustitución o inclusión de la nueva educación se muestra, por ejemplo, en la voluntad de las comunidades académicas medievales de aceptar la lógica aristotélica, pero, no la metafísica platónica y otros elementos de enseñanza importados de otras fuentes como los moros y los sarracenos; por el rechazo inicial de las universidades de los siglos XVI y XVII de casi todo el cuerpo entero del humanismo literario del Renacimiento; y la lentitud o desgano con el que las instituciones de educación superior en el siglo XVIII incorporaron los descubrimientos y los nuevos conocimientos científicos.

Mucho de la historia de los planes de estudio de los *colleges* en Estados Unidos durante el siglo y medio pasado gira en torno a la lucha por legitimar nuevos campos de investigación y de instrucción académicas, una lucha marcada por la amplia oposición a la incorporación de nuevas especialidades profesionales a expensas de las ántiguas y por un deseo recurrente de preservar ciertas materias o cuerpos de contenidos como eternos e inmutables (el Informe de Yale de 1828, el programa de los Grandes Libros en la Universidad de Chicago a principios de los años 30, el ataque enérgico a los cursos sobre civilización occidental de los años 80, y la defensa de los mismos. Algunas veces la nueva educación debía buscar un lugar fuera del claustro académico cuando, por cualquier razón, se le negaba un lugar en las universidades: capacitación legal en las Sociedades Legales educativas no corporativas (*Inns of Court*) de la Londres del siglo XVI, o clasicismo literario en las academias italianas del siglo XV, el trabajo de investigación científica en clubes, sociedades y academias separadas en los siglos XVII y XVIII. En la actualidad, considerando todo lo que ofrece la universidad, existen muchas artes prácticas y tecnologías aplicadas que no se enseñan en los *colleges* y las universidades y que se ofrecen, en cambio, en los *community colleges*, lo cual es posiblemente lo más apropiado. La cuestión aquí no es qué es lo que debe enseñarse como parte de la educación superior acreditada sino, más bien, el interrogante histórico de cómo, cuándo y bajo qué circunstancias los cursos de estudio evolucionaron e involucionaron, aparecieron o desaparecieron. En general, parece evidente afirmar, que la revisión curricular ha sido un proceso discontinuo e irregular, invariablemente sujeto a controversias, siempre un punto de colisión de los intereses y necesidades sociales en competencia unas con otras.

Asimismo, la tensión entre lo común y la diversidad ha sido perenne. Sin duda, se pueden hallar paralelos aproximados entre los esfuerzos por introducir y popularizar el sistema optativo a comienzos del siglo XX y los esfuerzos por idear un plan de estudios más flexible respetando la elección del estudiante a comienzos de 1960, más de medio siglo después. Por otra parte, la forma básica del fundamento para preservar la enseñanza común en los años 80 y en los años 90 del siglo XX difiere, de manera insignificante, de las expresiones de apoyo para los esfuerzos en décadas previas para lograr el mismo objetivo. Los ejemplos ilustrativos pueden incluir la inauguración de cursos de investigación generales en la Universidad de Columbia en el período

477

posterior a la Primera Guerra Mundial, el programa presentado por el Libro Rojo de Harvard a mediados de 1940 o, para citar el caso de Harvard una vez más, la inauguración de un plan de estudios "central" a fines de 1960.

La inclusión curricular en el sentido especial de la representación del interés de las minorías presenta una cuestión diferente. Tal vez hasta cierto punto, el problema es nuevo en el ámbito histórico. Pocos antecedentes sugieren algún esfuerzo deliberado y consciente por parte de una comunidad académica por ampliar los planes de estudios de manera de que se traten en forma más completa los intereses, las preocupaciones, los logros y las contribuciones de quienes han sido privados de poder, de personas marginadas en el ámbito cultural. Dependiendo del esquema interpretativo dentro del cual se analiza el fenómeno, se puede elaborar el razonamiento de que el esfuerzo contemporáneo norteamericano de introducir elementos de la periferia del poder y la influencia cultural e instalarlos dentro de "la corriente principal" curricular, posee una singularidad especial. Cuál es la causa y cuál el efecto —una ampliación y diversificación del plan de estudios y el dominio de aquéllos cuyos intereses no han sido bien representados históricamente— permanece como un interesante interrogante abierto.

Los ideales y objetivos educativos

Platón y Aristóteles se encuentran entre los primeros que formularon el interrogante de si la educación debía servir en primer lugar al individuo o al Estado, si debía dirigirse a buscar la ventaja del individuo o hacer que sirviera a los fines de la sociedad general. Expresados en abstracto como una cuestión filosófica pura, los argumentos sobre las metas y los objetivos de la educación pueden haber parecido remotos o improductivos. No obstante, por regla general, resulta difícil encontrar sentido a las prácticas y políticas institucionales a lo largo de la historia de la educación superior sin hacer referencia a las respuestas provisionales a aquellos interrogantes que se aceptaron (si bien solo implícitamente) en algún tiempo y lugar particular. El ideal socrático equilibraba los reclamos del desarrollo personal y la rectitud cívica, la enseñanza era intencionada tanto para la perfección del ser como para la participación efectiva en la vida de las ciudades-estado. La perspectiva platónica, en contraste, sostenía que la educación era de una importancia tan desmesurada para el bienestar del Estado justo, que debía ser una función pública. *De oratore* de

Cicerón mostraba de forma evidente la convicción del autor de que la enseñanza de oratoria tenía como objetivo la producción de gobernantes sabios. La erudición a principios de la etapa medieval se orientaba a los fines extraterrenales, más en particular a la salvación del alma. El humanismo renacentista consagraba el enriquecimiento estético seglar y la conciencia amplia como una meta suprema, incluso cuando algunos teóricos consideraban que, de las filas de los hombres educados en forma liberal procederían los consejeros y los ejecutivos de las ciudades-estado italianas.

Acercándose más a los tiempos modernos, vale la pena recordar cuán serios eran los llamamientos de Benjamín Rush y muchos otros para el nuevo tipo de educación mejor adaptado para fomentar la lealtad a los ideales republicanos; y se trataba de un objetivo al que muchos de los primeros *colleges* prebélicos se comprometieron fervientemente en sus estatutos de fundación. Las defensas enérgicas del plan de estudios clásico competían en el siglo XIX con los llamados sinceros a una preparación para los negocios y a una educación profesional más práctica lo que representa la tensión entre los objetivos intelectuales y utilitarios en la educación superior. Desde fines del 1800 en adelante, resulta casi imposible estudiar o explicar las transformaciones en los planes de estudios de los *colleges* sin hacer referencia al crecimiento del conocimiento científico, al impacto del surgimiento de las nuevas disciplinas sociales y científicas y a la lucha recurrente entre aquéllos que consideraban que los *colleges* y las universidades debían ser depósitos de la cultura liberal o custodios de la virtud cívica y quienes instaban para que las instituciones de educación superior se convirtieran en instalaciones de capacitación para los negocios y la industria.

479

La inclusión y la elite

El grado en el que la educación superior ha sido un fenómeno elitista, el recinto exclusivo del privilegiado y acaudalado, resulta problemático desde el punto de vista histórico. En el período formativo, por lo menos, parecía que las universidades habían atraído a los estudiantes de todas las clases sociales y estilos de vida, ricos y pobres por igual. De muchas maneras, los estudiantes de entonces eran un grupo tan heterogéneo como los estudiantes del *college* actual y, con frecuencia, se encontraban incluso menos preparados para los estudios que sus pares modernos. Entre los siglos XIII y XVI, las universidades proporcionaron, en todo caso, a las personas con menos ventajas un camino ascendente desde el punto de vista de la movilidad social y estatus de clase. Como se ha observado, las humanidades suministraron un camino sobre el cual los hijos de los pobres europeos transitaron hacia posiciones elevadas en la Iglesia y el Estado. Incluidos en la nómina de los inscritos, por ejemplo, se encuentran los nombres de muchos estudiantes cuyos padres fueron hombres de negocios, comerciantes y pequeños granjeros.

La exclusión, algunas veces, se correlacionaba con la geografía: fragmentos de registros demuestran que los estudiantes de clases inferiores representaban un porcentaje menor de las matrículas en los *studia* italianos de principios del Renacimiento que en las universidades españolas, por ejemplo; los estudiantes de las clases inferiores y medias eran más numerosos en las instituciones alemanas y francesas de educación avanzada a principios del siglo XIX que en Oxford y Cambridge en el mismo período y así sucesivamente. Una vez más, en la medida en que es posible establecer y correlacionar las matrículas de estudiantes con las clases socioeconómicas, parece que los grados de inclusión o exclusión fluctuaron en el transcurso del tiempo, con la tendencia general de fines del siglo XVII en adelante hacia la exclusión. En Inglaterra, en especial, desde principios del siglo XIX al siglo XX, el compromiso de los catedráticos de Oxford y Cambridge era con el privilegio y la exclusión social.

En Estados Unidos las tendencias se mezclaban. No se tienen suficientes conocimientos como para elaborar juicios firmes, pero, se ha declarado que los primeros *colleges* coloniales y prebélicos incluían porcentajes significativos de matrículas de estudiantes que provenían de familias de clase obrera y de hijos de granjeros. El cuadro se torna más complicado con el advenimiento de los denominados *colleges* impulsadores y las instituciones extensas con donación de tierras, la mayoría de los cuales atrajeron a un porcentaje cada vez mayor de estudiantes de clases bajas y medias. Sin duda, existió la experiencia de las mujeres y las minorías en el contexto norteamericano. Los *colleges* de las mujeres no aparecieron sino hasta las primeras décadas del siglo XIX y la educación mixta no se estableció completamente hasta las últimas décadas del mismo siglo. Los afroamericanos disfrutaron de muy poco acceso a la educación superior durante el siglo XIX y más tarde, sus oportunidades por lo general se redujeron a los *colleges* con predominio de personas de color. No fue sino hasta pasada la mitad del siglo XX cuando gran número de estudiantes de raza negra fueron admitidos en los *colleges* y universidades con predominancia de blancos. Desde el punto de vista de porcentajes dentro del total de la población y edad apropiada para acceder a la educación superior, a los hispanos les iba mal, al igual que a los nativos norteamericanos. Del mismo modo, romper las barreras de acceso fue un proceso lento y algunas veces doloroso para las minorías religiosas.

La segunda mitad del siglo XX, trajo una importante oleada de estudiantes mujeres y minorías étnicas a los recintos universitarios, pero, se distribuyeron en forma irregular en cuanto a los tipos de instituciones que asistían. Dando por sentado que las tendencias presentes van a continuar, a medida que el porcentaje de la población blanca disminuye en comparación con las personas de color y otras minorías, se predice que las matrículas de los no blancos ascenderán de manera significativa a principios del siglo XXI. En la actualidad, la mayor controversia se refiere a la cuestión de qué precio se debe pagar para garantizar una inclusión mayor. Pocas personas, sin embargo, disputarán con bases históricas la evidente y no tan simple verdad de que la tendencia de la educación superior norteamericana en las décadas recientes se apartó de las prácticas y de las normas exclusivistas de todo tipo.

El conocimiento como construcción social   481

Si existe algo inequívoco en la historia de la educación superior es que diferentes tipos de conocimientos han gozado de diferentes grados de categoría, prestigio y autoridad, y sus posiciones jerárquicas han cambiado enormemente en el transcurso del tiempo en función de una cantidad diversa de factores sociales. En la Antigüedad clásica dos concepciones sobre la educación bastante disímiles competían por la aceptación: el compromiso con el *logos* o *ratio*, "razón" y con las artes del razonamiento que enmarcaba la tradición filosófica; y el compromiso con la *oratio*, relacionado con las artes del discurso oral y la lengua que definía la tradición retórica o de oratoria. Comenzando en Grecia en los siglos V y IV a.C., se entabló el debate sobre cuál de las dos debía tener prioridad en la educación del ciudadano libre. De manera muy clara, los romanos, entre las dos, demostraron una preferencia distintiva por la segunda perspectiva, un punto de vista de la educación que destacaba la expresión pública, el discurso legal y político y la literatura referente a las virtudes cívicas nobles sobre las que se basaba una sociedad ordenada. La educación helenística en contra de la acentuación en la lógica, la matemática y la filosofía característica de Platón, Aristóteles y sus sucesores espirituales, se organizó alrededor de las artes prácticas de la gramática, la dialéctica y la retórica pública.

En los siglos XIII y XIV, la tradición o modelo retórico antiguo de la educación fue desafiado primero por los académicos medievales, punto en el cual la filosofía especulativa, la lógica y la teología comenzaron a suplantar a la retórica y la gramática como elementos principales dentro del plan de estudios. Con la recuperación humanista del ideal educativo de Cicerón durante el Renacimiento a fines del 1400 y comienzos del 1500, se revivieron y fortalecieron una vez más los estudios literarios y retóricos. A ellos se les adicionaron la ética cristiana y las cortesías o convenciones de etiquetas sociales que tradicionalmente se asociaban con la caballería medieval. En el siglo XVI, la combinación de la ilustración literaria, el fervor religioso y la etiqueta cortesana dieron origen a la concepción arquetípica de la persona educada idealmente como un "caballero cristiano". Se trataba de una construcción de la educación superior que, con algunas modificaciones, ganó fácil aceptación en los primeros *colleges* coloniales norteamericanos. Por consiguiente, durante los siglos XVII y XVIII la retórica, la gramática y la teología iban a dominar los planes de estudios con el objetivo de producir buenos ciudadanos dentro de una mancomunidad teocrática.

482

El siglo XIX trajo consigo los primeros movimientos de protesta contra el plan de estudios definido casi de manera exclusiva por el fervor religioso y los estudios clásicos. Por un lado, se encontraban los promotores de la educación científica y de las ciencias experimentales; Por el otro, los defensores de las artes técnicas aplicadas. No obstante, no resultaba sencillo apartar a los defensores de las artes retóricas y textuales y un fuerte programa de estudios humanísticos que hacía énfasis en la formación retórica y literaria continuó caracterizando las ofertas de las instituciones religiosas y la mayoría de los *colleges* de humanidades. Sin embargo, en las universidades que dominaron el panorama de la educación superior norteamericana (comenzando por la fundación de Cornell en 1868, Johns Hopkins en 1876, Universidad Clark en 1889, Stanford en 1891 y Chicago en 1892) la orientación fue diferente. Dedicadas a la investigación especializada y a los estudios profesionales avanzados, como se ha demostrado, las universidades instalaron las ciencias experimentales como un nuevo paradigma de conocimiento.

No se necesita mucha perspicacia para discernir los resultados consiguientes en el siglo XX. Reflejando un profundo cambio histórico en el modo de pensar dentro del entorno cultural más amplio, las denominadas ciencias biológicas y físicas experimentales "exactas" y las tecnologías aliadas junto con las matemáticas, ocupan ahora lugares privilegiados en la jerarquía del prestigio. En un nivel de alguna manera inferior se encuentran las disciplinas sociales de la psicología, la sociología, la antropología, junto con las aplicaciones separadas o las sub-disciplinas "aplicadas" que a su vez han surgido, todas las cuales compiten por una posición y prestigio junto a un número de asignaturas relacionadas con el comercio y los negocios (la contabilidad, la administración, las finanzas y demás). Cerca del fondo se encuentran las humanidades (la lengua, la literatura, la filosofía). Resulta irónico tal vez que la pirámide de conocimiento actual invierte casi de manera perfecta la jerarquía de prestigio de las disciplinas de los siglos pasados.

De manera paradójica, lo que resulta a la vez bastante antiguo y nuevo en las controversias sobre los planes de estudios de los *colleges* es el marco intelectual básico de referencia dentro del cual se lleva a cabo cada vez más el debate contemporáneo. En la actualidad la venerable creencia positivista en la posibilidad de una objetividad, imparcialidad y neutralidad totales en el conocimiento llegó a sus tiempos difíciles de la mano de los denominados sociólogos y teóricos críticos del conocimiento, al igual que sucedió en los días de los sofistas, los cínicos y los escépticos filosóficos y otros de su clase dos milenios y medio atrás. Como Jürgen Halbermas y muchos otros se han afanado en demostrar, el ideal de la objetividad filosófica o científica en sus formas más puras puede ser en su mayor parte ilusorio si, como se supone, el conocimiento es siempre sobre el poder y la "verdad", es, en un sentido algo impreciso, una función de intereses. Si el estatus y los intereses de los que conocen están inseparablemente ligados a la naturaleza misma del conocimiento, y si las estructuras del conocimiento son creaciones sociales o culturales disfrazadas de rasgos inmutables de la realidad, cualquier noción de la vida académica como un campo neutral, donde las verdades que compiten unas con otras luchan en igualdad de condiciones, es un asunto discutible.

483

Desde la perspectiva de la teoría crítica, el conocimiento está socialmente condicionado; es un producto de las comunidades cuyos principios y constituyentes reguladores incluyen inevitablemente algunos conocimientos y excluyen a otros; y las materializaciones y codificaciones de la información funcionan con frecuencia como obstáculos para el surgimiento y la aceptación de nuevas formas de conocimiento.

Considerando lo mencionado parece deducirse que cualquier plan de estudios no es una simple muestra de la información autónoma e independiente disponible para una sociedad en un momento histórico determinado sino, en un sentido más profundo, es un fruto orgánico de esa sociedad y las formas de conciencia que permite. A medida que la sociedad cambia, también lo debe hacer el plan de estudios, pero no necesariamente por las razones que se alegan tradicionalmente. Más bien, como lo expresó John Fiske en *Lectura de lo popular* [1989]: "el conocimiento nunca es neutral, nunca existe en una relación objetiva, empírica con la realidad. El conocimiento es poder y la circulación del conocimiento es parte de la distribución social del poder". Michael Apple expresó el mismo punto en *El conocimiento oficial, La educación democrática en una época conservadora* [1993]: "resulta ingenuo pensar en el [...] plan de estudios como conocimiento neutral. Antes bien, lo que cuenta como conocimiento legítimo es el resultado de complejas relaciones de poder y luchas entre clases, razas, géneros y grupos religiosos identificables".

Cualesquiera que sean los méritos del razonamiento, parece ofrecer una perspectiva desafiante para una futura investigación histórica. Al leerlo, la historia del cambio curricular con el transcurso del tiempo dentro de los *colleges* y las universidades guarda estrecha relación con una cantidad mayor de fuerzas y relaciones sociales que las que han abarcado las típicas interpretaciones convencionales. Si la perspectiva teórica crítica puede suministrar un relato más convincente de cómo ocurren el cambio institucional y la reforma curricular en la educación superior, aguarda una futura investigación.

484

Las ceremonias, los ritos y las costumbres académicas

Cada año innumerables estudiantes de *colleges* se colocan birretes y togas en la ceremonia de graduación y se unen en una especie de procesión majestuosa que marca dichas ocasiones de manera característica. La pompa y las circunstancias otorgan el aire adecuado de solemnidad a los procedimientos. Sin embargo, es probable que muy pocos de los participantes tengan la más remota noción de las derivaciones y orígenes históricos de la pompa en la cual se hallan envueltos. El uso moderno no es antiguo: la mayoría de las costumbres se remontan a no más de alrededor de 100 años. Lo que representan, no obstante, es el fruto de un esfuerzo de conciencia del siglo XIX por recapturar algo del espíritu de Oxford y Cambridge y detrás de ellos el simbolismo y las tradiciones de las universidades originales de la Edad Media. El *pileum* o *biretta* de los *masters* se encarnó de nuevo como un birrete; el líder de la procesión actual imita sin saberlo el lugar ceremonial y el papel del *bedellus* de los tiempos antiguos; y las largas togas negras con las que los profesores y los estudiantes se visten ahora, aunque bastante diferentes en estilo, se presume que tienen la intención de invocar asociaciones con las que utilizaban los académicos medievales hace siglos. El sistema moderno sobre el que a cada disciplina o especialización académica se le asigna la propia cinta distintiva es mucho menos comprendido: azul oscuro para la filosofía, celeste para el profesional de la educación y así sucesivamente; o los diferentes diseños de las capuchas académicas, cada una con los colores de la institución en la cual el profesor que la lleva puesta se graduó alguna vez, o de la institución del estudiante que se está graduando. Lo más seguro es que aquellos a quienes se les confiere el título de licenciado tengan poco aprecio por cómo se preservó la nomenclatura medieval en la identificación de los títulos académicos, no mucho más que los dueños de un título de *master*, o aquellos a quienes se les otorga el Ph.D. o doctorado en filosofía (*philosophia*, "amor a la sabiduría", aprendizaje extensivo en general).

Más allá del nivel de la liturgia y de la ceremonia también se encuentran los usos institucionales y las convenciones "estructurales" del ámbito universitario que han demostrado ser sorprendentemente duraderos con el transcurrir del tiempo. La defensa oral de una disertación, por ejemplo, debe ser vista como una característica descendiente en línea directa de la "oratoria" obligatoria del *college* colonial y, aún más atrás, de la discusión o *conventus* de la universidad medieval. No es demasiado descabellado remontar el linaje, aún más allá de las declamaciones formales de las escuelas de retóricos o incluso a las interrogaciones orales de la Casa de Tablas mesopotámica. Los ritos de juicio, de evaluación del aprendizaje, fueron una característica permanente de la vida académica en todos los tiempos y lugares, y los estudiantes los afrontaban con el mismo grado de turbación y aprensión que posee cualquier estudiante actual contemplando los exámenes finales. La deshonestidad y la trampa en los exámenes tampoco son algo nuevo: los esfuerzos para mantener las evaluaciones y las pruebas honestas por parte de todos los involucrados se remontan a muchos siglos y es probable que siempre hayan gozado del mismo grado de éxito variado.

485

Los ritos de iniciación de las fraternidades y de las hermandades femeninas del siglo XX recapitulan de manera aproximada la novatada a la cual era sujeto el *bejaunus* o académico inexperto, novato recién llegado al Heidelberg del siglo XV, o el sistema en el que los estudiantes de clase inferior se encontraban obligados a exhibir deferencia a los de clase superior en los *colleges* británicos y norteamericanos del siglo XIX. Las quejas contemporáneas de los estudiantes sobre el elevado precio de los libros de texto también reflejan una misteriosa identificación con las críticas de los funcionarios de los *stationarri* o copistas de libros que se oían en la Bolonia del siglo XIII.

Los lamentos sobre los indisciplinados estudiantes actuales que realizan fiestas en las fraternidades o en bares pequeños los sábados por la noche difieren poco de las quejas impuestas por Libanio de Antioquia sobre el caos y el desorden de las reuniones de los estudiantes después de hora en su propia época, o la indignación popular de los ciudadanos presenciando bandas de estudiantes alcoholizados errantes en la Rue de Fouarre [Calle de Paja] en la París medieval, o la muchedumbre en las tabernas y cervecerías de Oxford y Cambridge. Las instancias de intimidación de los estudiantes hacia el profesorado y los administradores durante los disturbios en el *campus* en 1960, para citar otro paralelo, invitan a una comparación aproximada con las imposiciones de las cortes de estudiantes ante las cuales los maestros boloñeses eran saludados a principios del siglo XIV. Una vez más uno solo necesita recordar los disturbios y las peleas por la comida que se desataban en forma periódica en cantidades de *colleges* prebélicos para poder recordar que la mala conducta y el malestar estudiantil siempre fue una característica más o menos permanente, si bien imprevista, de la vida en los *colleges*.

El académico como un objeto de una mezcla de respeto y burlas también posee una larga historia. El uso irónico del título de "profesor" que una vez significaba condescendencia y deferencia exagerada o fingida, por ejemplo, posee muchos análogos históricos, ilustrados de manera agradable por el divertido Luciano que ridiculizaba a las absurdas pretensiones de los retóricos auto considerados importantes de su época, o por las imágenes populares del siglo XIX de los antiguos académicos, un poco pueriles, distraídos, deliciosamente excéntricos o deplorablemente imprácticos. Las críticas a los académicos por su oscurantismo y la ininteligibilidad de sus escritos hicieron eco a lo largo de las épocas, al igual que los ataques sobre la "torre de marfil" como una ciudadela de irrelevancia y falta de pragmatismo. Aquí uno piensa, por ejemplo, sobre el rechazo de un escritor helenístico al *Mouseion* (Templo de las Musas) alejandrino como una "jaula de pájaros" para los académicos, o la objeción de Lutero a las universidades calificándolas como "nidos de sombría ignorancia".

Pues bien, tal vez, también es verdad en la educación superior como lo es en la mayoría de las cosas, lo que dicen los franceses, *Plus ça change, plus c'est la même chose*, cuanto más cambia, más sigue siendo la misma cosa.

fuentes y referencias

Referencias generales

Barbara M. Solomon, *In The Company of Educated Women: A History of Women and Higher Education in America* (New Haven, Conn.: Yale University Press, 1985).

David Dodds Henry, *Challenges Past, Challenges Present: An Analysis of American Higher Education Since 1930* (San Francisco: Jossey-Bass, 1975).

Frederick Chambers, *Black Higher Education in the United States* (Westport, Conn.: Greenwood Press, 1978).

Frederick Rudolph, *Curriculum: A History of the American Undergraduate Course of Study Since 1636* (San Francisco: Jossey-Bass, 1977).
— *The American College and University, A History* (Nueva York: Vintage, 1965).

John M. Faragher y Florence Howe, eds., *Women and Higher Education in American History: Essays from the Mount Holyoke College Sesquicentennial Symposia* (Nueva York: Norton, 1988).

John R. Thelin, *Higher Education and Its Useful Past* (Cambridge, Mass.: Schenkman, 1982).

John S. Brubacher y Rudy Willis, *Higher Education In Transition, A History of American Colleges and Universities, 1636-1976*, 3ª ed. rev. (Nueva York: Harper and Row, 1976).

Laurence R. Veysey, *The Emergence of the American University* (Chicago: University of Chicago Press, 1965).

Lester F. Goodchild y Harold S. Wechsler, eds., *The ASHE Reader in the History of Higher Education* (Needham, Mass.: Ginn Press, 1989).

Richard Hofstadter y C. DeWitt Hardy, *The Development and Scope of Higher Education in the United States* (Nueva York: Columbia University Press, 1952).

Richard Hofstadter y W. Smith, *American Higher Education, A Documentary History* (Chicago: University of Chicago Press, 1961).

W.H. Cowley y Don Williams, *International and Historical Roots of American Higher Education* (Nueva York: Garland, 1991).

1. La enseñanza superior en la Antigüedad

Cyril J. Gadd, *Teachers and Students in the Oldest Schools* (Londres: School of Oriental and African Studies, University of London, 1956).

E.B. Castle, *Ancient Education and Today* (Nueva York: Penguin, 1964).

Henri Marrou, *A History of Education in Antiquity* (Nueva York: Mentor, 1964).

James Bowen, *A History of Western Education* (Nueva York: St. Martin's Press, 1972, vol. I).

John P. Lynch, *Aristotle's School* (Berkeley: University of California Press, 1972).

Martin L. Clarke, *Higher Education in the Ancient World* (Albuquerque, N.M.: University of New Mexico Press, 1971).

S.S. Laurie, *Historical Survey of Pre-Christian Education* (Nueva York: Longmans, Green, 1907).

Thomas C. Brickhouse y Nicholas D. Smith, *Socrates on Trial* (Princeton, N.J.: Princeton University Press, 1989).

2. De las escuelas catedralicias a las universidades

Anders Piltz, *The World of Medieval Learning*, David Jones, trad. (Totowa, N.J.: Barnes and Noble, 1981).

Charles H. Haskins, *The Rise of the Universities* (Nueva York: Henry Holt and Company, 1923).

Douglas Radcliff-Umstead, ed., *The University World: A Synoptic View of Higher Education* (Pittsburgh, Penn.: Medieval and Renaissance Studies Committee, vol. II, University of Pittsburgh, 1973).

F.M. Powicke y A.B. Emden, eds., *Rashdall's Medieval* Universities (Oxford: Clarendon Press, 1936, 3 vols.).

John W. Baldwin y Ricahrd A. Goldthwaite, *Universities in Politics: Case Studies from the Late Middle Ages and Early Modern Period* (Baltimore: Johns Hopkins Press, 1972).

Gabriel Compayré, *Abelard and the Origin and Early History of Universities* (Nueva York: Charles Scribner's Sons, 1910).

Gordon Leff, *Paris and Oxford Universities in the Thirteenth and Fourteenth Centuries: An Institutional and Intellectual History* (Nueva York: John Wiley and Sons, 1968).

Helen Wieruszowski, *The Medieval University* (Nueva York: D. Van Nostrand Reinhold, 1966).

James Bowen, *A History of Western Education*, II (Nueva York: St. Martin's Press, 1975).

Lowrie J. Daly, *The Medieval University 1200-1400* (Nueva York: Sheed and Ward, 1961).

Lynn Thorndike, *University Records and Life in the Middle Ages* (Nueva York: Columbia University Press, 1944).

Nathan Schachner, *The Medieval Universities* (Nueva York: A.S. Barnes & Company, 1938).

Patricia H. Labalme, ed., *Beyond Their Sex: Learned Women of the European Past* (Nueva York: New York University Press, 1984).

Pearl Kibre, *Nations in the Medieval European Universities* (Cambridge, Mass.: Medieval Academy of America, publicación N° 49, 1948).

3. La academia posmedieval: evolución y decadencia

A.F. Leach, *Educational Charters and Documents* (Cambridge: Cambridge University Press, 1911).

Anthony J. La Vopa, *Grace, Talent and Merit: Poor Students, Clerical Careers, and Professional Ideology in Eighteenth Century Germany* (Cambridge: Cambridge University Press, 1988).

Arthur J. Dunston, *Four Centres of Classical Learning in Renaissance Italy* (Sydney: Sydney University Press, 1972).

Christopher Wordsworth, *Scholae Academicae, Studies at the English Universities in the Eighteenth Century* (Nueva York: Augustus M. Kelley, 1969).

D.W. Sylvester, *Educational Documents 800-1816* (Londres: Methuen & Company, 1970).

Emil Lucki, *History of the Renaissance, 1350-1550, Book III: Education, Learning and Thought* (Salt Lake City: University of Utah Press, 1963).

Felix Markham, *Oxford* (Londres: Weidenfeld and Nicholson, 1967).

Friedrich Paulsen, *German Education, Past and Present* (Londres: T. Fisher & Unwin, 1908).

Hugh Kearney, *Scholars and Gentlemen: Universities and Society in Pre-Industrial Britain* (Ithaca: Cornell University Press, 1970).

J.W. Ashley Smith, *The Birth of Modern Education: The Contribution of the Dissenting Academies* (Londres: Independent Press, 1954).

K. Charlton, *Education in Renaissance England* (Londres: Routledge and Kegan Paul, 1965).

L.W. Brockliss, *French Higher Education in the Seventeenth and Eighteenth Centuries: A Cultural History* (Nueva York: Oxford University Press, 1987).

M.L. Clarke, *Classical Education in Great Britain, 1500-1900* (Cambridge: Cambridge University Press, 1959).

Paul F. Grendler, *Schooling in Renaissance Italy: Literacy and Learning, 1300-1600* (Baltimore: Johns Hopkins University Press, 1989).

W.H. Woodward, *Studies in Education During the Age of the Renaissance* (Cambridge: Cambridge University Press, 1965).

4. El *college* norteamericano colonial y prebélico

Alexander Meiklejohn, *The Liberal College* (Boston: Marshall Jones, 1920).

Allen O. Hansen, *Liberalism and American Education in the Eighteenth Century* (Nueva York: Macmillan, 1926).

Charles F. Thwing, *History of Higher Education in America* (Englewood Cliffs, N.J.: Prentice-Hall, 1906).

David F. Allmendinger, *Paupers and Scholars: The Transition of Student Life in 19th Century New England* (Nueva York: St. Martin's Press, 1973).

David Potter, *Debating in Colonial Chartered Colleges* (Nueva York: Teachers College, Columbia University, 1944). XXVII

David W. Robson, *Educating Republicans: The College in the Era of the American Revolution, 1750-1800* (Westport, Conn.: Greenwood Press, 1985).

Donald G. Tewksbury, *The Founding of American Colleges and Universities Before the Civil War* (Nueva York: Bureau of Publications, Teachers College, Columbia University, 1932).

Elbert V. Wills, *The Growth of American Higher Education* (Filadelfia: Dorrance, 1936).

Frederick, Rudolph, *Mark Hopkins and the Log*, reed. (New Haven, Conn.: Yale University Press, 1956).

George P. Schmidt, *The Liberal Arts College: A Chapter in American Cultural History* (New Brunswick, N.J.: Rutgers University Press, 1957).
— *The Old Time College President* (Nueva York: Columbia University Press, 1930).

Henry D. Sheldon, *History and Pedagogy of American Student Societies* (Englewood Cliffs, N.J.: Prentice-Hall, 1901).

Henry S. Canby, *Alma Mater: The Gothic Age of the American College* (Nueva York: Farrar Straus & Giroux, 1936).

Jurgen Herbst, *From Crisis to Crisis: American College Government 1636-1819* (Cambridge, Mass.: Harvard University Press, 1982).

Lawrence Cremin, *American Education: The Colonial Experience* (Nueva York: Harper Collins, 1970).

Louis Boas Schutz, *Women's Education Begins* (Norton, Mass.: Wheaton College Press, 1935).

Mary L. Smallwood, *An Historical Study of Examinations and Grading Systems in Early American Universities* (Nueva York: Johnson Reprint Corporation, 1969).

Perry Miller, *The New England Mind: The Seventeenth Century* (Nueva York: Macmillan, 1939).

R. Freeman Butts, *The College Charts Its Course* (Nueva York: McGraw-Hill, 1939.

Richard G. Axt, *The Federal Government and the Financing of Higher Education* (Nueva York: Columbia University Press, 1952).

Richard Hofsadter y Wilson Smith, eds., *American Higher Education, A Documentary History* (Chicago: University of Chicago Press, 1961, vol. I).

Richard J. Storr, *The Beginnings of Graduate Education in America* (Chicago: University of Chicago Press, 1953).

Richard M. Gummere, *The American Colonial Mind and The Classical Tradition* (Cambridge, Mass.: Harvard University Press, 1963).

Robert L. Kelly, *The American Colleges and the Social Order* (Nueva York: Macmillan, 1940).

Samuel Eliot Morison, *Three Centuries of Harvard* (Cambridge, Mass.: Harvard University Press, 1936).
— *The Intellectual Life of Colonial New England* (Ithaca, N.Y.: Cornell University Press, 1956).

Theodore Hornberger, *Scientific Thought in the American Colleges 1639-1800* (Austin, Tex.: University of Texas Press, 1945).

Thomas S. Harding, *College Literary Societies: Their Contribution to Higher Education in the United States, 1815-1876* (Nueva York: Pageant Press, 1971).

Thomas Woody, *History of Women's Education in the United States* (Lancaster, Penn.: Science Press, 1929, 2 vol.).

5. La universidad norteamericana en evolución

Algo D. Henderson, *Policies and Practices in Higher Education* (Nueva York: Harper and Row, 1960).

Allan Nevins, *The State Universities and Democracy* (Urbana, Ill.: University of Illinois Press, 1962).

Bernard Berelson, *Graduate Education in the United States* (Nueva York: McGraw-Hill, 1960).

Carl L. Becker, *Cornell University: The Founders and the Founding* (Ithaca, N.Y.: Cornell University Press, 1944).

David Andrew Weaver, ed., *Builders of American Universities: Inaugural Addresses* (Alton, Ill.: Shurdeff College Press, 1950).

E.E. Slosson, *Great American Universities* (Nueva York: Macmillan, 1910).

Earle D. Ross, *Democracy's College: The Land-Grant Movement in the Formative Stage* (Ames, Iowa: Iowa State College Press, 1942).

Edward D. Eddy, *Colleges for Our Land and Time: The Land-Grant Idea in Education* (Nueva York: Harper, 1956).

Frederic C. Howe, *Wisconsin: An Experiment in Democracy* (Nueva York: Scribner, 1912).

G.N. Rainsford, *Congress and Higher Education in the Nineteenth Century* (Knoxville: University of Tennessee Press, 1972).

George Fitch, *At Good Old Siwash* (Boston: Little, Brown, 1911).

Howard S. Miller, *Dollars for Research: Science and Its Patrons in Nineteenth-Century America* (Seattle: University of Washington Press, 1970).

Hugh Hawkins, *Harvard and America: The Educational Leadership of Charles W. Eliot* (Nueva York: Oxford University Press, 1972).
— *Pioneer: A History of the Johns Hopkins University, 1874-1889* (Ithaca, N.Y.: Cornell University Press, 1960).

Jay W. Hudson, *The College and New America* (Englewood Cliffs, N.Y.: Prentice-Hall, 1920).

Konrad H. Jarausch, ed., *The Transformation of Higher Learning 1860-1930* (Chicago: Chicago University Press, 1983).

Mabel Newcomer, *A Century of Higher Education for American Women* (Nueva York: Harper & Brothers, 1959).

Margaret Clapp, ed., *The Modern University* (Ithaca, N.Y.: Cornell University Press, 1950).

Merle Curti y Vernon Cartensen, *The University of Wisconsin: A History 1848-1925* (Madison, Wisc.: Universtiy of Wisconsin Press, 1949, vol. I).

Nevitt Sanford, ed., *The American College* (Nueva York: Wiley, 1962).

Norman Foerster, *The American State University* (Chapel Hill: University of North Carolina Press, 1937).

Richard Hofsadter y Walter P. Metzger, *Development of Academic Freedom in the United States* (Nueva York: Columbia University Press, 1955).

Richard J. Storr, *Harper's University: The Beginnings* (Chicago: University of Chicago Press, 1966).
— *The Beginnings of Graduate Education in America* (Chicago: University of Chicago Press, 1953).

Roscoe H. Eckelberry, *The History of the Municipal University in the United States* (Washington, D.C.: US Office of Education, 1932).

Walter P. Rogers, *Andrew D. White and the Modern University* (Ithaca, N.Y.: Cornell University Press, 1942).

William W. Brickman y Stanley Lehrer, eds., *A Century of Higher Education: Classical Citadel to Collegiate Colossus* (Nueva York: Society for the Advancement of Education, 1962).

6. El ámbito universitario norteamericano a principios del siglo XX   XXIX

A. Laurence Lowell, *At War with Academic Traditions in America* (Cambridge, Mass.: Harvard University Press, 1934).

Alexander Meiklejohn, *The Experimental College* (Nueva York: Harper and Row, 1932).

Bogue, *The Community College* (Nueva York: McGraw-Hill, 1950).

Carol S. Gruber, *Mars and Minerva: World War One and the Uses of the Higher Learning in America* (Baton Rouge: Louisiana State University Press, 1975).

Charles V. Willie y Arkine S. McCord, *Black Students at White Colleges* (Nueva York: Praeger, 1972).

Chauncey S. Boucher, *The Chicago College Plan* (Chicago: Chicago University Press, 1935).

Christian Gauss, *Life in College* (Nueva York: Scribner, 1930).

Daniel Coit Gilman, *Launching of a University* (Nueva York: Dodd, Mead, 1906).

David O. Levine, *The American College and the Culture of Aspiration, 1915-1940* (Ithaca, N.Y.: Cornell University Press, 1986).

Dwight O. W. Holmes, *Evolution of the Negro College* (Nueva York: Teachers College, Columbia University, 1934).

Edward C. Elliott y Merritt M. Chambers, *The Colleges and the Courts* (Nueva York: Carnegie Foundation, 1936).

Edwin E. Slosson, *Great American Universities* (Nueva York: Macmillan, 1910).

Elbert K. Fretwell, *Founding Public Junior Colleges* (Nueva York: Teachers College, Columbia University, 1954).

Ernest H. Wilkins, *The Changing College* (Chicago: Chicago University Press, 1927).

Eugenie A. Leonard, *Origins of Personnel Services in American Higher Education* (Minneapolis: Universtiy of Minnesota Press, 1955).

Frank Aydelotte, *Breaking the Academic Lockstep: The Development of Honors Work in American Colleges and Universities* (Nueva York: Harper and Row, 1944).
— *An Adventure in Education* (Nueva York: Macmillan, 1941).

G. Stanley Hall, *Adolescence* (Englewood Cliffs, N.J.: Prentice-Hall, 1904).

Henry S. Canby, *Alma Mater* (Nueva York: Farrar, Straus & Giroux, 1936).
— *College Sons and College Fathers* (Nueva York: Harper and Row, 1915).

Horace Kallen, *College Prolongs Infancy* (Nueva York: John Day, 1932).

James B. Angell, *Reminiscences* (Nueva York: McKay, 1912).

James D. Anderson, *The Education of Blacks in the South, 1860-1935* (Chapel Hill, N.C.: University of North Carolina Press, 1988).

John Dewey, *The Educational Situation* (Chicago: Chicago University Press, 1902).

Louis T. Benezet, *General Education in the Progressive College* (Nueva York: Teachers College, Columbia University Press, 1943).

Mabel Newcomer, *A Century of Higher Education for American Women* (Nueva York: Harper & Brothers, 1959).

Max McConn, *College or Kindergarten* (Nueva York: New Republic, 1928).

Mowat G. Fraser, *The College of the Future* (Nueva York: Columbia Unversity Press, 1937).

Norman Foerster, *The American State University* (Chapel Hill: University of North Carolina Press, 1937).

Ralph Brax, *The First Student Movement: Student Activism in the United States During the 1930s* (Port Washington: Kennikat, 1981).

Reuben Frodin, *The Idea and Practice of General Education* (Chicago: Chicago University Press, 1951).

Robert L. Duffus, *Democracy Enters College* (Nueva York: Scribner, 1936).

Robert M. Hutchins, *The Higher Learning in America* (New Haven, Conn.: Yale University Press, 1936).

Russell Thomas, *The Search For A Common Learning: General Education, 1800-1960* (Nueva York: McGraw-Hill, 1962).

Thorstein Veblen, *The Higher Learning in America* (Nueva York: Viking, 1935).

Upton Sinclair, *The Goose-step, A Study of American Education* (Nueva York: Albert and Charles Boni, 1936).

Vincent Sheean, *Personal History* (Garden City, N.Y.: Doubleday, Doran, 1936).

Walter C. Eells, *The Junior College* (Boston: Houghton Mifflin, 1936).

Walter P. Metzger, *Academic Freedom in the Age of the University* (Nueva York: Columbia University Press, 1955).

William Rainey Harper, *The Trend in Higher Education* (Chicago: University of Chicago Press, 1905).

XXX

7. La educación superior de la posguerra en Norteamérica

Bruce Wilshire, *The Moral Collapse of the University* (Albany: State University of New York Press, 1990).

Carnegie Commission on Higher Education, *Priorities for Action: Final Report of the Carnegie Commission on Higher Education* (Nueva York: McGraw Hill, 1973).

Carnegie Council on Policy Studies in Higher Education, *Three Thousand Futures: The Next Twenty Years for

Higher Education (San Francisco: Jossey-Bass/Carnegie Council on Policy Studies in Higher Education, 1980).

Clark Kerr, *Uses of the University* (Nueva York: Harper and Row, 1972).

D.H. Heath, *Growing Up in College: Liberal Education and Maturity* (San Francisco: Jossey-Bass, 1968).

Daniel Bell, *The Reforming of General Education* (Nueva York: Columbia University Press, 1966).

Edward J. Bander, ed., *Turmoil on the Campus* (Nueva York: H.W. Wilson, 1970).

Edward J. Bloustein, *The University and the Counterculture* (New Brunswick, N.J.: Rutgers University Press, 1972).

Elizabeth Minnich *et al.*, eds., *Reconstructing the Academy: Women's Education and Women's Studies* (Chicago: University of Chicago Press, 1988).

Ernest L. Boyer, *College: The Undergraduate Experience in America* (Nueva York: Harper and Row, 1987).
— y Arthur Levine, *A Quest for Common Learning* (Washington, D.C.: Carnegie Foundation for the Advancement of Teaching, 1981).

Guy Montrose Whipple, ed., *General Education in the American College, Part II, The Thirty-Eighth Yearbook of the National Society For The Study of Education* (Bloomington, Ind.: Public School Publishing, 1939).

H.L. Hodgkinson, *Intitutions, I. Transition: A Study of Change in Higher Education* (Berkeley: Carnegie Commission on Higher Education, 1970).

Harold S. Wechsler, *The Qualified Student: A History of Selective College Admission in America 1870-1970* (Nueva York: Wiley-Interscience, 1977).

Harvard University Committee on the Objective of a *General Education in a Free Society, General Education in a Free Society* (Cambridge, Mass.: Harvard University Press, 1945).

Henry Rosovsky, *The University, An Owner's Manual* (Nueva York: W.W. Norton, 1990).

Herant A. Katchadourian y John Boli, *Careerism and Intellectualism Among College Students: Patterns of Academic and Career Choice in the Undergraduates Years* (San Francisco: Jossey-Bass, 1985).

Horace M. Kallen, *The Education of Free Men* (Nueva York: Farrar, Straus & Giroux, 1949).

Howard Dickman, ed., *The Imperiled Academy* (New Brunswick, N.J.: Transaction, 1993).

James G. Rice, ed., *General Education: Current Ideas and Concerns* (Washington, D.C.: Association for Higher Education, National Education Association, 1964).

Kenneth Kenniston, *Youth and Dissent* (Nueva York: Harcourt Brace Jovanovich, 1971).

Kirk Russell, *Decadence and Renewal in the Higher Learning* (South Bend, Ind.: Regnery, 1978).

Lewis B. Mayhew, ed., *General Education: An Account and Appraisal* (Nueva York: Harper and Row, 1960).
— *Higher Education in the Revolutionary Decades* (Berkeley, Calif.: McCutchan Publishing Corporation, 1967).

Logan Wilson, *American Academics: Then and Now* (Nueva York: Oxford University Press, 1979).

Nathan Glazer, *Remembering the Answers: Essays on the American Student Revolt* (Nueva York: Basic Books, 1970).

Page Smith, *Killing the Spirit Higher Education in America* (Nueva York: Viking Penguin, 1990).

Paul L. Dressel y Lewis B. Mayhew, *General Education: Explorations in Evaluation* (Washington, D.C.: American Council on Education, 1954).

Reed Sarratt, *The Ordeal of Desegregation* (Nueva York, Harper and Row, 1966).

Reuben Frodin, *The Idea and Practice of General Education* (Chicago: University of Chicago Press, 1951).

Seymor Martin. Lipset, *Rebellion in the University* (New Brunswick, N.J.: Transaction, 1993).

Talcott Parsons y Gerald M. Platt, *The American University* (Cambridge, Mass.: Harvard University Press, 1973).

Theodore Greene, *Liberal Education Reconsidered* (Cambridge, Mass.: Harvard University Press, 1953).

Verne A. Stadtum, *Academic Adaptations: Higher Education Prepares for the 1980s and 1990s* (San Francisco: Jossey-Bass, 1980).

W.R. Niblett, ed., *Higher Education: Demand and Response* (San Francisco: Jossey-Bass, 1970).

8. Otra temporada de descontento: las críticas

Allan Bloom, *The Closing of the American Mind* (Nueva York: Simon and Schuster, 1987).

Benjamin R. Barber, *An Aristocracy of Everyone: The Politics of Education and the Future of America* (Nueva York: Ballantine Books, 1992).

Brand Blanshard, *The Uses of a Liberal Education* (LaSalle, Ill.: Open Court, 1973).

C.P. Snow, *The Two Cultures and The Scientific Revolution* (Cambridge, Mass.: Cambridge University Press, 1959).

Charles Sykes, *The Hollow Men: Politics and Corruption in Higher Education* (Washington, D.C.: Regnery Gateway, 1990).

— *Profscam: Professors and the Demise of Higher Education* (Washington, D.C.: Regnery Gateway, 1988).

Christopher Jencks y David Riesman, *The Academic Revolution* (Chicago: University of Chicago Press, 1977).

Clark Kerr, *Uses of the University* (Cambridge, Mass.: Harvard University Press, 1963).

Daniel J. Boorstin, *The Americans: The National Experience* (Nueva York: Random House, 1965).

Derek Bok, *Beyond the Ivory Tower: Social Responsibilities of the Modern University* (Cambridge, Mass.: Harvard University Press, 1982).
— *Higer Learning* (Cambridge, Mass.: Harvard University Press, 1986).

Dinesh D'Souza, *Illiberal Education: The Politics of Race and Sex on Campus* (Nueva York: Free Press, 1991).

E.D. Jr. Hirsch, *Cultural Literacy* (Boston: Houghton-Mifflin, 1987).

Ernest L. Boyer, *Campus Life: In Search of Community* (Princeton, N.J.: Carnegie Foudation for the Advancement of Teaching, 1990).

George H. Douglas, *Education Without Impact* (Nueva York: Birch Lane Press, 1992).

Helen Lefkowitz Horowitz, *Campus Life: Undergraduate Cultures From the End of the Eighteenth Century to the Present* (Nueva York: Alfred A. Knopf, 1987).

Jennifer Washburn, *University, Inc.* (Nueva York: Basic Books, 2005).

John Silber, *Shooting Straight What's Wrong with America* (Nueva York: Harper and Row, 1990).

Julien Benda, *The Betrayal of the Intellectuals, trad. Richard Aldington* (Nueva York: Norton, 1969).

Michael Apple, *Official Knowledge: Democratic Education in a Conservative Age* (Nueva York: Routledge, Chapman and Hall, 1993).

Mortimer Adler, *The Paideia Proposal* (Nueva York: Macmillan, 1982).

Page Smith, *Killing the Spirit: Higher Education in America* (Nueva York: Viking Penguin, 1990).

Paul Berman, ed., *Debating P.C.: The Controversy Over Political Correctness on College Campuses* (Nueva York: Dell, 1992).

Richard S. Ruch, *Higher Ed, Inc., The Rise of the For-Profit University* (Baltimore, MD.: The Johns Hopkins University Press, 2001).

Robert N. Bellah *et al., Habits of the Heart Individualism and Commitment in American Life* (Berkeley: University of California Press, 1985).

Robert Paul Wolff, *The Ideal of the University* (Boston: Beacon Press, 1969).
— *The Good Society* (Nueva York: Vintage, 1992).

Roger Kimball, *Tenured Radicals* (Nueva York: Harper Collins, 1990).

Russell Jacoby, *The Last Intellectuals: American Culture in the Age of the Academe* (Nueva York: Basic Books, 1987).

Thomas Toch, *In the Name of Excellence* (Nueva York: Oxford University Press, 1991).

Thorstein Veblen, *The Higher Learning in America* (Nueva York: B.W. Huebsch, 1918).

William J. Bennett, *To Reclaim a Legacy: A Report on the Humanities in Higher Education* (Washington, D.C.: National Endowment for the Humanities, 1984).

William J. Cory, *Eton Reform* (Londres: Longman, Green, Longman, & Roberts, 1861).

9. Epílogo: retrospectiva histórica XXXIII

Craig Kaplan, y Ellen Schrecker, eds., *Regulating the Intellectuals* (Nueva York: Praeger, 1983).

Pierre Bourdieu y Jean-Claude Passeron, *Reproduction in Education, Society and Culture* (Los Ángeles: Sage, 1979).

Robert M. MacIver, *Academic Freedom in Our Time* (Nueva York: Columbia University Press, 1955).

XXXVI

XXXVII

XXXIX

XLI